문학의 불안

이 도서의 국립중앙도서관 출판시도서목록(CIP)은 e-CIP홈페이지(http://www.nl.go.kr/ecip)와
국가자료공동목록시스템(http://www.nl.go.kr/kolisnet)에서 이용하실 수 있습니다.
(CIP제어번호:CIP2015017850)

문학의 불안

분명한 것은 우리의 문학이 진짜와 가짜의 곤혹과 대면하고 있다는 사실이다.
세계의 부당함과 부정함이 지금만큼 명백한 적도 없었지만, 그것으로부터 벗어나는 일의 불가능성이
지금처럼 지난하게 여겨진 적도 없다. 우리는 이미 불안을 거처로 삼고 있는 우리의 영혼을,
혹은 그 영혼이 깃들어 있는 이 세계의 근본적인 불가능성을 아주 오래 고통스럽게
바라보아야 할 것이다.

서영인 평론집

실천문학사

책머리에

몇 년간 쓴 원고를 정리하다 보니, 여기저기서 초조한 기색이 읽혀 책을 묶는 마음이 무겁다. 세상은 내내 엉망진창이었고, 삶은 점점 더 힘들어졌으며, 문학은 무력해 보였던 탓에 글 쓰는 동안 늘 좌불안석이었다. 불행한 세계에 대한 문학의 저항력이 너무도 박약해 보여서 비관했다가, 그럼에도 불구하고 문학을 믿어야 한다는 생각으로 애써 낙관하는 그 사이에 내 불안과 초조가 깃들어 있는 것 같다. 그것이 내 탓인지, 세상 탓인지를 가늠하는 것만으로도 책의 서문을 쓰는 시간이 한없이 길어졌다.

문학의 위기라는 진단이 내려진 지 너무 오래 되어 사실 이제는 그 위기감 자체가 일종의 습관처럼 여겨질 정도다. 대중매체와 문화산업의 발달로 인해 문자 매체가 가진 위력이 현저히 약화되었고, 살벌한 생존 경쟁과 자본의 논리는 문학적 감수성과 상상력을 한가한 여담처럼 여기게 만들었다. 디지털 기술의 발전은 인터넷 시대를 지나 스마트폰의 시대를 이끌고 있고, 각종 인터넷 커뮤니티가 SNS 소통으로 바뀌는 동안, 영상미학이라는 말이 실종될 정도로 영화가 대형

문화산업의 영역으로 완전히 편입되는 동안, 문학은 여전히 위기 담론을 반복하면서 점점 더 위축되고 있다. 그리고 이제 문학의 위기가 아니라 문학의 불안을 말해야 하는 때가 되었다. 불안에 대한 문학이 아니라 문학의 존재 그 자체의 불안이다.

이러한 생각은 세간의 평처럼 독서 대중의 감소와 출판 시장의 불황 같은 외적 여건에서 기인하는 것도 아니며, 문학이 문화산업과 속도 경쟁의 시대에서 소외되고 있기 때문만도 아니다. 더 정확히 말하자면 문학은 이미 그러한 외적 여건에 적응하고 있고 그래서 자신의 내부 동력을 상실했기 때문에 스스로 불안을 자초하고 있다. 시대의 변화에 적응하지 못한 것이 아니라 너무 잘 적응한 나머지 문학이 있어야 할 자리가 없어지고 있다는 말이다. 문화산업의 일부가 되어 버린 문학은 문화산업의 논리 내에서만 사유될 수 있을 뿐이므로 거기에 문학 그 자체의 고유성 같은 명분이 들어설 자리가 없다.

최근 벌어진 신경숙 작가의 표절 사태를 통해 이러한 문학의 불안을 적나라하게 실감할 수 있다. 표절 그 자체도 문제지만 직후 황급히 내 놓은 창비의 해명이 더 문제라고 생각한다. 무엇보다도 "포괄적 비문헌적 유사성"이나 "부분적 문헌적 유사성"과 같은 법적 용어는 문학의 표절에 대한 판단을 법적 판단에 맡기고 있다는 점에서 문제다. 작가의 표절이 법적으로 문제가 없다면 괜찮은 것일까. 이래서는 이번 사태와 관련한 법적 소송에 대하여 문학의 문제는 문학 내부에서 해결해야 한다는 주장이 설 자리가 없다. 거기다가 해당 장면이 "작품 전체를 좌우할 독창적 묘사도 아니"며, "전체에서 차지하는 비중도 크지 않다"라는 해명에 이르면 '섬세한 문체미학'이라든가, '글쓰기의 진정성' 등의, 신경숙 작가를 상찬했던 비평적 가치판단 전체가 무색해진다. (비평의 언어를 빌려온) 보도자료는 최소한의 일관성도 없이 눈앞에 닥친 불을 끄기에 급급하다. 문학적 수사가 목적을 위해 어떻게 활용되는지를 보여주는 가장 나쁜 예에 해당한다.

표절 자체보다 해명을 더 문제 삼은 이유는 일차적으로 이 표절 논란이 새롭게 발견된 사실이 아니기 때문이다. 알려진 대로「전설」의 표절 문제는 이미 15년 전에 제기되었고 이를 비판하는 글들이 '문학권력 논쟁'과 함께 제출되었으나, 별다른 결말을 얻지 못하고 무마되었다. 그리고 오랜 시간이 흘렀고, 그 사이 신경숙 작가는『엄마를 부탁해』의 성공을 계기로 어느새 한국문학의 대표 작가가 되었다. 15년 전 무마되었던 사건이 지금 사회적 논란의 핵심이 된 저변에는 SNS의 위력이 있다는 것에 동의한다. 그러나 15년 전에 SNS가 없었기 때문에 논란이 무마된 것은 아니다. 원인을 말하자면 문학권력이나 문단의 폐쇄성 등이 당연히 제기되겠으나 이에 관해서는 이미 여러 분석들이 나와 있기도 하거니와 이 지면에서 간단히 논할 수 있는 문제도 아니다. 다만 비평과 관련해서 조금 첨언하고 싶은 내용이 있는데, 그것은 상품으로서의 문학작품과 문학주의라는 이율배반, 그리고 비평의 문제다. 작품해설이 문학비평에서 중요한 비중을 차지하게 되면서, 그리고 문학잡지의 신간 조명을 위해 문학비평이 주로 활용되면서 문학비평의 대상 작품이나 관심 주제의 영역이 현저하게 좁아진 경향을 우선 지적할 수 있다. 표절 논란이 있었고, 그에 대한 논의가 있었지만, 이는 신간 출간의 주기에 따라 잊혀지거나 혹은 지난 일로 치부되기 일쑤였다. 특정 주제에 대한 집중적 논의나 지속적인 논쟁 자체가 상품의 순환주기에 종속되는 경향이 있었다. 그리고 또 하나는 표절 자체가 일종의 부분적인 것으로 취급되면서 '그럼에도 불구하고 이 작품의 문학성은' 하는 식으로 논의가 전환되는 경우가 많았다는 것이다. 일종의 문학주의라 할 수 있는데, 표절 혐의의 자구(字句) 찾기와 작품의 미학을 밝히는 일을 분리시킴으로써 표절 논의가 문학에서 부차적인 것처럼 외면되기도 했다. 비평은 문학작품의 순환주기에 종속되어 있는데, 비평의 관심사는 오로지 텍스트 그 자체로만 집중되는 상업주의와 문학주의의 이상한 동거 현상은 신경숙의 표절 논란이 십수 년간 회피될 수 있었던 또 다른 원인이다. 변화된 문화 환경에 문학이 나름의 해법으로 적응한 결과라고 할 수 있다.

그러므로 문학의 불안은 곧 비평의 불안이며 나 역시 여기에서 자유롭지 않다. 나는 등단 이전에 신경숙에 대한 작가론을 한 편 쓴 적 있고 그 글을 첫 번째 평론집에 수록하였다. 그리고 등단 이후 한 평론에서 「딸기밭」을 비판적으로 언급한 것 이외에는 신경숙 작가에 대한 글을 쓴 적이 없다. 그러나 쓰지 않았다고 해서 괜찮은 것일까? 2000년대 문학이 신경숙 문학을 상찬하는 것에 나는 불만이 있었고, 특히 『엄마를 부탁해』에 쏟아진 찬사에 동의할 수 없었다. 『엄마를 부탁해』는 대중성이 뛰어난 작품임에는 틀림이 없고 그 대중성이 함축하고 있는 의미도 적지 않다. 그러나 『엄마를 부탁해』에 붙여진 비평들은 분명히 『엄마를 부탁해』 자체가 내장한 가치로부터 멀어져 있거나, 혹은 그 가치에 비해 과장되어 있다. 그랬다면 썼어야 하지 않을까. 원고를 요청받은 적이 없다거나, 쓸 기회가 없었다는 변명 역시 궁색한데, 이러한 변명이야말로 내 글쓰기가 현재의 문학 시스템 내에서 움직이고 있다는 증거이기도 하기 때문이다.

지나친 자책이 내내 성실한 글쓰기를 감당해 왔던 동료 비평가나 작가들에게 누가 된다는 점을 알고 있다. 자책을 통해 윤리적 면죄부를 얻으려는 것 같아 낯부끄럽기도 하다. 나 한 사람의 비평이 한국문학의 지체를 교정할 만한 힘을 가지고 있을 리가 없다는 것도 잘 알고 있다. 그럼에도 불구하고 시스템 안에서의 불안과 자책을 책머리에 실어 놓는 까닭은 어떤 작은 변화도 혼자의 힘으로는 가능하지 않으며, 반대로 어떤 거대한 권력도 한둘의 개인이나 집단으로 가능하지 않다는 사실을 기억하기 위해서다. 정작 문제는 시스템 안에서 쓰지 않았다는 점이 아니라 시스템 바깥을 적극적으로 상상하지 못했다는 점에 있을지도 모른다. 시스템 내부 비판에 동반되어야 할 대안적 가치가 부재했다는 것, 문학의 현실 대응력 약화야말로 사실상 오늘날 한국 문학의 체질 약화를 가져온 직접적 원인이라 할 것이다.

범위를 넓혀 보자면 당연하게도 이는 한국 문학만의 문제는 아니다. 규모와 성과만이 남고 마땅히 지켜져야 할 가치에 대한 성찰이 부족한 현상은 한국 사회 전체에 만연해 있다. 작년 4월 16일 세월호 참사가 자본과 권력에 대한 참담한 절망을 넘어서서 작가들의 글쓰기에 근본적인 충격파를 던진 이유도 여기에 있을 것이다. 국가 부재와 생명 실종의 상황도 기가 막혔지만 그것이 우리가 모두 암묵적으로 용인해 온 자본 중심, 성과 중심의 결과라는 점에서 내적 상처는 깊었다. 4·16 이후 작가들은 매달 한 번씩 모여 304낭독회를 계속해 나가고 있다. 그저 매달 마지막 토요일에 낭독회 장소에 나가 멍하니 듣다 오는 것뿐이지만 되도록 그 낭독회에 빠지지 않으려 애쓰고 있다. 문학의 무력을 잊지 않기 위한 일종의 면역 처방이다. 이 글을 쓰기 직전의 낭독회에서 들은 이우성 시인의 「씨발」이라는 글 중 한 구절이 마음에 남았다. “진실이 물속으로 들어갔습니다. 건져야 하잖아요? 이걸 설명을 해야 해요? 누군가를 납득시켜야 하냐고요?” 그러게 말이다. 설명을 해야 할 일이라고는 상상도 못했던 당연한 일들이 발밑에서 하나씩 무너지고 있는 광경을 한동안 쭉 목도해 왔다. 상식이 무너지고 공공성이 실종되고 있는 폐허가 지금 우리의 문학이 서 있는 자리다. 당연하다고 전제해 왔던 가치들이 붕괴된 현상보다는 무엇이 그 가치를 무너뜨리고도 아무렇지도 않게 살아가게 하고 있는가를 근본적으로 성찰해야 할 때이고, 그런 의미에서 문학이 처한 불안은 한층 깊고 무겁다.

글쓰기의 무력에 대한 자책 때문에 서두가 너무 무거워졌다. 책의 본문이 이 서두에 답할 수 있어야 할 텐데, 그럴 수 있을 거라는 확신은 없다. 다만 막막함 속에서도 무언가 다른 방향으로 길을 내 보려고 애쓴 결과라는 정도의 애정은 갖고 있다. 다소 거칠거나 성급한 판단들이 눈에 띄기도 하지만 사실 확인과 약간의 문장 수정 정도 말고는 그대로 두었다. 무력을 토로하면서도 또 책을 내 놓고 또 글을 쓰려는 이유는 빈약한 기록이 드러낸 결여로부터 다시 토론하고 연대할 길을 찾기 위해서다. 따뜻한 질정을 바란다. 더디고 둔하더라도 꾸준히 쓰겠다는 말로 감사의 말을 대신한다.

2015년 덥고 가문 여름,

서영인

| 차례 |

2부 리얼리티 스펙트럼

3부 고통의 문장

| 1부 |

재현의 정치성

재현의 정치성과 새로운 주체

1. 재현의 정치성

정유정은 최근작 『28』(은행나무, 2013)의 '작가의 말'에 "2013년 6월 광주에서"라는 익숙한 표지를 덧붙이고 있다. 얼마나 익숙하냐 하면 이 표기에서 '1980년 5월 광주'를 자동으로 연상할 정도다. 물론 이 자동적 연상은 소설의 배경인 가상도시 '화양'이 여러모로 '1980년 5월 광주'와 닮아 있다는 데 영향받은 것이기도 하다. 인수(人獸)공통전염병 유행 때문에 봉쇄된 도시 화양은 1980년 5월 광주의 기억과 여러 국면에서 겹친다. 작가의 의도였는지 모르겠지만 '가상도시 화양'–'1980년 5월 광주'–'2013년 6월 광주'로 이어지는 의미의 연쇄작용은 꽤나 강력하다. 화양의 형상이 광주라는 상징을 환기함으로써 발생되는 모종의 효과가 있는 것은 분명하다.

「우리는 매일 오후에」의 작가 박솔뫼는 최근 발간된 『젊은작가상 수상작품집』(문학동네, 2013)에서 후쿠시마를 언급하고 있다. 후쿠시마라는 고유명에서 2011년 3월의 사건이 환기되는 것은 당연하다.

그런데 『28』의 광주처럼 이 환기 작용은 자연스럽게 진행되지 못한다. 작가가 구체적 사건으로서의 후쿠시마로부터 분명한 거리를 표방하고 있기 때문이다. 『녹색평론』에서 옮겨 적은 몇 구절로 작가 후기를 대신하는 방법을 통해서이다. 작가 후기는 "『녹색평론』에 실린 글 중 몇 개를 일기에 적어두었다"라는 작가의 말과 인용된 문장 몇 개로 구성되어 있다.

상징과 인용, 두 개의 작가 후기에서 광주와 후쿠시마라는 강력한 고유명에 대응하는 방법의 차이를 읽을 수 있다. 상징이 대상의 대표성에 동의하고 그 의미를 수용하는 것을 전제로 한다면, 인용은 그 동의와 수용으로부터 거리를 두는 태도를 표방한다. 이 차이를 설명하기 위해 체험의 직접성이 자주 거론된 바 있다. 이른바 체험 세대와 미체험 세대의 차이라는 익숙한 세대론이다. 이런 식의 이분법이 지나친 단순화를 유발한다는 문제점을 따로 지적할 필요는 없을 것이다. 비평이 개별 작품들을 통해 동시대의 문학 구도를 읽어내고 거기에서 어떤 보편적 범주를 추출해내려 한다는 점에서 얼마간의 단순화를 감수할 수밖에 없기도 하다. 여기서는 다른 문제를 제기하고 싶다. 세대 구분이 설정한 시차는 구세대의 것을 사라지는 것으로, 신세대의 것을 등장하는 것으로 구분함으로써 이 둘을 같은 맥락 안에 놓을 수 없게 한다. 그래서 종종 이들이 동시대의 문학을 형성하며 공존하고 있다는 사실은 잊혀진다. 이러한 동시대성의 탈각은 작품을 판단하는 비평적 기준과 태도도 분리시킴으로써 동시대의 문학을 보는 시각을 제한한다. 구세대의 작품에는 비평적 예우가, 신세대의 작품에는 새로운 것에 대한 과도한 기대가 할당된다. 이런 식의 차별적 기준 적용은 모두를 인정하는 것 같지만 사실은 어떤 것도 온당하게 해명하지 않는다. 온당하게 해명되지 않는 문학들에서 소통과 교섭을 읽어내는 일은 점점 힘들어질 것이다. 차이의 강조가 자주 세대 분열이나 소통 불가능성을 뒷받침하는 근거로 활용되었음을 생각한다면 차이의 정치학이 분열의 정치학으로 화할 가능성은 언제나 존재한다. 애초에 세대론은 개별 작품들이 가지는 공통의 사회적 기반이나 근거를 찾기 위한 방법론으로 고안된 것이다. 이것이 신원론으로 귀결되지 않기 위해서는 사회적 공통성의 문제를 좀 더 고민할 필요가 있다. 차이를 존중하면서도 그것들의 교섭과 공존을 사유하는 것, 그리고 차이들을 동시대성의 맥락 속에 위치시키는 일이 더 중요해지는 이유도 여기에 있다.

체험의 문제에 대해서도 좀 더 세밀해질 필요가 있다. 체험이라는 범주가 실제 역사나 사건에 연관되어 있을 수밖에 없다고 했을 때 직접 체험이라는 것은 생각보다 훨씬 제한적이다. 엄밀히 말하자면 우리는 실제 사건을 직접 경험하기보다는 상징이나 재현을 통해 경험한다. 그리고 그 상징과 재현은 과거의 역사에 고착되어 있는 것이 아니라 언제나 현재적 시점에서 재구성되고 재해석된다. 문학이 언어적 재현물이라는 점을 고려한다면 재현의 정치성과 당대성은 더욱 분명해진다. 하나의 단어를 선택하고 그 단어를 이해하는 과정에는 이미 그 단어와 관련된 수많은 사건과 경험들이 개입되며, 의사소통이란 그 전제들을 거쳐 겨우 이루어지는 합의의 다른 이름일지도 모른다. 언어를 매개로 한 소통과 합의란 그러므로 그 여러 맥락들 사이에서 무수하게 이루어지는 지난한 개입과 충돌이다. 어떤 사건을 재현할 수 있느냐의 문제, 혹은 어떻게 재현하느냐의 문제는 현재적 충돌과 개입의 담론 환경에 전적으로 연루되어 있다. 가령 광주만 하더라도 1980년대의 광주와 1990년대의 광주와 2000년대의 광주는 같지 않다.[1] 누군가가 광주의 상징에 동의하거나 반대한다고 했을 때, 그 동의와 반대의 의미는 그가 어떤 시대에 속해 있는가에 따라 다르게 판단될 수밖에 없다. 서로 다른 입장들의 충돌로 맥락은 언제나 재정비된다. '광주'는 '민주화의 성지'와 '빨갱이들의 소굴'이라는 양극단의 언어 사이에서 여전히 현재형으로 쟁투 중이다.

다시 광주와 후쿠시마로 돌아와 보자. 『28』과 「우리는 매일 오후에」에서 광주와 후쿠시마를 바라보는 태도는 각각 상징과 인용으로 정리될 수 있다고 했다. 이 차이는 동시대성의 문제로 다시 사유될 수 없는가. 두 작품은 모두 광주와 후쿠시마를 직접 묘사하거나 재현하지 않는다. 그럼에도 불구하고 우리는 그 서사들에서 광주와 후쿠시마의 어떤 이미지를 떠올린다. 그 이미지들이 단일한 것일 리 만무한데, 우리는 여전히 광주와 후쿠시마에서 재현 가능한 것과 불가능한 것들을 함께 체험하고 있기 때문이다. 그러므로 작가가 광주와 후쿠시마를 통해 무엇을 말하려고 한다면 그것은 여전히 충돌 중인 상징과 이미지들 속에서다. 작가들은 재현을 통해 그 상징과 이미지에 개입하고 그것에 동의하거나 부인하면서, 혹은 침묵하거나 회피하면서 의미를 생산해낸다. 상징이 하나의 태도를 함축한다면 인용도 마찬가지다. 그것은 각각 다른 개입 방식이며 그 개입들이 동시대적 문학 환경을 구축한다. 혹은 동시대적 문학 환경으로부터 개입들의 관계 방식이 결정된다. 그러므로 개입은 언제나 정치적이며 그 정치를 가능하게 할 새로운 주체를 전제한다. 지금부터 할 이야기는 이 새로운 미학적 실천 주체에 관한 것이다.

---

1) 광주의 '주체들'이 단일하게 해석되지 않았으며, 그 해석이 만들어내는 담론 환경은 곧 우리 시대의 민주주의를 정의하고 사유하는 과정이었음을 김정한, 『1980 대중 봉기의 민주주의』, 소명출판, 2013. 1부 '재현과 해석'을 통해 알 수 있다.

2. 억압된 것의 귀환, 광주의 상징 속에서

『28』의 '화양'으로부터 1980년의 '광주'를 연상하는 것은 정부에 의한 '봉쇄'라는 공통점 때문만은 아니다. 살아남은 시민들의 운집, 공통의 생존을 향한 그들의 외침과 행동 때문이기도 하다. 그들은 무법천지의 화양에서 정부에 항의하고 서로의 생존을 걱정하면서 공통의 행동을 도모한다. "마치 1980년 광주처럼, 도시 전체를 완전히 고립시킨 정부는 시청 앞으로 모여드는 시민들을 향해 '해산하시오'라는 명령만을 되풀이"[2]하지만 그들은 해산하지 않는다. 정부를 압박하고 살아 있는 사람들이 있음을 알려야 한다고, 그러기 위해서는 죽음을 각오하고 행동하지 않으면 안 된다고 결의한다.

> 열 번째로 마이크를 잡은 중년 남자는 앞선 연설자와 좀 달랐다. 태도는 차분하고, 목소리는 힘이 있고, 내용은 논리적이었다. 요약하자면 이랬다.
>
> 화양은 고립된 도시가 아니다. 버림받은 곳이다. 며칠 전부터, 군인들이 거리에서 사라지고 있다는 게 그 증거다. 군인들도 감염돼 쓰러지고 있다는 걸 의미하고, 정부가 화양 안의 병력을 소모시킨다는 의미이기도 하다. (중략) 상황이 악화될 경우, '버린다'에서 '고사시킨다'로 갈 수도 있음을 암시하는 대목이다. 그때에는 전기와 가스, 수도까지 끊을 것이다. 그렇게 되기 전에 정부를 압박해야 한다. 나아가 전 세계에 우리의 처지를 알리고 인도적 처사와 적절한 치료 대책을 요구해야 한다. 이렇게 모여 앉아 비관하고 한탄만 하다가 개처럼 죽어갈 수는 없지 않느냐.[3]

---

2) 정여울, 「작품해설－재앙의 디스토피아 속에서 '나'를 만나다」, 『28』, 은행나무, 2013, 485쪽.

3) 정유정, 『28』, 은행나무, 2013, 410쪽.

> 비무장, 비폭력 행진만이 우리의 살길입니다. 물론 오늘 모인 인파로는 어림도 없는 일입니다. 살아 있는 사람 모두 한날한시에 이 광장으로 집결해야 가능한 일입니다. 살아도 같이 살고, 죽어도 같이 죽겠다는 결의가 있어야 한다는 것입니다.[4]

그리고 살아남은 시민들의 거대한 물결이 도시 봉쇄선을 향했을 때 발포가 있었다. 봉쇄선을 넘는 시민들은 가차 없는 총격에 쓰러졌고 군중들은 흩어졌다. 결집 안에서 그들은 민주적이고 질서정연했으며 숭고하고 엄숙했지만, 그들의 결집 바깥은 잔혹하고 무자비했다. 광주의 상징이 전달하는 이미지는 두 가지다. 숭고함과 무력함. 이들이 무력한 것은 일제 발포에 이들이 희생되었기 때문만은 아니다. 전염병이 창궐하는 화양의 무질서와 잔혹을 뚫고 나가는 서사가 이들로부터 비롯되지 않기 때문이다. 이들은 죽거나 흩어졌으며, 서사는 여기에 없던 다른 이들에 의해 진행된다. 『28』에는 광주라는 사건과 그것이 만들어낸 이미지가 덧입혀져 있고, 여기에서 광주는 '숭고하지만 무력한' 것으로 재현된다. 그리고 이러한 재현으로 인해 세계는 재앙의 알레고리가 된다. 이는 『28』이 광주라는 상징의 재현과 관련 맺으면서 발생하는 효과이기도 하다. 이것은 광주 패러다임에 대한 어떤 조종(弔鐘)처럼 들린다.

그러므로 광주를 익숙한 관습이나 상징이라고만은 말할 수 없다. 지금 여기에서 재현되는 광주는 이전에 없던 광주다. 권여선의 『레가토』(창비, 2012), 공선옥의 『그 노래는 어디서 왔을까』(창비, 2013) 역시 그렇다. 누군가는 후일담이라 말하고 누군가는 동어반복이라 말할

4) 정유정, 위의 책, 411쪽

지도 모른다. 그러나 문제가 그렇게 간단치는 않다. 두 소설의 서사가 모두 강간당한 여성을 중심으로 진행된다는 사실에 주목하자. 강간당한 여성 주체가 새로운 것이 아니라고 할지도 모른다. 그러나 그 때 강간당한 여성이란 양민 학살의 숱한 증거 중 하나였다. 『그 노래는 어디서 왔을까』의 정애는 물론 광주에서 군인에게 강간당했지만, 강간은 이전에도 있었다. 정애가 살던 마을의 남자들에 의해서였다. 심지어 『레가토』의 정연은 학생운동서클의 선배에게 강간당했다. 물론 사정에 대해서는 좀 더 설명이 필요하다.

정애의 아버지는 떠돌이 노동을 떠났고 어머니는 정신이 온전치 못했다. 부모로부터 보호받지 못한 정애를 마을의 남자들이 유린했다. 그리고 남자들과 그들의 아내들은 더 이상 정애와 한 마을에서 살 수 없었으므로 고아가 된 정애 형제들을 내쫓았다. 그리고 광주에서 군인들에게 폭행당한 정애는 더 이상 온전한 정신을 유지할 수 없었다. 그 이후로도 걸식과 방랑, 그리고 성적 유린이 계속되었다.

대학 신입생이었던 정연은 학내에 상주하는 경찰들이 무섭다고 말하다가 선배로부터 뺨을 맞았다. 그리고 그날 밤 다른 선배에게 강간당했다. 강간이라는 말이 과장된 것일지도 모른다. 잠든 정연에 대한 욕망이 순간적인 폭행을 불러왔을 뿐이라고, 그리고 결국 정연은 그 폭력과 사랑의 이율배반 속에서 떨고 있는 선배를 받아들였다고 다시 말할 수도 있겠다. 그리고 선배 박인하는 폭력을 사과하고 사랑을 말하려고 했지만 그 직전에 구속되는 바람에 기회를 얻지 못했다. 정연에 대한 강간은 끝까지 해명되지 못했다. 시대의 엄혹함이라는 해명이 대신 제시되었을 뿐이다.

광주로부터 전혀 다른 주체들의 이야기가 발화되고 있다고 말할 수 있겠다. 정애는 광주 시민도 무엇도 아니었으나 광주에 휩쓸려 들어갔다. 광주 이전에도 그녀는 마을 공동체로부터 보호받지 못했고, 광주 이후에도 마찬가지였다. 그는 누구인가. 아무도 그가 누구인지 말해 줄 수 없다. 임신 때문에 휴학했던 정연은 아이를 낳고 친구를 만나러 광주에 갔다가 거기서 실종되었다. 신입생이던 봄에 겪은 예기치 않은 사건으로 정연은 서클의 동료들과는 다른 시간을 살았고, 임신과 출산이라는 미처 준비하지 못한 일들을 겪어야 했다. 사회운동의 대의도 방법도 체화하지 못하고 막연한 공포에 움츠러든 채로, 아이를 가진 여대생이라는 스스로도 설득할 수 없는 주체가 된 정연이 겪은 광주란 아마도 지금껏 우리가 상상한 광주와는 다른 광주일지도 모른다.

그런데 그 주체들의 목소리를 찾는 일이 만만치 않다. 『그 노래는 어디서 왔을까』는 정애 바깥에서 정애를 의미화하지 않는다. 무력하면 무력한 대로, 온전한 정신이 아니면 아닌 대로 정애의 의식을 넘나들며 서술된다. 소설이 자주 시도 때도 없는 '노래'로, 맥락 없는 '중얼거림'으로, 그리고 알아들을 수 없는 '주문' 같은 것으로 서술되는 것은 이와 무관하지 않다.

> 박샌이 제 몸을 파고들 때 정애는 노래불렀다.
>
> 대밭에는 댓잎삭이 청청허네 솔밭에는 솔잎삭이 총총허네.
>
> 쉰살의 정애가 그렇게 노래하자 백살의 정애가 노래를 받았다.
>
> 기와집 몬당에 눈썹달 꾸정물 통에 호박씨 우리 집 마당에 보름달 까막깐치가 깍깍.
>
> 정애는 노래 부르면서 박샌의 등을 어루만졌다. 박샌이 덜덜 떨었다. 떨면서 뇌까렸다.
>
> 조용히 하랑게 쳐 노래를 하네 이. 노래를 해. 노래를…… 그러면서 박

샌이 웃었다. 웃으면서 박샌은 울었다. 아아, 씹할 넌, 쳐 노래를 해. 노래를.[5]

새로운 주체의 목소리가 발화되기 위해서는 당연히 익숙한 주체들이 반성되어야 한다. 그러나 그 길 역시 쉽지 않다. 아이를 낳은 후 광주에서 시위대를 만난 정연은 그의 동료들을 떠올리며 이전의 주체로 복귀했고 거기에서 실종되었다. 이전의 주체로 복귀했다고 했지만 그것은 엄밀히 말하면 그의 동료들을 통해 짐작된 주체성이었을 뿐이다. 그러므로 실종된 것은 정연을 통해 겨우 단초를 보였던 다른 주체성이기도 하다. 정연이 살아남아 기억을 잃은 채로 파리에 있었다는 에필로그가 전해지지만 잃어버린 기억처럼 정연의 주체성도 사라졌다. 죽은 줄 알았던 정연을 다시 만남으로써 그녀의 옛 동료들은 그들의 과거와 화해했다고 생각하지만 과연 그런가. 발목까지 오는 흰 원피스를 입고 부자연스러운 걸음걸이로 아이 같은 표정을 짓는 정연은 신비스럽기조차 하다. 이 기적 같은 결말은 많은 이야기들을 생략하고 있다. 평판에 대한 두려움으로 폭력의 방식으로 사랑을 표현했던 박인하는 정연을 잃고도 찾지 않았고 그러다가 국회의원이 되었다. 정연의 실종으로 다른 주체를 탐구할 기회가 사라졌고, 정연을 잊고 살았던 동료들에게도 그것은 마찬가지였다.

정애의 실종으로 끝나는 『그 노래는 어디서 왔을까』와 정연을 다시 찾는 것으로 끝나는 『레가토』는 그러므로 서로 이어져 있다. 다시 발견되기 시작한 주체들의 말을 찾는 것. 그리고 익숙한 서사의 관습으로부터 벗어나는 것. 정애의 말은 개방되면서 실종되었고, 정연의

5) 공선옥, 『그 노래는 어디서 왔을까』, 창비, 2013, 171~172쪽

말은 복귀하면서 봉인되었다. 익숙한 상징과 고착된 이미지라는 것은 어쩌면 서사의 곤경에서 시작된 것일지도 모른다. 광주는 이미 과거의 것으로 고착되면서 공동체적인 주체의 무력을 기정사실화하고 있고 새로운 주체의 말은 아직 온전히 발견되지 못했다. 그리고 그것이 우리 시대 정치적 상상력의 현주소이기도 하다.

광주로부터 정치적 상상력으로 비약하는 것에도 내막은 있다. 여기서 다루지 못했지만 한창훈의 『꽃의 나라』(문학동네, 2011)까지 포함된다면 광주를 다룬 장편소설이 최근 집중적으로 발표되고 있다고 해도 큰 무리는 없다. 이를 단순한 우연이라 보기는 힘들다. 문학 내적으로 말하자면 '장편소설론'과 '문학과 정치' 논의들, 그리고 문학 외적으로 말하자면 이명박 대통령 집권 이후 노골적으로 강제되었던 정치적 퇴행이 이 일련의 장편들과 관련되어 있다고 볼 수 없을까. 문학 내외로 구분하기는 했지만 그것이 그렇게 편의적으로 구분될 수 있는 것은 아니다. 민주주의의 퇴행과 신자유주의의 노골적 추진을 목격하면서 정치와 일상의 관계, 문학의 정치적 개입이 절실하게 사유되었다면, '장편소설론'과 '문학과 정치'란 결국 이러한 시대적 요청에 의해 호출된 문학적 실천의 모색이었다고 불러도 좋을 것이다. 광주의 서사적 부활은 가장 대표적인 응답 중 하나였지 않을까.

문제가 너무 단순화되었다면 다르게 말해보자. 문학의 정치성에 대한 논의가 어떤 작가들에게는 광주라는 상징으로 구체화되었다. 이론과 당위를 일상적 삶과 사건들의 연쇄로 번역하는 일, 그리고 그것이 세계에 대한 해석으로 연결되는 지점, 이 지점에서 광주의 서사적 부활이 있다고 한다면, 광주는 여전히 어떤 작가들에게 정치적 상상력의 거점으로 잠재되어 있었던 것이다. 문학이 정치적 효과와 실천의 영역에서 다시 사유될 때 광주가 구체적 형상으로 다시 등장했다고 한다면, 광주가 가진 상징적 의미와 상상적 표상으로서의 가치는 여전히 우리 사회에 현존한다고 보아야 한다. 1980년대적인 것들은 아직 극복되지도 망각되지도 못하고 우리 시대의 한 원형으로 잠재되어 있었던 것이 아닐까. 그렇다면 장편소설로서의 광주란 '억압된 것의 귀환'이라고 부를 만한 것이다.[6)]

억압의 사정은 널리 알려져 있다. 1990년대 이후의 문학을 적이 사라진 시대의 문학이라 부르든, 왜소하고 파편적인 주체의 문학이라 부르든 언제나 그 주체의 호명 반대편에는 1980년대라는 표상이 있었다. 그리하여 1990년대 이후 문학은 스스로의 정체성을 주장하기 위해서 언제나 1980년대를 대타항으로 설정할 수밖에 없었다. 거울이 사라진다면 거울에 비친 상도 사라지며 그래서 자아를 증명할 방법도 사라진다. 기묘하게도 1980년대, 그리고 광주는 서사의 현장에서 부재했지만 언제나 적대의 한 축으로 존재하고 있었던 것이다. 그것이 억압의 구체적 내력이다. 서사의 현장에서 부재했고 적대의 반대축으로 존재하고 있었다면 광주의 서사는 여전히 아직 충분히 발화되지 않았다는 가정이 가능해진다. 잘못은 거울에게도 있다. 오해와 오인을 항변하느라 거울은 꽤 오랫동안 그 자리에 고정된 채로 있었다. 그러므로 『28』에 남은 광주의 상상적 이미지와 정애와 정연이 겪는 새로운 주체 찾기의 난항은 동전의 양면이다. '억압'된 것의 귀

---

6) 강경석은 최근 평론 「이름이 지워진 사유를 위하여」(『자음과 모음』, 2013년 여름)에서 비평의 이론화 현상을 비판하면서 '억압된 것의 귀환'을 언급한 바 있다. 1980년대적인 것, 다시 말해 '운동으로서의 문학'이 억압되면서 '제도로서의 문학'도 전문성의 덫에 걸려들었다는 것이다. '광주'의 귀환도 같은 맥락에 있다고 생각한다. 충분히 탐구되지 못한 '광주'라는 주제는 최근에 다시 서사화되고 있는데, 거기에서 다른 주체들이 발견되고 있다는 데 이 귀환의 현재성이 있다.

환은 왜곡을 남긴다. 왜곡되지 않은 기원을 찾아야 한다는 말이 아니다. 이 왜곡이야말로 당대적 정치성의 조건이라는 말을 하고 싶은 것이다. 만약 여기에서 체험 세대라는 말이 유효하다면 그것은 반성과 발견의 지난함을 강조한다는 의미에서다. 그 지난함이란 상징과 재현을 사이에 둔 현재적 쟁투의 다른 말이기도 하다.

3. 데이터베이스 스페이스 오디세이

「우리는 매일 오후에」의 작가 후기는 『녹색평론』의 인용으로 채워져 있지만 정작 소설에서는 인용마저도 순조롭지 않다. 인용만으로 소설이 완성될 수는 없으므로 소설은 당연히 그 인용들을 포괄하는 맥락을 필요로 한다. 그렇다면 「우리는 매일 오후에」는 맥락화할 수 없는 사건을 두고 겪는 혼란이기도 한데, 갑자기 작아진 '남자'와 그를 어깨에 얹고 끊임없이 질문을 던지는 '나'는 이 혼란 속에 있는 주체들이다.

> 하지만 작년의 사건은 9·11처럼 날짜를 따서 부르는 그 일은 방사능은 원전은 지리학적 시간을 걸고 말하는 그 모든 말들은 의회는 산책만 하는 모든 꽃을 좋아하는 사람들은 너무 엄청난데다 너무 커다란데다 또 뭐랄까 그 모든 것은 사람들이 머릿속에 가지고 있던 일본, 뭐 이 역시 원래 없었던 것일 수도 있지 그런 일본을 지워버렸을 뿐만 아니라 지운 것이 지워졌다는 것이 정말 기정사실이라고 확인시켜준 거지. 이 모든 일본 음식점들은 이제는 없는 일본이라는 공통 기억을 대변한다고 해야 할까 이제 사라진 일본을 기념한달까 전 세계의 사람들이 누가 시키지도 않았는데

차곡차곡 쌓아놓던 일본이라는 풍경을 엽서로 만들어 그걸 액자에 넣어 걸어놓은 것 같은 거야.[7]

이것은 확실히 후쿠시마와 일본의 재현에 관련되어 있다. 후쿠시마의 원전사고와 오밀조밀한 일본 식당은 모두 일본을 표상하고 있다. 원전 폭발과 방사능의 공포 때문에 기존의 일본 이미지가 가상이었다는 점이 드러났지만 사람들은 자신들의 이미지를 잃고 싶어 하지 않는다. 그래서 일본 식당들은 기념엽서처럼 잃어버린 이미지를 보존한다. 수렴되거나 대표되지 않는 상징과 이미지, 그 모순과 충돌들로 인해, 재현은 점점 불가능해진다. 물론 후쿠시마와 일본 식당이 공존하고 있지만 그것이 단지 혼란만은 아닌데, 일본 식당의 이미지는 이미 잃어버린 것이라는 후광효과로 존재하고 있기 때문이다. 이 기표들의 모순과 맥락들로부터 이야기는 다시 시작되어야 한다.

세대 감각이라 한다면 체험의 여부보다는 재현된 것, 가상의 이미지에 대한 민감함이 더 적절하다. 박솔뫼만의 문제의식은 아니다. 최근 젊은 작가들의 작품에서 편집자로서의 소설 쓰기가 자주 등장하는 것도 이와 무관하지 않은 것 같다. 아마도 최제훈의 『퀴르발 남작의 성』(문학과지성사, 2010)이 발표된 이후 더 이상 생소하지 않은 자료 편집적 소설은 재현에 대한 불신 내지는 회의라는 세계관을 분명히 드러낸다. 박솔뫼의 인용에 대해서 잠깐 언급하였거니와, 손보미와 김희선 등의 젊은 작가들이 자주 활용하는 자료 인용과 편집자로서의 작가라는 위치 설정을 주목할 필요가 있다.[8] 최제훈에게서 분

---

7) 박솔뫼, 「우리는 매일 오후에」, 『현대문학』, 2012. 8, 113~114쪽.

8) 이러한 현상에 대한 비평적 해석은 이미 손정수(「허구 속의 허구, 꿈 속의 꿈」, 『현대문학』, 2012. 7), 백지은(「공감의지 2012」, 『세계의 문학』, 2012년 겨울)에 의해 제출된 바

명히 확인할 수 있듯이 텍스트의 고유성은 물론이고 창작자의 독창성이라는 것도 대부분 가상의 이미지일 뿐이라는 자의식에서 편집자로서의 소설가라는 위치가 설정된다. 기존의 모든 재현물들을 의심하고 부정한다는 점에서 작가는 오만하지만 그러한 자신의 진술마저도 허구라는 것을 알고 있기에 또한 겸손하다. 손보미에게서 이 겸손의 최대치를 확인할 수 있다. 손보미는 가상의 이야기를 마치 실화인 것처럼 꾸미고 각종 자료를 인용하는 방식에 능하다. 「그들에게 린디합을」(『현대문학』, 2011. 4)이나 「과학자의 사랑」(『현대문학』, 2012. 6) 같은 작품들은 모두 전기나 다큐멘터리의 형식을 취하고 있다. 전기란 '실제로 일어난 일'이라는 전제를 바탕으로 성립되는 장르다. 실제처럼 편집된 소설들은 서로 연결되면서 하나의 계열을 이루는데 린디합 예술가인 손보미가 「과학자의 사랑」을 번역했다고 밝히는 식이다. 그리고 이렇게 계열을 이루는 작품들은 실제인 척하는 가상이라는 단단한 체계를 구축한다.[9] 가상의 세계 속에서 차지할 수 있는 작은 범위를 그려 놓고 거기에서만 솜씨 좋은 편집자로 존재하겠다는 의도. 그래서인지 실제인 척하는 가상이 수시로 출몰하지만 그 위장이 그리 불편하지 않다.

기존의 재현물을 의심하고 회의하는 불온성은 때로 작가 자신을 제한하는 얌전한 한계점이 되기도 한다. 손보미의 소설이 "가장 결정적인 대목을 말하지 않"는다면 그것은 가상의 텍스트 속에 존재하는

있다. "허구 내에서 현실 모방의 영역을 소거하는 효과"(손정수)와 "다양한 코드에 얽힌 다수의 상상력"(백지은)이라는 독법에는 다소 차이가 있지만 최근의 소설이 문학과 현실의 달라진 관계를 반영하고 있는 것은 분명한 것 같다. 이 글에서는 이들 문학에 등장하는 '새로운 주체'에 초점을 맞추면서 이들 내부의 차이를 좀 더 분별해 보고자 했다.

9) 상호텍스트성에 기반한 이러한 소설적 장치에 대한 상세한 분석은 손정수의 앞의 글을 참고할 것.

'실제의 것'을 묻어두기 때문이다. 그의 소설이 "대단히 정교한 이야기 구조를 갖추고 있"[10]는 이유도 이와 무관하지 않다. '기록된 것과는 달리 실제로 그는……'이라는 진술을 피함으로써 이야기는 가상적 체계 속에서 더욱 정교해진다. 물론 여기에서 '실제의 것'이란 사실상 '실제로 상정되는 어떤 것'을 의미할 뿐이지 허구적 가상과 분리된다는 의미에서의 실제는 아니다. 그런 것은 없다. 다만 실제라는 것을 상정함으로써 형성되는 맥락들이 텍스트의 제한과 경계를 완화해 줄 수는 있을 것이다. 실제의 것에 겹쳐지는 이미지들, 그것이 동시대의 독자들과 사건들로 연쇄되는 맥락은 이야기를 텍스트의 한계 내에 안전하게 머물 수 없게 할 것이기 때문이다.

텍스트의 한계와 그 바깥, 거기에서 기표들의 충돌과 모순이 드러난다. 여기에서 발생하는 긴장감으로 인해 소설은 동시대의 재현 체계에 개입하는 실천이 되기도 한다. 이 지점에서 근래에 자료 편집적 소설 쓰기로 가장 성가를 올리고 있는 김희선의 시도를 주목해 볼 만하다. '페르시아 양탄자'(「페르시아 양탄자 흥망사」, 『작가세계』, 2012년 여름)이거나 '나사(NASA)의 달 탐사 프로젝트'(「교육의 탄생」, 『작가세계』, 2011년 겨울)이거나 혹은 '무정부적 전쟁반대조직'(「이제는 우리가 헤어져야 할 시간」, 『자음과모음』, 2012년 가을)이거나, 김희선의 소설은 실제인지 가상인지 알 수 없는 역사적 자료로 가득하다. 그런데 김희선의 소설에서 역사적 자료의 조합과 인용이라는 방법은 재현의 불확실성보다는 사실들의 맥락이라는 방향으로 더 기울어져 있다. '사실들의 맥락'이라는 방향성은 가상의 구성물 속에서 실제 사건들이 돌출하고 그것들이 다시 맥락을 이루는 과정에서 발견된다. '페르시아 양탄자 흥망사'

10) 권희철, 『젊은작가상 수상작품집』 심사평, 문학동네, 2013, 296쪽.

에 '제2차 석유 파동'과 '테헤란로 건설'과 'IMF'가, '나사의 달 탐사 프로젝트'의 와중에 '국민교육헌장'이, '무정부적 전쟁반대조직'의 운동사와 연결되어 '골목상권 보호와 대형마트의 횡포'가 등장하는 식이다. 이런 식의 돌출은 결국 가상의 재현물과 실제 역사 간의 격차를 부각하게 마련이고 그 격차를 해명하기 위해 다시 맥락이 필요해진다. 텍스트의 한계와 그 바깥이 만나는 곳에서 새로운 충돌과 주체의 탐색이 가능해진다. 실제 사건의 잔상을 가상의 텍스트 속으로 개입시킴으로써 불균질의 텍스트가 전면화되기 때문이다.[11)]

이쯤에서 박솔뫼의 '장막'을 말해도 좋을 것 같다. 우선 앞서 언급한 젊은 작가들의 소설이 대체로 미국발 자료들에서 발원하고 있다는 사실을 언급해 두기로 하자. 최제훈이 할리우드나 영미 베스트셀러들을 텍스트 해체의 주요 배경으로 사용하고 손보미의 소설에 대한 평가에서 번역투 문체나 영미 작가들이 거론된다는 점은 우연이 아니다. '뉴욕 타임스'나 '나사', '월드 인사이드 미러' 등의 고유명은 필수 옵션이다. 이미 세계화의 시뮬레이션을 체화하고 있는 작가들의 표상 방식이라고 해도 좋다. 또는 영어라는 공통어가 가상과 실제의 격차를 중화시키는 안전판의 역할을 하고 있다고도 말할 수 있다. 박솔뫼의 '장막'은 이런 맥락 안에서 발화된다. 광주 이야기이지만 또한

11) 물론 김희선의 소설에서도 소위 당사자라 할 수 있는 인물들의 목소리는 최대한 감춰진다. 손보미와의 차이라고 한다면 손보미의 것이 어떤 인물을 중심으로 그의 주변을 이야기하는 방향을 취한다면 김희선은 그 인물들의 주변보다는 그것을 만들어낸 전체의 맥락에 더 초점을 둔다는 데 있다. 그리고 이러한 김희선의 태도는 "인물과 사물의 운명을 떠맡으려 하지 않"(허병식, 「우리는 여전히 근대를 살아간다」, 『문예중앙』, 2013년 봄, 514쪽)는 태도로 읽히기도 한다. 나로서는 그럼에도 불구하고 사실들의 맥락 속에 서 있을 수밖에 없는 주체의 위치에 더 주목하고 싶다. 거기에서 서사의 한계를 넘는 주체의 탐색이 가능하다고 생각하기 때문이다.

광주 이야기만도 아닌 「그럼 무얼 부르지」에서다.

> 사람들이 제자리에 앉은 것을 보고 해나는 설명하고 그러니까 이때 한국은 하고 시작하는 이야기들. 그런 것들을 말했다. 그 이야기는 틀리지 않았지만 한국어로 듣는 것과 영어로 듣는 것 사이에는 몇 개의 장막이 있었다. 하지만 그 장막은 나에게만 있는 것으로 해나에게는 없는 것이었다.[12)]

'나'는 해나를 샌프란시스코의 어느 모임에서 만났다. 그 모임에서 해나는 '1980년 5월 광주'에 대해 발표했고, 그때 번역한 김남주의 시를 나에게 보여 주었다. 번역된 김남주의 시는 "밤의 골목에서 누군가 얻어맞는 시였다. 누가 때렸다고 하는 시. 누군가는 때리고 누군가는 맞고 죽이는 사람이 있으며 죽는 사람이 있다. 그리고 우는 사람은 아주 많다. 그런 시였다".(195쪽) 영어 자료와 '뉴욕 타임스'의 기사들, 그리고 번역된 김남주의 시들에서 광주의 단독성은 해제된다. 그래서 김남주의 시를 누군가가 죽고 누군가는 많이 울었다고 번역할 수는 있다. 그리고 그것이 남미의 군사정권이나 게르니카와 다르지 않게 보일 수도 있다. 아마도 해나에게는 그럴지도 모른다. 그러나 해나에게는 없는 장막이 나에게는 있다. 미국에서 만난 아이들은 massacre의 뜻을 묻고 누군가 학살하다라고 말하자 각주를 달 듯 그 밑에다 한국어로 토를 달았지만 "나는 그런 명확한 세계에 없었다". 그래서 나는 "당사자는 아니며 또한 명확한 세계의 시민도 아니었다".(204쪽) 따지고 보면 광주는 언제나 재현된 텍스트였지만 누군가

---

12) 박솔뫼, 「그럼 무얼 부르지」, 『작가세계』, 2011년 가을, 194쪽.

는 그 재현을 뚫고 그것을 실제처럼 느낀다. 그들이 실제처럼 느낀다고 해서 그 광주가 모두에게 같은 것도 아니다. 영어로 번역된 광주의 텍스트는 남미의 군사정권이나 게르니카와 다르지 않을지도 모를 보편성이다. 그리고 해나가 경험하는 광주는 그만큼의 실제다. 나의 장막은 그러한 보편성으로 환원되지 않는 어떤 것이 있다고 생각하기 때문에 생겨난다. 그래서 나는 재현물들의 가상성과 실제와의 격차에 대해서 무관심할 수 없다. 모든 재현물이 동등하게 가상적이지 않기 때문이다. 일반화될 수 없는 단독성이 다시 생겨나는 장면이다. 그리고 박솔뫼는 누구의 것도 아닌 자신의 단독성에 대해서 묻고 있는 것이다.[13)]

질문은 전환된다. 모든 재현물은 허구적 이미지이기만 한 것도 아니며, 그러므로 실제의 체험이란 불가능하다고 미리 단정할 필요도 없다. 숱한 가상들이 어디에서 비롯되었는지를 짐작하고 그 가상들로부터 내가 무엇을 읽고 이해하고 실감하느냐를 끊임없이 질문할 수밖에 없다. 인용의 거리가 윤리가 되는 것은 세계가 명확하지 않음을 밝히는 데 있는 것이 아니라 이 명확하지 않은 세계에서 나는 어디에 서 있는가를 묻지 않을 수 없다는 데 있다. 좀처럼 자신의 목소리를 내지 않는 이 조심스러운 인용자들은 자료들의 더미에서 재현의 거리를 측정하고 있다. 거기에서 불거지는 기표들의 모순과 충돌, 그것을 관리하기보다는 맥락화하는 과정에서 숨어 있던 주체의 위치가 드러난다. 다른 말들이 가능하다면 그것은 이미 감당할 수 없이 확장된 세계와, 분간할 수 없이 증폭된 상징과 이미지들의 사이, 그

---

13) 정홍수의 표현을 빌자면 이는 "오월에 대한 그들의 고유명을 작성할 권리"이기도 하다. 정홍수, 「그들만의 고유명을 위하여—박솔뫼, 「그럼 무얼 부르지」」, 창비문학블로그 '창문', http://blog.changbi.com/lit/?p=4524&cat=26.

안에서 '겨우' 발견될 것이다.

4. 아직 발화되지 못한 말들로 인해, 재현의 가능성

최근의 한국 소설을 검토하며 한국 문학의 정치적 상상력과 새로운 주체를 탐색하는 것이 이 글의 목표였다. 정치적 상상력을 거론하며 '광주'라는 상징을 매개로 삼은 것이 다소 안일한 선택처럼 보일 수도 있었을 것 같다. 일종의 소재주의가 될 우려도 있다. 그럼에도 불구하고 왜 '광주'인가. 일단 1980년 5월 광주의 시점이, 거기에서 발원하는 한국 민주주의의 역사가 여전히 현재의 한국 현실에 일단의 규정력을 발휘하고 있다고 보았기 때문이다.[14] 박근혜 정부 이후 과거 군사독재의 역사가 다시금 논란이 되고 있으며 더불어 한국 민주주의의 실질적 성격과 성취가 다시 진지하게 고민되고 있는 사정도 이와 무관하지 않다. 과거사와 민주주의, 그리고 광주에 관한 숱한 논란과 분쟁의 말들이 격돌하고 있는 지금의 상황은, '광주'가 여전히 정치적 상상력의 중요한 매개로 등장하는 배경이 된다. 그렇다고 해서 광주를 과거의 사건으로 지정하는 것은 바람직하지 못하다. 앞에서 다룬 몇 편의 소설에서 확인한 바, 광주의 상징과 재현은 다양한 방식으로 문학 텍스트를 점유하고 있으며, 이러한 재현의 방식은 과거의 사건에 구속되는 것이 아니라 현재적 문제의식과 고민들 속에서 결정된 것이다. '광주'라는 고유명은 그간 한국 사회에서 확보해온

14) 1980년대적인 것의 현재적 규정력에 대해 김원은 '장기 80년대'라는 관점을 제안하고 있다. '장기 80년대'에 대해서는 김원, 「'장기 80년대' 주체에 대한 단상—보편, 재현 그리고 윤리」, 『실천문학』, 2013년 가을 참조.

담론적·재현적 의미망과 함께 텍스트 속으로 기입된다. 그러므로 현재의 텍스트에서 발화되는 광주는 그간의 상징성에 대한 개입과 해석을 동반한다. 그리고 그 개입과 해석을 통해 현재의 문학이 고민하고 있는 정치성이 확인될 수 있다. '광주'라는 좌표는 '지금 여기'라는 이름하에 횡행하는 단절을 경계하며, 역사라는 이름으로 관습화된 답습을 시험하는 일종의 방법론이 될 수 있다.

그간 구축된 광주의 상징이 때로 반복되고 때로 갱신되면서 새로운 담론의 장을 만들어 내는 것은 당연한 일이다. 그리고 그 반복과 갱신의 와중에서 우리는 새롭게 발화되기 시작한 주체들의 목소리를 듣는다. 공선옥의 소설에 등장하는 '민중'도 '시민'도 아닌 떠돌이 장애 여성. 혹은 권여선의 소설에 등장하는 '학생'도 '어머니'도 아닌 기억상실의 이민자. 혹은 박솔뫼의 소설에 등장하는 '당사자'도 '세계 시민'도 아닌 장막 속의 질문자들. 이들의 이름을 부르는 일은 억압과 망각으로 제한된 과거의 역사를 다시 현재성의 맥락 안에서 반성하고 새롭게 복원하는 일과도 통한다. 광주를 한국 민주주의의 대표어로 상징화시키면서 불가피하게 누락한 것들, 혹은 그 상징을 낡은 관습으로 과거화시키면서 과장한 불가능들을 다시 소환하는 일이 이 주체들로부터 시작될 수 있을 것이다.

재현의 위기와 불안 속에서 아직 발화되지 못한 말들이 있다. 발화되지 못한 이 말들을 의식하는 한, 이 말들이 소통되고 이해되는 장(場)은 더욱 절실해질 것이다. 부재하는 말들로 인해 재현의 협소한 영역이 확인된다면, 마찬가지의 이유로 부재하는 말들이 재현의 가능성과 필요성을 추동하기도 한다. 그러므로 재현의 장을 확장하기 위한 투쟁과 충돌이, 새로운 말을 위한 질문과 고심이 끊임없이 생겨날 수밖에 없을 것이다. 아직 자신의 말을 얻지 못한 새로운 주체들이 발견되기 시작했으므로 그 재현의 길이 확연하지 않다고 해도 그리 절망적이지는 않다. 말하지 못한다고 해서 없는 것은 아니므로, 충분하지 못하다 하더라도 그 말들의 자리는 계속 생겨날 수밖에 없기 때문이다. 재현의 정치성과 새로운 주체는 이렇게 연동된다.

(『실천문학』, 2013년 가을호)

문학의 빈곤과 전환의 상상력

1. 발랄한 풍자, 우울한 시대

풍자가 되살아나고 있다. 한동안 서바이벌 예능과 막장 드라마가 주도하는 듯했던 방송계에서 개그 코미디 프로그램이 부활하더니 풍자가 새로운 바람을 불러일으키고 있다. '80년을 숨만 쉬고 모아야' 이룰 수 있는 내 집 마련의 꿈이나 '10년을 숨만 쉬며 갚아야' 할 등록금이 한 개그맨의 입에서 풍자되었다. 내 집을 갖고 대학을 졸업하여 평범하게 살고 싶은 꿈이 얼마나 터무니없이 멀어진 세상에 우리가 살고 있는지를 뉴스 앵커나 기자가 아니라 개그맨이 폭로한다. 수단과 방법을 가리지 않고 여당 공천을 받아 서민 코스프레를 하면 국회의원이 될 수 있다고 너스레를 떨었더니 이에 발끈한 여당 국회의원이 그 개그맨을 고소하는 '레알' 코미디 사태도 일어났다. '각하'의 '꼼수'를 꼼꼼하게 까발리고 비웃는 개인 방송은 지난해 가장 핫한 이슈였고 뒤따라 각종 개인 방송들이 스마트폰의 대중화 물결을 타고 물 만난 물고기처럼 넘쳐나고 있다. 방송뿐이 아니다. 사회적 이슈에 개인적인 의견과 토론을 덧붙이는 트윗 맨션들은 시시각각 타임라인으로 소개되고 있고, 각종 패러디 포스터나 사진, 동영상은 매일매일의 유머와 풍자를 담당하며 인터넷 공간에 흘러넘친다.[1)]

유쾌 발랄의 재치와 기지가 기반하고 있는 곳은 우울한 현실이다. IMF 이후 우리 사회를 장악한 신자유주의의 물결이 가진 것 없는 평범한 시민들의 삶을 더욱 피폐하고 고통스럽게 만들었다는 점은 이제 새삼스럽게 강조할 필요가 없을 정도로 자명하다. 그러나 문제는 단지 경제적 궁핍에만 있는 것이 아니다. 자본이 유일의 가치로 지정되고 경쟁이 당연한 생존 논리로 강요되는 상황을 그대로 받아들였음에도 불구하고 아무리 노력해도 그 구조에 진입할 수 없거나, 혹은 영원한 박탈감을 안고 살아야 하는 사회구조, 거기에서 오는 절망감이 우리의 삶을 더 우울하고 피폐하게 만들고 있다. 그런 의미에서 신자유주의를 살아가는 대중들의 심리적·정신적 공황 상태, '공포의 문화'와 '선망의 문화'를 간과해서는 안 된다는 지적은 중요하다.[2)] 경쟁에서 밀려나면 끝장이라는 '공포', 그리고 경쟁에서 살아남은 자들이 누릴 수 있다는 성공과 행복의 이데올로기는 가질 수 없는 것을 끝없이 선망하게 만든다. 경제적 궁핍이나 폐쇄적 사회구조뿐 아니라 거기에서 발원한 '공포'와 '선망'의 병적 심리 상태, 이미 신자유주의의 게임 논리에 나포되어 전전긍긍하는 주체들의 불안이야말로 신자유주의가 우리 삶에 드리운 가장 치명적인 그늘일지도 모른다.

자본이 유일한 가치라는 논리를 승인하고, 자본을 얻기 위해 가혹

---

1) 이 글을 처음 발표한 2012년 봄 무렵의 일이다. 이후 세상은 더 나빠져서 풍자도 기력을 잃었고, 더불어 문학의 사정도 함께 나빠졌다.

2) 도정일·서영인 대담, 「문명의 가을, 문학의 실천」, 『실천문학』, 2011년 겨울, 101~102쪽 참조.

한 경쟁논리와 승자 독식의 법칙을 받아들였음에도 불구하고, 그 구조 내부에서 아무리 노력해도 부의 축적이나 행복의 욕망을 이룰 수 없는 상황, 이를테면 이는 지젝이 지적한 바 대타자와 주체의 분리에 해당하는 것이기도 하다. 주체는 아무리 노력해도 대타자가 원하는 바를 알 수 없으며 그러므로 대타자와의 동일시는 언제나 실패한다. 자본이라는 대타자는 주체를 자발적으로 복속하게 만들었지만, 주체는 아무리 노력해도 대타자가 원하는 바를 이룰 수 없고, 심지어 그가 무엇을 원하는지조차도 알 수 없다. 경쟁의 논리를 딛고 일류대학에 진학하고 무한한 스펙쌓기로 청춘을 압착하여 안정된 직장에 취직한다고 해서 자본주의가 요구하는 주체가 되는 것은 아니다. 더 많은 부를 쌓고 더 높은 지위에 오르기 위한 무한경쟁과 자기소외가 기다리고 있을 뿐이다. 주체는 대타자가 진정으로 제시하는 가치가 무엇인지 알 수 없으며, 대타자가 결코 주체의 욕망을 충족시켜 줄 수 없다면, 대타자의 절대적 권위는 훼손된다. 유일가치로서의 자본과 그것을 얻기 위한 경쟁논리로부터 이탈하는 '분리'가 일어나는 것은 이 지점에서다. 그리고 미국발 금융위기 이후 우리가 목도하고 있는 일련의 저항과 분노의 움직임은 이 분리의 어떤 징후가 될 수 있을지도 모른다. 자본의 횡포와 비윤리에 분노한 시민들이 '월가를 점령'하는 구체적 행동으로 저항의 가능성과 당위성을 전세계에 전파시키고 있고 그 이전에 한국에서는 이미 촛불시위가 저항의 새로운 내용과 형식을 창출한 바 있다. 용산과 FTA에 분노한 시민들은 촛불과 희망버스로 답했다. 현재의 세계가 견딜 수 없이 부정적이고 절망적일 때, 그리고 변화의 당위와 가능성이 분명할 때 저항은 촉발된다. 물론 그 과정에서 수많은 변수와 우연성이 개입되겠지만 부당하고 천박한 세계에 대한 절망과, 변화를 향한 열망이 서로 부딪치며 새로운 충동을 만들어 내는, 신자유주의 체제에 깊이 병든 1 대 99의 사회가 만들어낸 새로운 문화 풍경이 곧 풍자의 부활로 나타나고 있지는 않은가. 그렇다면 생존의 공포와 불안을 유쾌한 풍자와 희망으로 전환시킨 이즈음의 일련의 문화 풍경이야말로 일종의 '감각의 재배치'라 불러도 좋지 않을까.

그런 의미에서 본다면 최근 몇 년간 문학장에서 진행된 '문학과 정치' 담론은 문학 외부의 사회 변화로부터 문학이 격리되어 가고 있다는 일단의 초조감을 표현하는 것일지도 모른다. 물론 문학의 위기설이야 1990년대 중반 이후 꾸준히 문학의 불안을 자극했으며 이를 조성하는 외부의 환경 변화들은 여러 논자들이 반복해서 언급한 바 있다. 신자유주의의 전면화와 포스트모더니즘의 영향에서 표명된 세계에 대한 해석 불가능성, 혹은 저항 불가능성, 그리고 과학기술의 발전과 상업주의적 대중매체의 확산으로 인한 문학의 입지 약화, '근대문학의 종언' 논의에서 촉발된 문학의 근대적 역할론에 대한 회의 등등. 문학이 위기에 처한 환경과 달라진 현실을 인정하되 그 속에서 새로운 활로를 찾고자 하는 모색으로 그간의 위기론을 거칠게 요약할 수 있다면, '문학과 정치' 담론은 이러한 위기론의 연장선상에 있다. 물론 '문학과 정치' 담론은 이명박 정부 이후 더욱 강력해진 신자유주의적 경쟁논리의 압박과 인간의 존엄과 공동체의 윤리가 막다른 곳까지 내몰려 있다는 위기의식, 이러한 현실에서 '문학이란 과연 무엇인가'라는 더욱 근본적인 성찰을 담고 있다는 점에서 의미 있다. 그러나 한편으로 문학장 바깥으로 시야를 넓혀 보았을 때, 이러한 소중한 성찰들이 문학장 내의 자기 담론으로만 공전할 뿐, 우리 시대 대중의 감각, 문화에 활기 있게 접합하지 못하고 있다는 문제를 인정하지 않을 수 없다. 대중들은 현실에 대한 분석과 대응을 위해서는 SNS

를 참고하며 감각의 즐거움과 쾌감을 위해서는 각종 방송과 영화와 웹사이트를 선택한다. 인간과 사회, 문명에 대한 더 깊이 있는 분석이 필요할 때면 인문학 서적을 읽는다. 문학은 우리들의 삶에 대해서, 감각적으로도 인식적으로도 새로운 시각과 언어를 제시하지 못하게 된 것은 아닌가. 물론 지나친 비관론이며 이러한 진단은 문학이 표현할 수 있는 감각과 인식의 재배치, 언어와 상상의 새로운 모험들을 폄하하는 것으로 이어질 수 있다.

그러나 실제로 문학인들이 '문학과 정치'이든, '문학과 윤리'이든 그 장 내부의 담론에 골몰해 있는 사이, 현실과 대중은 시시각각 변화하고 새로운 문화와 새로운 삶의 방법론을 찾고 있다는 사실을 불편하게 인식하는 것은 중요하다. 그런 의미에서 문학장 내의 담론들이 자족적인 수준에서 폐쇄적으로 재생산되고 있는 것은 아닌가 하는 의혹은 단순히 일축될 수도 없고 일축되어서도 안 되는 불편한 진실이다. 가령 자크 랑시에르를 참조한 '문학과 정치' 논의가 그 고민의 진정성에도 불구하고 결국 문학의 자율성을 강조하는 쪽으로 귀결되고 마는 과정을 좀 더 자각해야 하지 않을까.[3] 랑시에르가 '치안'과 '정치'를 구분하면서 '감각적인 것을 재분배'하는 문학의 정치성을 규정할 때, 현실정치의 차원에서 일어난 각종 사건과 변화들을 문학이 어떻게 일상적 감각의 영역에서 재구조화하고 표상해 내느냐의 문제에

3) 2008년 촛불집회 이후 다수의 문예지들이 '문학과 정치'를 주제로 특집 지면을 마련했다. 개별적인 논의가 하나로 정리하기 힘든 차이점들을 내장하고 있고 그것은 이를테면 '문학과 정치'를 바라보는 관점의 차이를 드러낸다고 할 수 있기에 일반화할 수는 없지만 그것은 대체로 '문학의 자율성'을 최종적으로 지지하는 쪽으로 귀결된다고 할 수 있다. 이러한 논의가 문학과 정치의 교호보다는 오히려 문학의 독자적 자율성이라는 '문학주의'로 귀결되고 만다는 결론에 대해서는 소영현의 「캄캄한 밤의 시간을 거니는 검은 소 떼를 구해야 한다면」, 『작가세계』, 2009년 여름, 268~272쪽 참조.

대한 고민은 더욱 깊어져야 할 것이며, 그래서 그것은 오히려 문학의 자율성이라기보다는 타율성에 관계된다. 물론 그간의 논의가 이러한 문학의 타율성에 전혀 무관심하지 않았음에도 불구하고,[4] 여전히 문학 내부의 자율성 문제로 귀결되는 듯한 인상을 주는 것은 아마도 분석의 차원에서 그것이 시인 개인의 수련이나 혹은 일반적으로 동의되는 예술적 원칙으로 수렴되는 데 원인이 있을 것이다. 이 지점에서 정치적 실천과 이데올로기적 실천을 구분하면서 문학의 이데올로기적 실천의 가능성에 주목했던 알튀세르의 논의를 참고해 볼 수도 있겠는데, 여기에서 중요한 것은 각 분야의 분리가 아니라 경제, 정치, 이데올로기, 이론적 실천 간의 상대적 자율성과 상호 규정성이다. 그리고 각각의 자율성을 지닌 다른 차원의 실천들이 서로 관계 맺으면서 이루어지는 전체성의 문제에 육박할 수 있을 때, 비로소 '문학과 정치'는 문학의 고유성을 존중하면서도 대중적 소통의 접점을 찾아낼 수 있을 것이다.

1990년대 이후 이른바 문학의 사회적 실천에 대한 강박적 회피는 또 다른 편향을 낳았는데, 단순화를 감수하고 요약하자면 그것은 개인성과 문학성의 강조로 특징지워진다. 개인의 진정성과 문학의 자율성 차원에서 사회적 관계와 정치적 실천의 문제를 수렴하려는 태도는 그러나 생각보다 많은 위험을 내포한다. 예컨대 '윤리적인 것', '문학적인 것'으로 대표될 수 있는 이러한 논의는 결코 노골적으로 개인성과 문학성을 옹호하지 않지만 전통적인 의미에서의 실천과 정치에 윤리와 문학을 대신 새겨 넣으려 함으로써 결과적으로는 역사적·사

---

4) 이에 대한 논의로 백낙청과 진은영의 글을 참조할 수 있다. 백낙청, 「현대시와 근대성, 그리고 대중의 삶」, 『창작과 비평』, 2009년 겨울; 진은영, 「한 진지한 시인의 고뇌에 대하여」, 『창작과 비평』, 2010년 여름.

회적 문맥에서 멀어진다. '법'과 '도덕'의 세계로부터 '윤리'를 굳이 구분해야 한다면, '치안'과 '정치'가 다르다고 한다면, 그것은 전자와 후자가 각각 분리되어 있거나 다른 세계에 속하기 때문이 아니라, 오히려 전자의 세계들이 공고하고 치밀한 논리와 감성 구조로 현실 세계를 장악하고 있고 그래서 그것으로부터 벗어나는 일이 결코 만만하지 않기 때문이다. 이른바 상징계의 비어 있는 주체들이란 그래서 공허한 것이 아니라 매우 단단하고 역동적이며 실감까지 동반한 주체들이다. 그러므로 '윤리'와 '정치'는 이른바 '도덕'과 '치안'의 세계로부터 결코 자유롭지도 못하며 쉽게 분리될 수도 없는 혼융 속에 있다는 것을 끊임없이 인식해야만 한다. 요컨대 상징계의 장악력과 실효성을 향하여 항상적으로 기투하고 충돌하는 곳에서만 비로소 개인성과 문학성의 윤리와 정치들은 어떤 위반과 전복, 그리고 소통의 가치를 얻을 수 있게 될 것이다.

1 대 99의 사회구조는 점점 고착되어 가고 이른바 사회적 기득권층과 소외계층의 격차는 점점 더 공고해져 가고 있는 사회에서 생존의 공포와 사회적 부정의에 대한 실의와 절망은 깊어지고 있다. 그리고 이러한 실의와 절망, 불안과 공포는 부정과 저항의 이미지로 전환되어 풍자와 희화로 표출되고 있으니, 거기에서 고독하게 자신의 존재 의미를 묻고 있는 문학의 자리가 그리 편해 보이지는 않는다. 만약 문학에서 어떤 가능성을 찾을 수 있다면 그것은 개인성과 문학성에서 비롯된 고민들이 새로운 의미의 정치성으로 변환되어, 사회적 현실과 나름의 삼투를 지속해 가는 과정을 통해서일 것이다. 자본주의의 위기 혹은 몰락의 징후가 속속 드러나고 있는 가운데 그럼에도 불구하고 자본주의의 지배가 쉽게 끝나지 않을 것이라는 점도 분명한데, 이 경우 문학이 그와 무관하게 홀로 오롯할 수는 없을 것이다.

아마도 문학은 기존의 방식을 유지하면서도 또한 변화하는 세계의 어떤 국면 속으로 진입하게 될 터인데, 그것이 새로운 정치의 실험이 될지, 아니면 지배 이데올로기의 보충이 될지는 아직 알 수 없다. 그렇다면 지금 아직까지는 징후에 불과한 어떤 변화의 태동들을 감지해 보는 것도 의미 있는 일일 터다. 이는 개인성과 문학성의 문제를 현실의 구조와 관계들 속에 삽입하고 통과시키면서 그 사이에서 일어날 화학적 변화들을 예측해 보려는 시도이기도 하다.

2. 감금 혹은 미로, 불안과 공포의 하드고어

상징계의 장악력과 실효성을 외면하지 않고, 그 속으로 기투하고 충돌하는 곳에서 문학의 유의미한 소통이 시작된다고 본다면, 2000년대의 문학은 특히 이 부분에서 취약했던 것이 아닌가 한다. 가령 현실 세계에 대한 잔혹과 엽기의 상상력을 극단화한 경우에도 1990년대의 백민석과 2000년대의 편혜영은 전혀 다른 문맥에 놓여 있는 것 같다. 백민석이 상징계의 질서, 아버지의 법에 대한 극단적 거부와 위반에 근거하고 있다면, 편혜영은 외부 세계와 단절된 자기 폐쇄적인 공포와 불안을 강렬한 이미지로 생산해 내는 쪽에 속한다. 편혜영의 소설을 문학장에 확고히 인식시킨 「아오이가든」(『아오이가든』, 문학과지성사, 2005)이나 「저수지」(『아오이가든』, 문학과지성사, 2005) 같은 일련의 작품들을 통해 이러한 특징을 설명하는 것이 가능한데, '아오이가든'은 역병이 창궐하는 도시로부터 차단된 맨션이며 「저수지」는 퇴락한 저수지에 자리 잡은 오래된 '방갈로' 내부에 갇힌 이야기다. 밖으로부터 문이 잠긴 '방갈로'는 그래서 외부 세계의 퇴락과 쇠멸, 혹은 재앙과 유비되면서도 그 세계와 소통될 수 없는 자기 충족적인 폐쇄 공간이며, 이 폐쇄 공간에서 시체와 역병과 재앙의 기괴한 이미지는 확대재생산된다. 이는 외부 세계의 몰락이나 파탄을 상징하는 하나의 알레고리로 읽히지만 사실상 그 외부 세계와의 연결점이 존재하지 않기 때문에 자주 과잉 해석된다. 그래서 편혜영의 작품들이 생산해 내는 끔찍하고 기괴한 이미지는 그것 자체로 현대 세계의 불안과 공포를 감각화해 내지만 그것이 자리 잡은 외부 세계의 문맥과는 잘 연결되지 않는다. 「아오이가든」이 자리 잡은 문맥이 '사스(Sars)'가 대표하는 현대사회의 역병과 재해라면, 「저수지」의 '방갈로'는 어린아이들만 집에 가둬두고 어머니가 돈벌이를 나가야 했던 빈궁의 참상과 관련되어 있다. 또한 「맨홀」(『아오이가든』, 문학과지성사, 2005)은 구소련의 빈곤과 전체주의를 연상시키고 「시체들」(『아오이가든』, 문학과지성사, 2005)은 도시개발 계획에 의해 밀려난 영세 상인들의 삶과 관련이 있다. 소설이 감각적으로 재현하는 공포와 불안은 거의 동일한 이미지로 채워져 있지만 그것이 자리하는 문맥은 전혀 다르거나 혹은 쉽게 전체성을 확인할 수 없도록 파편화되어 있다. 그렇다면 이 소설들의 끔찍하고 기괴한 이미지의 선명성은 문학주의라는 폐쇄 회로 속에 갇힌 동어반복이 되기 쉽다.

2000년대 후반 편혜영의 소설 세계가 극단적이고 기괴한 이미지의 폭발적 노출로부터 점차 일상적 세계로 옮겨 왔다는 점은 그래서 의미 있는 변화의 징후라고 판단된다. 폐쇄 공간을 가득 채웠던 불길하고 역겨운 이미지 대신 최근의 편혜영 소설들은 일상의 공간과 사건에 대한 감각들을 세밀하게 드러내고 있다. 물론 이 일상의 공간이 이를테면 현실 세계의 묘사라든가 재현으로 해석될 수 있는 것은 아닌데, 그의 일상성은 여전히 반복되는 일상의 동일성이라는 폐쇄적 원환 구조 속에 있고 그래서 결과적으로 전작들의 '폐소공포'로부터 온전히 자유롭지 않다. 그렇다고 하더라도 이러한 일상의 동일성이라는 테마가 이전의 '하드고어적 상상력'과 그리 다르지 않은 세계[5]라고 간단히 판단할 수는 없을 것 같다. 편혜영의 세계가 이전의 것에서 그리 벗어나 있지 않다고 하더라도 일상성이라는 테마는 이전 작품 세계가 가진 어떤 결여를 더 분명하게 보여주고 있다고 생각하기 때문이다. 여기에 강영숙의 근작들에서 발견되는 일상에 대한 태도 변화를 포함시킨다면 2010년대 문학에서 일상성은 어떤 경향의 의미심장한 징후로 해석될 수 있을 듯하다.

편혜영과 미학적 접근 방식은 다르지만 2000년대 강영숙의 소설 역시 외부 세계와 분리된 불안의 이미지들이 서사의 전반을 지배하고 있다는 점에서, 그리고 그 불안과 공포의 파국을 피하지 않는다는 점에서 유사한 경향 속에 놓여 있다. 이 자리에서 길게 논할 수는 없지만 강영숙 소설의 인물들이 자주 여행을 떠난다는 점에 주목해 보자. 아이를 잃거나, 혹은 남편과의 불화 때문에 이들은 집에서 나와 낯선 곳을 떠돈다. 시티투어버스에서, 혹은 파산 후에 떠난 여름휴가에서 만난 불모의 도시를 배경으로, 강영숙의 소설은 인과성의 맥락으로 치환할 수 없는 느닷없는 이미지와 사건들을 병치시키는 방식으로 세계에 대한 낯섦과 불안을 자주 표현한다. 인과 없는 문장들의 중첩은 세계의 불모성과 황량함을 암시하고 인물들은 그 중첩된 문장들로 만들어진 이미지의 한 부속물이다. 여행지는 익숙한 일상과 구분되는 장소이지만, 인과 없는 문장으로 이루어진 풍경은 일상과 여행을 구분할 수 없게 하고, 그래서 세계는 언제나 낯설고 생경한

---

5) 김형중, 「해설—동일성의 지옥에서」, 『저녁의 구애』, 문학과지성사, 2010 참조.

채로 동일하다. 강영숙의 소설이 '은유적 계열체'가 아니라 '환유적 통합체'에만 관심이 있다고 한다면,[6] 세계는 전체적 분위기와 이미지로만 존재하며, 그 분위기를 감지하는 인물들이 세계의 의미와 소통하는 일은 처음부터 불가능하다. 그러므로 강영숙의 소설은 처음과 끝이 같고, 원인과 결과가 없으며, 당연히 화해도 파멸도 없는, "결말 없는 불안"을 하나의 의미 통합체로 제시한다. 주체는 외부 세계와 분리되지 않으며, 그래서 주체는 세계를 탐구하기보다 세계로 통합되거나 세계와 일치된다. 편혜영과 강영숙의 소설이 세계와의 동일시에 기반하고 있다고 한다면,[7] 그때의 동일시가 의미하는 바는 당연히 따뜻한 공감이나 행복한 화해가 아니며, 오히려 몰락과 죽음이며 파국이다. 이들은 이 세계의 황량한 진실을 함께 앓지만, 이 작품들로부터 얻을 수 있는 진실은 여전히 일면적이다. 이 동일시로 인하여 이들은 세계와 화해한 적도 없지만, 또한 불화한 적도 없기 때문이다.

최근의 강영숙 소설에서 일상에 대한 태도 변화가 감지된다고 한다면, 그것은 주체와 세계가 분리되고 그래서 비로소 강영숙 소설에서 타자가 발생한다는 의미에서다. 예컨대 『날마다 축제』(창비, 2004)에 수록된 「날마다 축제」와 『아령하는 밤』(창비, 2011)에 수록된 「아령하는 밤」을 비교해 보자. 잃어버린 아기를 찾아 떠난 낯선 도시에서 환각처럼 발견한 어느 평화로운 가족은 도시를 덮친 홍수에 밀려 사라졌다. "살림살이들이 모두 빠져나가고 집은 겨우 테두리만 남은"(「날마다 축제」, 100쪽) 집은 애초에 아이를 잃고 집을 떠났던 '나'의 상실과 다르지 않다. 그러므로 여기에서 주체와 타자는 분리되지 않는

6) 김형중, 「해설—변장한 유토피아」, 『날마다 축제』, 창비, 2004, 220쪽 참조.
7) 김영찬, 「불가능의 서사와 동정 없는 휴먼」, 『비평의 우울』, 문예중앙, 2011 참조.

다. 불모와 상실의 이미지를 구성하는 동일한 요소일 뿐이다.「아령하는 밤」에서 아파트 단지 내에서 '아령하는 노인'은 도시를 휩쓰는 불길한 사건과 동일체였으나 서사가 진행될수록 그 불길한 사건과 분리된다. '아령'과 '노인'과 '근육질의 팔뚝'이라는 어울리지 않는 이미지의 조합은 강간 살인의 불길한 사건과 동일시되지만, 노인이 외딴집에서 시간제 아르바이트와 폐지 줍기로 손녀와의 살림을 꾸려나간다는 사실이 밝혀지면서 노인은 그 사건으로부터 분리된다. '아령'과 '팔뚝'의 막연한 이미지 상태에서 용의자였던 노인은 구체적 삶을 사건에 기입하면서 그 혐의로부터 벗어난다. 구체적 삶이 그의 알리바이였던 셈이며 이 알리바이에 의해 그는 비로소 구체적 존재감을 가진 타자가 된다. 공단 근처의 아파트 단지에 혼자 사는 또 다른 노인인 '나'는 노인을 용의자로 상상했다가, 스스로 오해를 풀고 노인의 집 앞에 김밥을 가져다 놓는다.「아령하는 밤」은 세계와 쉽게 동일시될 수 없는 개인의 존재감을, 그리고 타자의 존재감을 서사에 새겨넣음으로써 전작들과 차별화된다. 주체가 자신과는 다른 존재로 타자를 바라봄으로써 세계는 이미지의 환유로부터 분리되어 관계 맺기의 장으로 변환된다. 그리고 여기에서 타자는 한편으로는 주체를 위협하는 위험하고 불길한 존재이지만, 또 한편으로 생활의 불편을 돕고 이해를 구하는 이웃이기도 하다. 간단히 주체와, 또는 세계와 동일시될 수 없는 타자의 이중적 모습이야말로 강영숙 소설의 일상적 문법을 통해 감지할 수 있는 변화의 징후다. 흥미롭게도, 강영숙 소설에서 나타난 타자상은 편혜영의 근작에서도 발견된다. 예컨대「크림색 소파의 방」(『저녁의 구애』, 문학과지성사, 2011)에서 '진'은 지사 근무를 마치고 본사로 돌아가는 길 위에 있다. 쉴 새 없이 폭우가 내리는 도로에서 진의 자동차는 멈춰서고 진은 폐허가 된 주유소에서 술을 마시고 있는 지역의 청년들에게 도움을 받는다. 그리고 그 청년들은 진의 뒤를 쫓아와 진의 머리를 내려쳤다. 길 위에서 만난 청년들은 위험한 타자이지만 또한 도움을 청하지 않으면 안 되는 원조자다. 그리고 이 위험하고 불길한, 그러나 마주칠 수밖에 없는 타자들로 인해 편혜영 소설은 반복되는 일상의 원환으로부터 벗어날 기회를 얻게 된다.

강영숙과 편혜영의 소설이 기괴하거나 황량한 이미지의 세계에서 벗어나 일상의 문법들을 수용하기 시작했다는 것은 무엇을 의미하는가. 우선은 해석 불가능하며 변화 불가능한 세계의 불안과 공포가 구체적인 관계 맺기의 장으로 변환하고 있다는 점을 들 수 있겠고, 이는 주체와 동일시될 수 없지만 그렇다고 전혀 무관하지도 않은 타자들을 통해서 가능해진다. 그리고 이러한 타자의 등장은 이들의 이전 소설이 타자들을 전혀 드러내지 않았다는 점을 뒤늦게 깨우치게 만든다. 이는 세계에 부딪치거나, 세계를 탐구하거나, 또는 이질적인 존재로서 세계를 해석하게 만드는 개별적 존재가 이들의 소설에 드러나지 않았다는 점을 의미한다. 타자에 대한 구체적인 관심과 성격화가 이후 이들의 소설이 보여줄 새로움의 가장 핵심적 요소가 되리라고 예상할 수 있는 것은 이 지점에서다.

3. 세속의 문법, 문학의 자리

아직 징후의 수준에 불과한 이 일상성과 타자성을 현실의 문맥 속에 적극적으로 삽입하여 이해하는 일은 어떻게 가능할까. 예컨대 편혜영의 소설집 『저녁의 구애』가 일상성의 무대로 선택한 '파견'을 다시 해석함으로써 그것이 가능할까. 잠시 사전적 정의를 참고해 보자. '국립국어원 표준국어대사전'은 "일정한 임무를 주어 사람을 보냄"이라고 '파견'을 정의한다. 포털 사이트 '다음'의 국어사전에 등재된 의미도 유사하다. "일정한 임무를 주어 임지로 보내다." 그런데 인터넷 검색을 통해 확인하게 되는 파견의 의미가 흥미롭다. 국어사전이 일종의 규정이나 규범으로서 그 일반적 의미를 정의한다면, 인터넷 검색은 더 현재적인 의미에서 사회적 소통의 장에서 구체화된 의미를 지시한다. '다음'의 검색에서 '파견'의 연관 검색어는 '파견의 품격', '파견직', '비정규직', '아웃소싱' 등이며 '불법파견'에 관한 지식 검색, '파견' 노무법인의 업체 링크, 또는 각종 파견업체의 링크 사이트가 뒤따른다. 정리하자면 '파견'은 "일정한 임무를 주어 임지로 보내는" 일반적인 의미로 정의되지만, 그것은 이미 죽은 언어이며 현실의 문맥에서 파견은 '비정규직', '아웃소싱'의 동의어로 통용된다. 국어사전의 '파견'과 검색어의 '파견' 사이에는 엄청난 거리가 있다. 그것은 현실적 맥락을 탈각시킨 보편어와 삶의 한가운데에서 생산되고 통용되는 소통의 문맥만큼의 거리다. 편혜영의 '파견'은 이 중 어떤 맥락 속에 있을까. 분명하지는 않다. 「토끼의 묘」에서 '그'는 6개월의 파견근무 기간이 끝나면 원래의 근무지로 돌아가기로 설정되어 있으므로 국어사전이 정의하는 규범적 의미 속에 있지만, "지시하는 사냥감을 단지 잡아오기만 하면 되"고, "무엇을 잡을지, 잡은 후에 구울지 삶을지 버릴지 박제를 할지 결정하는 것은 숲을 달리는 사냥개가 아니라 지시를 내리고 서서 구경하는 주인"이며, "그러니까 개는 잡을 때까지 죽도록 초원을 달리기만 하면 되는"(「토끼의 묘」, 16쪽) 거라고 선배가 말할 때, 그것은 단지 규범의 언어에만 한정되지 않는다. 이 애매함이 편혜영이 현재 처한 위치를 보여주고 있지는 않은가. 오래 축적된 용례를 통해 규범적 의미만 뽑아낸 사전적 의미는 '동일성의 반복'이나, '전체를 알 수 없는 체계의 부속물'이라는, 일상과 인간에 관한 알레고리를 형성하지만, 또한 비정규직과 불법파견과 용역업체의 검색어로 이루어진 날것의 언어들은 비정한 자본주의 한가운데서 위기에 빠진 동시대인들을 향하고 있다. 파견자들은 일상을 벗어났으되 여전히 동일한 일상의 원환을 벗어나지 못한다. 파견은 낯선 임지로의 이동이지만 곧 익숙한 동일성으로 복귀한다는 측면에서 일상의 연속이다. 그러나 또한 이 파견자들은 파견지의 불안에 시달리며 그 안에서 소멸하거나(「산책」), 혹은 원근무지로 돌아가는 길 위에서 불안과 공포로 멈춰 선다.(「크림색 소파의 방」) 일상의 동일성을 반복하는 폐쇄적 원환구조와, 파견지와 길 위에서 마주친 불길하고 낯선 타자들, 이것은 이를테면 사전어와 검색어 사이의 균열이며 알레고리와 구체적 현실성 사이의 균열이다. 이는 또한 2000년대 소설의 폐소공포가 현실적 문맥으로 전환되는 징후이기도 하다.

이 전환의 징후는 다음과 같은 장면에서 더 분명한 표현을 얻는다.

그들은 민욱에게 '경운자원관리'로 신분이 이전된 뒤에 생긴 변화에 대해 물었다. 민욱은 단문으로 대답했다. 봉급은 줄었다. 십 퍼센트쯤. 노동시간은 늘었다. 한두 시간쯤. 같은 일을 한다. 예를 들어 민욱은 여전히 이주노동자들 작업을 관리감독한다. 그러나 언제 잘릴지 모르는 처지가 되었다. 물론 노동조합은 없다. 흔한 일은 아니라고는 하지만, 때로 엉뚱한 공장에 나가 엉뚱한 일도 해야 한다. 이를테면 냉장고 수리전문 장우식을 포함한 일곱 사람은 지난 추석에 물류회사에 나가 짐 싸고 배달하는 일을 일주일 했다. 그쪽에서 일이 밀리자 '경운자원관리'에 인력을 요청했고, 그러자 사장이 그들을 그쪽으로 파견을 보냈다. 거부할 수 없었다. 거부한다

는 것은 파견 중단, 즉 해고를 뜻했다.[8)]

편혜영의 것이 징후라면 최인석의 이 '단문으로 된 대답'은 어떤 결단처럼 보인다. 환상과 환각과 알레고리가 직면하지 않으면 안 되는 단호한 실재의 세계. 1990년대 후반 최인석이 보여주었던 귀신과 괴물의 세계는 환상과 리얼리티의 어떤 분기점, 그 겹침과 이탈의 긴장 상태에 있었다고 할 수 있는데, 이후 한국문학은 현실의 인력보다는 환상의 효과에 더 의지하는 방향으로 나아갔다.[9)] 2000년대 소설의 환상과 이미지는 최인석(혹은 2000년대적 불안과 절망)에서 출발하여 너무 멀리 나가 버림으로써, 그 출발점을 환기하기 어려울 지경에 이르렀다고 말할 수도 있는데, 『연애, 하는 날』은 다시 환상과 알레고리가 출발한 그 원점을 응시한다. '10퍼센트쯤 봉급이 줄고, 한두 시간쯤 노동시간이 늘었지만, 언제 잘릴지 모르는 처지가 된', 사소하고도 중대한 변화, 그것은 '해고'라는 말 대신 '파견 중단'이라는 말을 채택한 우리 사회의 근본적 야비함의 다른 이름이다. 20퍼센트쯤의, 한두 시간쯤의 사소하기에 수용 가능하리라 여겼던 차이에 적응하는 사이, 우리는 연애도, 노동도 불가능한 불구의 존재로 점점 괴물이 되어간다. 자본주의만이 괴물이 아니라 자본주의에 적응하고 자연스러운 대타자의 법을 받아들이며 살아가는 우리들 모두가 괴물이며 이곳이야말로 무시무시한 실재의 세계다. 그러니 어쩌면 순식간의 혁명, 순식간의 전환이란 불가능할지도 모른다. 그렇지만 뒤집어 말하

---

8) 최인석, 『연애, 하는 날』, 문예중앙, 2011, 297쪽
9) 최인석의 영향에 대한 편혜영의 진술과 이로부터 2000년대 문학이 환상에 경도된 현상을 유추한 것으로 손정수, 「'아오이가든' 바깥에서 편혜영 소설 읽기」, 『문학과 사회』, 2011년 봄, 351쪽 참조.

면, 20퍼센트쯤, 한두 시간쯤의 사소하고 자연스러운 차이에 존재를 걸지 않고는 도무지 다른 세계를 꿈꾸는 것은 불가능하다. 이 사소하고도 치명적인 차이가 바로 사전어와 검색어의 절단면일지도 모른다. 그리고 이 절단면은 전환의 상상력이 발원하는 최소한의 거점이기도 하다.

전 지구적 자본주의의 지배와 경쟁과 소외의 신자유주의를, 혹은 과학기술의 발달과 모든 것의 상업화를 비판하고 우리 문학의 위기가 거기에서부터 비롯된다고 자주 말해왔지만, 우리는 그 위기의 근원에 대해서, 원점에 대해서 의외로 잘 모르고 있는 것인지도 모른다. 그리고 아직 이는 제대로 탐구조차 되지 않은 영역일 수도 있다. 2000년대 소설들이 세계의 불안과 공포를 이미지의 확충을 통해 표상했다면, 그러나 이 세계의 야비함이 거대한 알레고리나 체제가 아니라 '10퍼센트쯤의 봉급이나 한 시간쯤의 노동'에서 오는 것이기도 하다면, 그 사소한 절단면들이야말로 문학이 포착해야 할 가장 아픈 정치의 순간이 될 것이다. 이 사소한 절단면에 주목하는 것은 현실의 세부에 대한 천착이라든가 구체성의 모사를 주문하기 위해서가 아니다. 자본주의 일반이거나 세계의 야만성으로 초월하기 이전의, 작은 차이들로 촘촘하게 구축된 이 세계의 실상과 만나지 않고는 어떤 환상도 어떤 이미지도 의미 있는 소통의 통로가 되지 못한다는 사실을 지적하기 위해서다. 문학이 저잣거리의 풍자와 같은 것일 수 없고, 또 그래서도 안 된다. 만약 그렇다면 우리는 굳이 '문학과 정치'를 고민하며 자의식에 시달릴 필요도 없을 것이다. 그렇지만 문학이 존재하는 자리가 저 세속의 감각들과 전혀 무관하지 않으며, 그 세속으로부터 더욱 풍부한 함축과 탐구의 자양분을 얻는다는 사실 또한 분명하다. 검색어를 통과한 언어는 결코 사전어로 수렴되지 않는 상상력들로 더욱 발랄하고, 더욱 기괴하며, 더욱 스산한 다른 말들을 만들어 낼 것이다. 이 잉여들이야말로 다른 말들, 다른 정치들을 만들어 내는 근원임을 잊어서는 안 된다. 현실의 모순과 변화와 고통들에 대하여 문학이 끊임없이 다른 감각들, 다른 세계를 향한 충동들을 형상화해 내지 못한다면, 문학은 도처에 난무하는 풍자의 직접성에도 합류하지 못하고, 다른 세상을 향한 새로운 감각들을 발견하지도 못하는, 계륵 같은 존재가 되어 버릴지도 모른다. 이것은 의도적으로 과장된 냉소다.

(『실천문학』, 2012년 봄호)

문학장의 존재 방식과 비평의 이데올로기

1. 침묵의 카르텔?

『21세기 문학』 2013년 겨울호 특집으로 마련된 좌담을 읽는 소감은 여러 가지로 복잡했다. 좌담은 '2013년 한국 문학의 표정'이라는 제목하에 문학계의 여러 사건들을 되돌아보는 내용을 담고 있었다. '자음과모음 사재기 논란', '시집 『사람』 출간과 전량 회수', '『현대문학』의 박근혜 대통령 수필론 게재', '『문예중앙』 편집진 사퇴와 개편' 등이 주요 주제로 다루어졌다. 잡지 발간 이후에 발생한 '『현대문학』 원고 검열 논란과 작가들의 기고 거부'까지 포함한다면 2013년 문단의 사건 목록은 대략 '정치와 자본, 그리고 문학'이라고 정리될 수 있을 듯하다.

이미 여러 언론을 통해 알려질 만큼 알려진 사건들이라 여기서 새삼 따로 요약할 필요는 없을 것 같다. 다만 이 좌담의 참석자들이 주요 일간지의 문학 담당 기자들이라는 데서 생겨난 복잡한 소감에 대해서는 조금 더 생각해 보고 싶다. 시인, 소설가, 평론가들이 주요 필자나 좌담자로 참석하기 마련인 문예지 좌담에서 기자들의 목소리를 듣는 일은 여러모로 신선하고 유익했다. 언론 보도나 소문을 통해 듬성듬성 들었던 사건이 '팩트'를 통해 다시 정리되는 과정도 유익했거니와, 사건의 배후에는 사실상 "책이 너무 안 팔린다는"[1] 심층적 원인이 있다는 명쾌한 분석도 현재 문학의 위기를 좀 더 세속적으로 실감하는 계기가 되었다. 유익한 정보와 분석을 들으면서도 한편으로 심경이 복잡했던 까닭은 기자들이 전하는 우리 시대의 대중적 감각과 어쩐지 동떨어져 있는 이른바 '문단'이라는 장에 생각이 미쳤기 때문일 것이다. 좌담을 기획한 편집자의 말은 생각을 더욱 복잡하게 만들었다.

올 한 해에도 문단에는 많은 사건이 있었다. 이 얼룩들은 우리가 동의하건 동의하지 않건 한국 문단이 지닌 여러 표정 중 일부다. 그럼에도 불구하고 일반 독자들뿐 아니라 문단의 핵심 종사자들조차 대중매체에 간략히 보도된 이상을 알지 못하는 이유는 특히 품위를 빙자한 문단 내 침묵의 카르텔 때문일 것이다. 우리는 그것에 대해, 우리 자신에 대해 말하기로 결정했다.

문제는 말하는 방법이다. 당사자를 자리에 모시는 방식은 첨예하게 대립하는 양쪽의 의견을 모두 섭렵한다는 장점이 있으나 성사 가능성 자체가 매우 희박했다. 게다가 당사자들에게 직접 설명을 듣는다 하여 '사실'이라는 것이 끝내 합의될지도 의문이었다.[2]

---

1) 「좌담—2013년 한국 문학의 표정」, 『21세기 문학』, 2013년 겨울, 220쪽.
2) 위의 책, 214쪽.

사건의 당사자들로 구성된 문단에서 그 사건의 당사자들이 아무도 말하지 않는 상황은, 더군다나 문단이라는 곳이 언어라는 매체를 기반으로 이루어진 곳이라는 점을 생각하면 무척이나 아이러니하다. 그러니까 우리는 '우리 자신에 대해' 기자들을 통해 듣고, '언론'을 통해 말하는 매우 이상한 우회 과정을 거치고 있는 것이다. 그런 의미에서 이 좌담은 기존 문학 담론의 어떤 불안한 균열 지점을 징후적으로 드러내고 있다.

표현의 자유와 작가의 권리를 말하는 일이 어떤 경우에는 고발당했고, 어떤 경우에는 사과를 받았다. 작년 대선을 앞두고 공개적으로 의견을 개진했던 작가들은 선거법 위반으로 고발당했고, 대표 역할을 했던 소설가 손홍규는 경찰 조사를 받았다. '박정희 정권'에 대한 언급을 이유로 연재를 중단했던 『현대문학』에 작가들은 기고 거부와 수상 거부로 항의를 표했고, 사건은 사과와 사퇴의 기자회견으로 일단락되었다. 문단이 그래도 자정 능력이 있다거나 정권의 비상식이 한심하다는 이야기를 하려는 것이 아니다. 작가들의 정당한 의견 표현과 행동에 대해서 무슨 흠집을 내려는 것은 더더욱 아니다. '표현의 자유'라는 어법이 그것이 위치하는 장에 따라 전혀 다른 방식으로 취급된다는 것, 무시와 존중(혹은 후퇴?)의 이 날카로운 대비가 사실은 문학이 존재하는 불안하고도 허약한 기반이라는 점을 말하고 싶을 뿐이다. 표현의 자유가 문단 내에서 지켜져야 할 최소 원칙이라면 그것은 우리가 사는 세상에서도 그러하다. 그렇다면 문학은 그 허약한 기반에 대한 반성과 분투를 통해 '표현의 자유'라는 원칙이 불러일으킨 이 기막힌 정치성을 사유할 수 있어야 한다. 작가들의 말을 고발하고 소환하는 국가에 대한 개탄보다, 기본적인 상식조차도 지키지 못한 『현대문학』에 대한 항의보다, 문단 안에 있는 나름대로의 질서가 수많은 사회적 약자들과의 소통과 공감을 가리고 있을지도 모른다는 과감한 자각이 더 필요한 시점일지도 모른다. 혹시 '고발'과 '사과'의 격차에 문학의 자존과 독자성을 또는 고립과 안전을 유지시키는 장막이 있는 것은 아닌가. 혹시 문학은 우리 안의 카르텔 속에서만 존중되거나 비판되는 것은 아닌가.

'팩트'가 기자의 방식이라면, 장정일의 말처럼 '사퇴'가 정치인의 방식이라면,[3] '문학'은 어떤 말을 가져야 할까. 스스로의 입으로 말할 수 없는 이 추문들을 두고 우리의 사유는 어떻게 더 깊어질 수 있을까. 깊이 있는 사유와는 거리가 멀지 모르지만 세속적이고 실용적인 비평의 말을 역설적으로 생각해 보게 된다.

2. 문학 매체와 상업주의

'책이 너무 안 팔린다'는 기자의 명쾌한 분석을 문학 담론으로 번역한다면 '상업주의 논란'쯤으로 말할 수 있지 않을까. 출발은 2012년 『문학과 사회』 100호 기념 좌담에서였다. 출판 자본과 결합한 문학 잡지의 발간 구조를 지적하면서, 제도를 성찰하지 못하는 문학 담론의 문제, 그리고 상업주의의 문제를 비판한 것이다. 그리고 이 문제 제기는 2013년 가을호의 특집 「문제는 '장편소설'이 아니다」로 연결된다. 그리고 그 사이에 본격적이지는 않았지만 이에 대한 권희철의 반론(「너무도 여리고 희미한 능력」, 『21세기 문학』, 2013년 봄)이 있었고, 여기에 한기욱(「우리 시대의 「객지」들」, 『창작과 비평』, 2013년 여름)이 동의를

---

3) 장정일, 「정치적인, 너무나 정치적인 『현대문학』」, 『한겨레』, 2014. 1. 6. 참조.

표한 바 있다. 일찍부터 상업주의에 대한 문제 제기를 해 왔던 권성우(「비평은 다시 우리를 설레게 만들 수 있을까?」, 『자음과 모음』, 2013년 가을)는 이러한 논의들이 지닌 자가당착을 지적한 바 있다.

사실 『문학과 사회』 좌담은 잡지 발간 100호를 기념하여 진행된 것이고, 좌담의 참석자 역시 소위 『문학과 사회』 1세대부터 3세대를 망라한 자리이기 때문에, 여기에서 일종의 시차적 기시감이 드러날 수밖에 없다. 논의의 세부를 일일이 따라가기가 곤란한 것도 이 때문이며, 상업주의에 대한 가장 강한 비판이 정과리에 의해서 개진된 것도 그런 사정에서일 것이다. 이를테면 "비판적으로 성찰하는 장으로서의 고유한 정치적, 사회적, 문학적 이념을 스스로 형성하고 있거나 형성해 가는 고유한 집단"[4]으로서의 자부심이 정과리에게는 있었던 것이다. 그래서 문단 제도나 상업주의 비판을 현재의 『문학과 사회』의 몫으로 돌리는 것은 당사자로서는 다소 당황스러울지도 모르겠다. 그러나 논의의 세부와 무관하게 오래전부터 제기되었던 문학 제도의 문제나 상업주의가 주요 문학 담론의 담당자 입에서 직접 발설되었다는 것은 중요해 보인다. 특정 담론 주체의 책임이나 역할을 묻기 전에 상업주의 논의가 재가동된 배경을 생각하게 되는 것은 이 때문이다. '책이 너무 안 팔린다'는 근본적 문제로부터 이야기를 재구성해 보면 다음과 같다.

출판 자본과 결탁된 문학 담론이나 상업주의의 틀 속에서 문학잡지들의 입장이 평준화되었다는 비판은 이전에도 있었다. 권성우도 지적했다시피 세부적 차이는 있겠지만 이 비판과 논쟁은 10여 년 전 문학권력 논쟁의 재판이다. 차이점이 있다면 이전의 것은 주도적 문

4) 「좌담: 도전과 응전—세기 전환기의 한국문학」, 『문학과 사회』, 2012년 겨울, 352쪽.

학 매체의 바깥에서 나온 것이고 이후의 것은 그 안에서 나오기 시작했다는 점이다. 문학권력 논쟁이 제기되었던 시점은 출판 산업의 규모가 급격히 커지고 문학 시장도 나름의 호황을 누렸던 시절이었다. 그리고 유례없는 불황에 시달리는 지금, 동일한 내용의 비판이 자기 반성의 형태로 내부에서 제출된다. 냉정하게 말하자면 여러 종의 문학이 그나마 팔리던 시절에는 상업적 이익을 추구하면서 그 상업적 이익에 부가적으로 문학적 입장을 보태는 일이 가능했다. 여러 종의 문학 중에 입장에 부합하는 작품들이 있었을 것이고 혹시 그렇지 않다 하더라도 나름의 균형과 분배도 가능했기 때문이다. 그러나 소수의 종만이 대량으로 팔리고 나머지의 문학이 시장에서 고사 직전에 있는 상황에서는 이러한 균형과 분배, 그리고 나름의 전략이라는 것이 속수무책이 될 수밖에 없다. 시장의 압박이 커지면서 작품의 판매나 상업적 전략의 요구는 더 커질 수밖에 없고, 물량 공세나 각종 이벤트에 덧붙여 이에 대한 비평의 종속 현상도 더 심해진다. '상업주의'의 직접적 발화는 시장의 위기와 함께 출판 산업에 종속된 비평의 균열 현상이 어떤 임계점에 이르렀음을 표현하는 징후인 셈이다.

상업주의가 완전히 정착되고 그것이 비평을 장악한 상황에서 '상업주의' 논의가 발화되었다는 것은 의미심장하다. 그래서 나는 이러한 '상업주의 논란'을 '상업주의' 내부의 분화 현상이라고 감히 해석하고 싶다. 『문학동네』의 편집위원인 권희철과 『창작과 비평』의 편집위원인 한기욱이 공히 『문학과 사회』의 '상업주의 비판'에 반감을 표한 것은 우연이 아니다. 『문학과 사회』의 '반(反)상업주의'는 현재의 문학 시장에서의 나름의 생존 전략처럼 보인다. 잘 팔리는 여러 종의 작품 중 특정 작가를 공유하는 것이 불가능하다면 오히려 색깔을 분명히 하면서 그 안에서 차별성을 확보하는 것이 유리하다. '상업주의'에 반대하는 미학적 순수성을 최대한 견지함으로써 최소한의 상징자본과 시장을 얻을 수 있기 때문이다.5) 사실 이러한 '내부의 분화 현상'을 떠올리게 된 것은 『문학동네』 2013년 가을호의 특집인 「지금, 비평이란 무엇인가」를 읽은 것이 결정적이었다. 김영찬, 황정아, 백지은의 글로 구성된 이 특집은 각각의 글이 모두 일독을 요하는 흥미로운 글이었지만, 그보다 더 강한 인상으로 남은 것은 개별 필자들의 글이 모여 만들어내는 효과였다. 김영찬의 글과 황정아의 글이 비평의 위기론에 동의하는 글이라면 백지은의 글은 그에 동의하지 않거나 적어도 무감하다. 같은 위기론이지만 김영찬의 글은 적극적 비관론에 기반해 있고 황정아의 글은 위기론 내부에서 왜곡과 과장을 따져 묻는 글이다. 백지은은 이러한 위기론의 지평에서 벗어나 있는데, 읽고 공감하는 것 이상의 역할을 비평에 요구하지 않기 때문에 가능하다. 기획력에 감탄할 만큼 각각의 입장은 뚜렷이 분별되고 그 차이점은 비평의 현재를 선명하게 대표하고 있다. 그런데 현재의 문학비평의 현황을 망라하여 펼쳐놓을 뿐 거기에서 어떤 독자적 입론을 만들어내겠다는 의욕이나 부담을 드러내지 않는다. 외부 필진들로 구성된 이 특집에서 그간 경험했던 『문학동네』의 방향성을 추론해 볼 수 있었다. 이름하여 '범상업주의'라고 표현해보자. 다양한 성향과 입론들을 포괄적으로 수렴하면서 그것들을 굳이 논평하지 않는 것. 긍정적으로 말하면 다양성의 옹호라 할 수 있겠지만 다르게 말하면 각각의 장

---

5) 예의 좌담에서 우찬제는 "복합적인 매체 변화 상황과 급격하게 변화하는 문화 상황의 와중"에서 "생겨나는 격렬한 틈을 비집고 탈주"하는 방향, 그리고 "조만간 고급한 인문적·지성적 비평 담론에 대한 문화적 요구가 많을 것"이라는 전망을 제안하고 있다. '문학적 자율성과 소수 문학의 열린 가능성'을 '상업적'으로 번역하여 나름의 생존 전략 모색이라고 해석하는 것이 그리 무리해 보이지는 않는다. 위의 책, 366쪽.

점을 취하면서 그에 대한 지분을 축적하는 방식이기도 하다. 이왕 시작한 일이니 『창작과 비평』에도 나름의 명명을 시도해 본다면 '권위적 상업주의'라고 말해 볼 수 있을 것 같다. 『창작과 비평』 2013년 여름호의 특집「한국문학, 다시 현실을 묻는다」에 포함된 한기욱의 평론「우리 시대의「객지」들」을 떠올려 볼 수 있다.「객지」라는 이미 공인된 전범을 근거로 동시대의 문학을 호명하는 방식, 즉 권위에 기대어 특정 작품에 의미를 부여하고 계보화한다는 의미에서다.

이러한 가설이 과장되고 무리한 비약으로 읽힐 수 있다는 것을 안다. 출판 자본과 문학 매체가 밀착되어 있고 그 관계에서 비평의 곤혹이 발생한다 하더라도 이것을 이처럼 단정적으로 일치시킬 수 있느냐는 의문도 생길 수 있다. 그러나 "에디터와 크리티의 역할을 모두 감당해야 하는 존재가 오늘날 한국의 비평가"[6]라는 데 동의할 수 있다면 나의 가설은 터무니없는 과장만은 아닐 것이다. 문학잡지의 편집위원들은 대부분 문학 출판에도 상당한 권한을 가지고 관여한다. 공들여 읽고 선택하고 기획하고 심지어 수정에도 관여한 작품에 대해서 객관적이고 비판적인 의견을 가지기는 힘들다. 자사 출판물의 홍보와 판매를 위해 의도적으로 비평적 시각을 순화시킨다는 뜻이 아니다. 비평의 과정이 그렇게 순정한 사심이 개입될 정도로 호락호락하지 않으며 비평은 그래서 알튀세르적 의미로 매우 이데올로기적이다. 정도의 차이는 있겠지만 비평가들은 실제로 그 작품의 가치를 믿고 신념에 따라 글을 쓴다. 그 신념과 혼신의 정열에 따른 결과가 상업주의로 귀착되기도 한다는 것을 표 나게 강조하고 싶은 것이다. 글쓰기의 고통이 얼마나 입체적인 것인지, 그래서 비평의 위기에

---

6) 위의 책, 351쪽.

대한 자각이 얼마나 더 적극적이어야 하는지를 함께 생각해 보기 위함이다.

3. 비평이라는 이데올로기

김현의 말처럼 문학은 무용함으로써 유용하다. 그것이 미학적 실천과 정치적 실천의 분간과 소통을 논할 때만 필요한 말이 아니다. 비평은 상업적 고려나 그것의 현실적 필요 여부가 아니라 텍스트의 미학적 가치 자체에 집중함으로써 시장과 관계 맺는다. 문학 매체의 상업성에 대한 공격이 흔히 문학 외적인 것으로 치부되는 것도 이 때문이다.[7] 앞의 가설은 자본이 문학 담론에 있어서 결코 외적인 요소가 아니라는 점을 제기하기 위한 것이었다. 상업주의에 대한 무심함이 상업주의와 무관함을 의미하는 것이 아니며 그래서 시장에서 멀어질수록 시장 친화적이 된다는 역설도 성립한다. 그렇다면 그것을 텍스트를 통해 증명해야 할 과제가 남은 셈이다. 비평적 글쓰기는 어떻게 시장에 연루되는가.

"흥미로운 서사로서 소비되지 않기 위해 쓰이는 소설, 그리고 서사의 재미를 소비하지 않기 위해 쓰는 소설, 그런 소설들을 쓰고 읽는 행위 자체로 이 속도전의 시대가 마련한 시스템에 맞서"[8]는 일을 장

---

7) 황정아, 「비평의 위기, 비평의 정치」, 『문학동네』, 2013년 여름, 472쪽. 이 글에서 황정아는 "비평의 제도적 독립성 부족과 출판계의 상업주의, 어느 분야에서건 들을 수 있는 '신자유주의적' 변화 같은 것들은 굳이 분류하면 외적 요인"이라 지적한 바 있다.
8) 조연정, 「왜 끝까지 읽는가—최근 장편소설에 대한 단상들」, 『문학과 사회』, 2013년 가을, 317쪽.

편소설의 의미로 내세우는 조연정의 경우는 쟁점이 뚜렷해 보인다. 일찍이 아도르노가 예술의 상품화를 비판하며 취했던 전략을 떠올리는 것은 어렵지 않다. 그리고 그것이 대중을 무시하는 일종의 엘리트주의일 뿐 아니라 자본주의의 무한 증식에 대결하기는 역부족이었다는 비판을 상기할 수도 있다. 그러나 동시대의 작품을 읽는 비평가의 입장에서 가장 문제는 이런 식의 발상이 우리 문학이 처해 있는 현실 자체를 단순화하거나 외면한다는 점에 있을 것이다. '속도전의 시대가 마련한 시스템에 맞서는 일'을 문학과 비평의 가치로 삼을 때, 비평의 가치 평가는 '속도전의 시대가 마련한 시스템'이라는 테제에 대한 안티테제로서 그 근거를 확보한다. 그렇다면 비평의 가치 기준은 역설적으로 시장의 시스템이 될 수밖에 없는데, 시장에 대한 더욱 치밀한 문제의식과 대결 의식이 존재하는 곳에 그러한 가치 기준은 정당성을 인정받을 수 있다. 그러므로 읽히지 않는 작품을 끝까지 읽고 공감하는 작업으로서의 비평은 그 "공감의 토대"[9]를 언제나 시장과 세속으로부터 찾아야 하는 것일지도 모른다. 이런 식의 극단적인 '반상업주의'가 문학성의 상징자본과 최소한의 시장 확보에 관련된다는 것은 앞에서 언급했거니와, 무엇보다도 시장에 대한 무심함을 통해 시장과의 무관함을 강조하는 이데올로기가 마련된다는 점, 그래서 문학장의 안전하고 폐쇄적인 시스템을 만들어낸다는 점을 기억할 필요가 있다.

그렇다고 해서 "비평가의 책무는 상업적 성과에 휘둘리지 않고 문학적 성과를 정치하게 논"[10]하는 일이라는 발언이 조연정의 태도에

---

9) 김미정, 「이제는 공감의 토대를 물어야 하지 않을까—조연정 평론집 『만짐의 시간』, 양윤의 평론집 『포즈와 프러포즈』」, 『창작과 비평』, 2013년 겨울.

10) 한기욱, 「장편소설 해체론과 비평의 미래—『문학과 사회』 2013년 가을호 특집에 대하

서 멀리 나가 있는 것 같지는 않다. 이 발언에는 이미 상업적 성과와 문학적 성과를 구분하고 상업적 성과와 무관하게 문학적 성과'만'을 평가하는 일이 비평가의 책무라는 전제가 숨어 있기 때문이다. 역시나 시장과의 무관함을 강조함으로써 문학장의 논리를 객관적인 것으로 승격시키는 데 일조한다. 비평이 가치 평가보다는 해석과 설명에 치중함으로써 판매의 명분을 제공한다는 비판들을 참고한다면 '무심함과 무관함의 포즈'는 상업주의와 문학주의를 밀착시키는 가장 중요한 기초가 된다. 상업적 성과를 문학적 성과로부터 미리 떼어놓음으로써 상업적 성과를 통과하여 대중성의 문제를 논의할 수 있는 기회는 더욱 멀어진다. "'상업적 성과'보다는 '대중성'이라는 개념이 나을" 것이며 "이 때의 대중성이란 많이 팔린다는 뜻이라기보다는 동시대의 다수 독자가 작품을 향유한다는 뜻에 가깝"[11]다는 언급만으로는 상업주의의 문제가 해결되지 않는다. 상업적 성과를 판매 부수의 문제로 치부하지 않고 문학적 성과의 본질적 요소로 진지하게 고려할 때, 비평은 상업주의와 정면으로 맞설 수 있게 된다.

『엄마를 부탁해』(신경숙, 창비, 2008)와 『두근두근 내 인생』(김애란, 창비, 2011)이 우리 시대 장편소설의 성과로 반복되어 거론되는 현상을 두고 조연정이 그것이 상업적 성과와 무관하냐고 물었을 때, 한기욱은 '이상한 논리요 하소연'이라고 일축하며 '대중성과 예술성의 양립 가능성'이라는 일반론으로 논의를 정리한다. 결국 '상업적 성과와 무관하냐'는 질문의 본질은 회피되고 논의는 일반론의 반복으로 공전한다. 꽤 오래 지속된 장편소설론이 생산적인 토론과 논쟁의 장이 되

여」, 『문학과 사회』, 2013년 겨울, 352쪽.

11) 한기욱, 위의 글, 353쪽.

지 못하는 이유의 일부가 여기에 있는 것은 아닐까. 1930년대 장편소설론을 근거로 현재 장편소설론의 이데올로기성을 지적하는 강동호의 비평(「장편소설이라는 이데올로기의 숭고한 대상—장편소설론에 대한 비판적 시론」, 『문학과 사회』, 2013년 가을)과 그에 대한 한기욱의 반론(「장편소설 해체론과 비평의 미래」)에서도 비슷한 상황을 발견할 수 있다. 강동호의 글은 한기욱의 글을 주요 대상으로 삼아 장편소설론이 결국은 서구 중심적 근대 인식의 산물이며 미달된 근대 극복을 위한 이데올로기적 기획이라고 비판한다. 비판의 핵심은 한기욱이 서구 중심적 장편소설론에서 벗어나지 못하고 있으며 그래서 장편소설론이 실질적인 의미를 상실하고 있다는 데 있다. 대화가 가능하기 위해서는 상대가 지적한 핵심에 대한 응답이 고민되어야 한다. 서구 중심적 장편소설론 비판에 대하여 "서구 문학의 담론과 작품을 비판적이고 주체적으로 대하되 그 빼어난 성취는 그것대로 수용하면서 그에 비추어 한국 문학의 문제를 성찰할 줄도 아는, 개방적이고 쌍방향적인 균형 감각이 필요한 것"[12]이라는 대답이 마련되어 있기는 하지만 이것은 너무 당위적인 일반론이다. 반박을 위해 인용한 강동호의 글도 결국 서구 중심적 장르론, 근대극복론을 겨눈 것인데 그렇다면 자신의 입론이 서구 중심적 장르론과 근대극복론에 입각한 것인지 아닌지, 그리고 그것이 어떻게 타당한지를 밝히는 것이 필요하다. 문맥상의 오독을 강조함으로써 겨누어진 발언의 근간은 회피되고 있는 셈이다.

이런 식의 회피와 일반론은 강동호의 입론이 가진 추상성을 해체하는 데도 별로 유용하지 못하다. 김남천에 대한 강동호의 해석에는 동의하기 힘든 부분도 있고 1930년대 후반부터 일제 말기에 이르는

---

12) 한기욱, 위의 글, 343쪽.

시기의 복잡성을 너무 단순화시킨 것이 아닌가 하는 의문도 있지만 여기에서 굳이 논할 문제는 아닌 것 같다. 텍스트는 투명한 객관적 상관물이 아니며 때로 '창조적 오독'이 새로운 논의의 지평을 열 수 있기 때문이기도 하지만, 여기서 중요한 것은 현재의 장편소설론에 개입하는 논리의 의미와 효과를 따지는 일이라는 생각 때문이다. 강동호가 1930년대 장편소설론에서 현재성을 보는 이유는 과거의 것과 현재의 것이 가지는 구조적 동형성 때문인데, 이는 '서구에서 비롯된 모더니티에 대한 열등의식과 이를 극복하기 위한 장치로서의 장편소설', 그리고 '이러한 프로젝트에 동원된 장편소설은 사실상 텅 비어 있는 이데올로기적 표상물일 뿐'으로 요약된다. 그런데 이러한 비판이 현재의 장편소설론에 개입하여 유효한 의미를 생산할 수 있을지는 의문이다. 구조적 동형성이란 구체적 사실을 소거시키고 논리의 뼈대만을 남김으로써 모든 것을 비판하는 동시에 아무것도 비판하지 못하는 결과를 만들기 때문이다.

아마도 강동호의 글에서 가장 인상적인 부분이 될 '근대초극론'의 수사를 보자. 강동호는 김남천의 장편소설론이 서구적 근대를 기준으로 한 근대극복론의 소산이었으며 이는 태평양전쟁 시기 일본 제국의 이데올로기였던 '근대초극론'과 닮아 있다고 지적한다. 그리고 한기욱의 글에서도 '근대초극론'과의 구조적 동형성을 읽어내는데 "근대 내부의 적을 청산함으로써 근대를 초탈"[13)]하려는 기획을 통해서다. 그런데 이 구조적 동형성이란 세부를 어떻게 소거하느냐에 따라, 그리고 그 뼈대를 어떻게 세우느냐에 따라 자의적으로 활용할 수

13) 강동호, 「장편소설이라는 이데올로기의 숭고한 대상—장편소설론에 대한 비판적 시론」, 『문학과 사회』, 2013년 가을, 272쪽.

있는, 그야말로 극히 이데올로기적인 도구다. 구조적 동형성을 염두해 두되 세부와의 근접성도 고려하여 다른 방식으로 구조의 세부를 채워 넣어 보자. 예컨대 한기욱에 대해서라면 이러한 비판이 가능하다. '서구적 근대를 전범으로 삼아 미달된 근대 극복을 한국 문학의 공통 과제로 내세우고 스스로가 그 주역으로 앞장서겠다는 논리는 사실상 주변의 논리들을 위계화시키는 독단으로 이어질 수 있다.' 강동호의 논리를 이 구조 속에 채워 넣는 것도 가능하다. '서구에는 서구의 근대가 있고 동양에는 동양의 근대가 있다는 다원주의는 '근대초극론'의 논리적 근거 중 하나였다. 서구적 근대 추종을 비판하면서 그 적대로써 자신의 입지를 내세우는 경우 다원주의는 언제든지 맹목적 대결 구도로 진화할 수 있다.' 이때 중요한 것은 구조적 동형성이 아니라 거기에 채워진 세부의 구체적 내용이다. 이 세부야말로 쟁점을 형성하고 현재의 문제를 직시하기 위해 반드시 점검해야 할 요소가 아닐까. 구조적 동형성이라는 방법이 대립의 선명성을 위해 유용할지는 모르나, 역사적 문맥에서 이탈한 이런 식의 추상적 비약에서 얻을 것은 별로 없다.

추상화와 비약, 그리고 회피를 통해 장편소설론의 새로운 전개는 사실상 지연되고 있는 것 같다. 의도된 것인지는 모르겠지만 장편소설론은 어느새 용어의 한정과 리얼리즘에 대한 시비, 그리고 주장의 이데올로기를 따지는 국면으로 전환되고 있다. 공전과 피로감에도 불구하고 장편소설론이 계속되어야 한다면 나는 이런 식의 추상화 대신 다른 물음이 필요하다고 생각한다. 그것은 이를테면 이런 것이다. 김남천에 대한 여러 개의 주석 대신 남겨질 하나의 질문. 김남천의 장편소설론이 미달된 근대로서의 분열을 봉합하는 하나의 이데올로기였다고 한다면, 그 봉합 아래에 남겨진 것은 무엇인가. 김남천이 초월하고자 한 것이 미달된 근대에 대한 강박과 그 분열이었다고 한다면, 그 초월은 김남천 자신, 혹은 식민지 지식인의 (무)의식을 향해 있다. 심지어 김남천을 '근대초극론의 이데올로기와 제휴할 가능성'에 헌납한다 하더라도 아직 한 지식인의 정신 승리로 사라지지 않는 실제의 사실들이 남아 있다. 그 봉합되어 사라진, 잔여의 사실들이 사실은 '로만개조론'의 문맥 속에 포함되어 있는 것은 아닐까. 그것은 '장편소설론'이 담아내고자 했던 당대 사회의 실상이어야 하지 않을까. 우리 시대의 장편소설론 역시 이 지점에 더 몰두해야 하는 것이 아닐까.

이론비평과 논쟁이 결국 추상화될 수밖에 없는 속성을 지녔다고 말하고 싶지는 않다. 실례가 흔하지는 않지만 논쟁을 거치면서 비평은 점점 정치해지고 엄밀해지기도 한다. 논쟁을 통해 논리가 더욱 정치하게 다듬어지기 때문이기도 하지만, 논리로 놓칠 수 있는 시야가 논쟁을 통해 확보되기도 하기 때문이다. "시대와 역사 그리고 미학의 새로움이 창조적 갈등 속에서 생산되도록 격려하는", "비평의 비판적 대화를 통한 정치라는 화두"[14]는 이렇게 시작될 수 있을 것이다. 흔히들 작가론과 작품론을 상업주의 비평의 대표적 예로 지적하지만, 반대의 방식으로 비평론 역시 상업주의와 관여한다. 일상의 문맥으로 번역되지 않는 추상적 논리와 개념을 통해 문학 담론을 시장으로부터 멀리 떼어놓는 방식으로. 그리하여 비평은 시장을 위한 착실한 서비스를 수행하면서도 짐짓 거기로부터 멀리 떨어져 있는 듯한 포즈를 생산해 낸다. 이 과정을 통해 비평은 객관적 비판이라는 이름하에 편파성의 권리를 얻는다. 비평의 현실감각이 필요한 이유가 여기

14) 강동호, 「파괴된 꿈, 전망으로서의 비평」, 『문학과 사회』, 2013년 봄, 364~365쪽.

에 있다. 작가론의 친절함과 메타 담론의 초월성이야말로 문학장의 독자성을 지탱하는 기본적인 원리이며, 그것은 다른 방식으로 현실적 장에서 소통된다. 문학과 비평이 존재하는 방식에 대해서, 그리고 그 말들의 역할에 대해서 근본적이면서도 구체적으로 질문하는 일은 그래서 중요하다. 문학 담론이라는 안전한 구역 내에서 현실감각을 잃고 자족하는 비평이 되지 않기 위해서, 비평의 위기론은 좀 더 집요하게 자신의 존재 기반을 파고들 수 있어야 한다.

4. 문학장의 자율성과 타율성

다시 서두의 '좌담'으로 돌아가 보자. 문학과 관련된 여러 사건들에서 문학잡지의 이름들이 거론되는 이유는 문학 출판 시스템의 가장 핵심적인 고리 역할을 문학잡지들이 담당하고 있기 때문이다. 그리고 그 잡지들을 통해 우리는 우리 문학의 존재 조건을 가장 적나라하게 본다. 문학 매체가 출판 시장의 가장 기초적인 기반이 되는 이유는 '책'이라는 상품이 생산되는 중요한 토양 역할을 하고 있기 때문이고, 그래서 만약 우리에게 책이 필요하다면 여전히 문학 매체는 필요하다. 문학 매체가 출판 시장과 결합되어 있다는 말은 거꾸로 말하면 출판 시장의 논리를 제어할 문학의 논리가 아직은 가능한 구조라는 말도 된다. 그렇기 때문에 문학 매체가 생산하는 말들의 의미와 기능에 대해서, 그리고 그것이 감추고 있는 것들에 대해서 우리는 언제나 민감해질 수밖에 없다. 문학 매체와 출판 시장의 결합은 사실상 한국문학이 오랫동안 구축한 특유의 시스템이며 그래서 이 사이의 자기모순적인 긴장을 유지하는 일은 지금 위축과 침체를 겪고 있는 문학의 방향을 결정하는 중요한 열쇠가 될 것이다.

'장편소설론'이나 '문학과 정치' 논의가 문학 외부의 환경으로부터 도출되었다는 것은 문학장의 자율성이 어떻게 타율적인가를 보여주는 중요한 예다. '장편소설론'이 출판 시장의 변화나 동시대 독자들과의 소통이라는 측면에서 등장했다면, '문학과 정치'가 퇴행하는 민주주의와 자본에 의해 황폐화된 삶의 기반을 통해 도출되었다면, 여전히 문학 담론은 이 환경과 조건으로부터 자유롭지 않다. 그러나 여전히 '문학적인 것'을 통해서만 말하려는 담론들은 이 타율적 조건들을 자율성의 장 안으로 밀어 넣는다.[15] 이 '문학적인 것'의 이데올로기가 어떻게 문학의 타율적 조건들을 망각하거나 은폐할 수 있는지를 말해보고 싶었다.

"시민으로서 용산에 대해 말할 수 없는 자신이 부끄러웠고, 젊은 시인으로서 용산을 쓰는 일도 공연히 부끄러웠다"는, 그리고 "나를 둘러싼 '현실'과 '시적 현실' 그리고 젊은 시인들에게 족쇄처럼 채워진 '미학적 급진성' 사이에서 고민했다"[16]는 시인의 고백에서 나는 우리 시대 문학장의 영향력과, 그리고 그것을 뚫고 솟아나는 새로운 질문들을 읽는다. 그렇게 시인도 소설가도 비평가도 이 담론을 둘러싼 환경으로부터 자유롭지 않다. 그럼에도 불구하고 시인과 시민 사이에서의 고민은 문학장의 자율성과 타율성 사이에서 요동치고 있다. 그 깊어진 고민에서 좋은 시인과 좋은 시민은 함께 성숙해 갈 수 있을 것이며 우리 시대의 문학장은 더욱 역동적으로 재구축될 수 있을 것

---

15) 비평의 문학주의화의 공과에 대해서는 소영현, 「좀비 비평의 미래」, 『문학과 사회』, 2012년 겨울 참조.

16) 박준, 「용산, 두리반 그리고 '희망 버스' 이후 작가들—시인은 어떻게 시민이 되었나」, 『실천문학』, 2013년 봄, 62쪽.

이다. 쉽게 예단하지도 않고 성급하게 촉구하지도 않으면서 이 성과를 함께 구축해 나가기 위해 비평의 고민도 더 깊어져야 한다. 그리고 적어도 문학 담론이, 문학 시스템이 이 고민을 중단시키거나 희석시키지는 말아야 한다. 시민의 말을 시인의 말로 번역하기보다, 무수한 시민의 말들이 시가 되는 과정에 대해서 말하는 문학비평. 그리고 그 말들이 더 자유롭고 과감하게 발설되는 장으로서 문학 매체가 상실해 가는 공공성을 복원할 수 있지 않을까. '팩트'도 '사퇴'도 아닌 문학의 말이 문학만의 것이 되어서는 안 되는 이유도 여기에 있다. 문학의 말을 문학장과 제도의 바깥으로 풀어놓는 일, 그것은 먼저 우리 자신에 대해 스스로 말할 수 있는 힘에서부터 시작될 것이다.

(『21세기 문학』, 2014년 봄호)

'국민되기'의 소망에서 새로운 국민의 '탄생'으로
_조갑상의 『밤의 눈』

1. 역사적 사건과 예술적 상상력

제주 4·3을 배경으로 한 영화 〈지슬〉이 조용한 화제가 되고 있다. 거대 자본도 화려한 스타도 없는 흑백영화 한 편에 감동하고 찬탄하는 관객이 벌써 10만을 넘어서고 있다고 한다. 그러나 독립영화로서는 이례적인 관객 수나 해외 영화제 수상 경력은 이 영화의 화제성을 말하는 표면적인 근거에 지나지 않는다. 제주 4·3의 상징적 의미나 4·3에 대한 사회적 관심도 이 영화의 의미를 전부 말해줄 수는 없다. 이 영화의 진정한 문제성은 영화가 제주 4·3을 말하는 우리 시대의 방법론을 보여주고 있다는 데서 찾아져야 할 것이다. 영화를 보면서 새삼 생각하게 되는 것은 제주 4·3이 명명백백히 진상이 밝혀진 사건이라 할 수는 없지만 그렇다고 해서 잊혀진 사건도 아니라는 점이다. 이는 제주 4·3 특별법 통과와 대통령의 공식 사과 등 2000년대 들어 진행된 일련의 진상 규명 움직임과도 관련이 있다. 물론 아직 진상 규명이 충분하다 할 수 없고, 교과서나 공식담론에서 4·3의 역사적 의미가 공식적으로 거론되고 있지도 않다. 젊은 세대들에게 4·3은 제대로 된 진실이 알려지지 않은 미지의 사건이며 그래서 사건의 배후에 숨겨진 진실에 대해서 아직 말해야 할 것이 많을지도 모른다. 그러나 적어도 유골이 발견된 현장의 사진으로 사건의 참상을 폭로하고 희생자들의 억울함을 호소하는 증언으로 이 사건을 말할 때가 아닌 것만은 분명하다. 〈지슬〉은 4·3사건의 현재적 의미를 탐구하기 위하여 다큐멘터리 대신 극영화의 형식을 채택했고 산간 지방으로 피신한 마을 주민들의 일상 속으로 카메라를 옮겨놓는다. 역사적 사건에서 비롯된 영화이지만 〈지슬〉은 역사적 사건을 예술적 상상의 영역에서 재구성한다.

그런 의미에서 영화의 제목이기도 한 '지슬'은 영화의 정체성을 표상하는 키워드라 할 만하다. 감자의 제주도 사투리인 '지슬'은 영화의 시점이 지역민의 일상에 놓여 있음을, 그리고 국가 공동체 차원의 거대 담론보다는 지역의 시선에서 바라본 구체적 삶에 초점이 놓여 있음을 말해 주고 있다. 영화는 유골로만 남은 사건의 참상 저편으로 줌인하여 그 유골들에 뼈와 살을 입힘으로써 유골의 증언이 아니라 산 사람들의 기억과 일상의 차원으로 이야기의 중심을 옮겨간다. 피난지의 굴속에서 감자를 나눠 먹으며 난리가 지나가기를 기다리는 사람들, 이념 분쟁의 참화 속에서 농담과 핀잔과 자잘한 걱정거리들이 그들의 담론으로 펼쳐진다. 이 순박한 사람들의 일상이 어떻게 공적 담론과 세밀하게 연관되어 새로운 역사적 기록을 만들어낼 수 있을지는 아직 확정할 수 없다. 그렇지만 〈지슬〉을 통해 역사를 읽는 방법의 다양성을, 그리고 그것이 분해되고 통합되면서 역사적 진실을 감각적으로 구체화하는 과정을 짐작해 볼 수는 있다.

한국전쟁 전후의 양민 학살 사건을 소재로 한 조갑상의 『밤의 눈』

(산지니, 2012) 역시 같은 맥락에서 읽어야 할 것 같다. 소설은 가상의 지역인 '대진'을 배경으로 하고 있으나, 전개되는 사건들을 미루어 봤을 때 경남 진영에서 실제로 일어났던 사건을 소재로 하고 있음을 알 수 있다. 한국전쟁 중 국가권력에 의해 무고한 양민들이 학살당한 사건은 전국 각지에서 일어났으며 그 피해자 수도 상상을 초월한다. 희생자들의 시신을 거두지 못한 것은 물론이고 이후 살아남은 자들까지 반공 이데올로기의 폭력에 고통받았다. 해방정국의 이념 분쟁과 전시하 냉전 논리가 만들어낸 희생양이었음에도 불구하고 이들은 오래도록 폭도로 지칭되며 죄인 취급을 받아야 했다. 가해자들의 처벌이 없었음은 물론, 정확한 진상 규명조차도 미루어진 채로 이들의 원혼은 역사의 미궁 속을 떠돌아야만 했다. 한국 현대사의 참혹하고도 부끄러운 그늘을 들추어내는 일이 정치적으로 완결되지 않았으며, 이러한 사건들이 문학적으로 형상화된 예도 많지 않다. 이러한 사정을 생각해 보았을 때, 조갑상의 『밤의 눈』이 뒤늦게나마 이 사건을 문학적 서사로 구성해 낸 일은 분명 의미 깊은 일이며, 특히 한국 문학이 역사적·사회적 정의나 진실에 대한 고민을 적극적으로 담당해내고 있지 않는 지금의 현실에서 이 작품의 의의는 더 크다.

그러나 역시 이 작품의 현재성을 더 적극적으로 평가하기 위해서는 진실 규명의 의의 이상의 것에 대하여 신중하게 탐문해 볼 필요가 있다. 2005년 '진실·화해를 위한 과거사 정리 위원회'가 설립되었으며, 공식적으로 조사 보고서가 채택되었고, 현재까지 피해 보상 청구 소송이 이어지고 있다. 양민학살사건에 대한 진상 규명은 아직 완결되지 않은 상태이며, 그러므로 알려지지 않은, 잊혀진 사건의 복원과 기록은 여전히 중요한 현재적 과제이다. 그럼에도 불구하고 아직 오지 않은 것을 예비하고 지금 여기 없는 것을 꿈꾸는 문학이 타진해야 할 것은 진상 규명 이상의 그 무엇이다. 증언과 기록으로 완결되지 않는 역사의 구체적 내면과 감각적 진실을 염두에 두고 작품을 읽는 것이 오래 기다린 역작 『밤의 눈』을 읽는 좀 더 근본적인 방법일 터다.

2013년, 지금 여기에서 『밤의 눈』을 읽으면서 우리는 어떤 의미를 되새겨볼 수 있을까. 조사 보고서나 언론 등을 통해 미처 감지할 수 없었던 역사적 진실을 우리는 문학적 진실이란 이름으로 다시 확인할 수 있을 것인가. 이러한 질문에 답하기 위해 이 글은 두 가지 측면에 주목하고자 한다. 하나는 『밤의 눈』이 소재로 삼고 있는 진영 양민학살사건의 특수성에 관한 것이다. 그것은 곧 지역적 구체성의 눈으로 역사적 사건의 세부를 읽고자 하는 작품의 의욕과 관련되어 있다. 두 번째는 이 소설의 서사가 사건이 일어난 시점인 1950년뿐 아니라 그 이후의 시간을 포함하고 있다는 점이다. 사건과 사건 이후를 포괄하려는 시점을 통해 우리는 사건을 과거의 사실만이 아니라 이후로도 지속되는 역사의 차원에서 바라볼 수 있게 된다. 이 두 지점을 통해 우리는 실제 사건을 배경으로 하고 있는 『밤의 눈』의 의미를 더욱 적극적으로 해석할 수 있게 될 것이다. 새로운 가치의 차원에서든, 아니면 기대가 큰 만큼 품게 되는 아쉬움의 차원에서든 『밤의 눈』의 가장 핵심적인 문제성은 이 지점에 있다.

2. 지역적 구체성의 시선과 역사적 사건의 세부

'진실·화해를 위한 과거사 정리 위원회'의 조사 보고서에 의하면 한국전쟁 전후 국가권력에 의한 민간인 희생 사건의 신청 건수는 162

건이며, 이 중 진실 규명이 완결된 사건은 151건에 달한다. 대부분이 보도연맹 가입자를 대상으로 한 무차별 학살에 관련된 사건이며, 『밤의 눈』이 배경으로 하는 진영 민간인 희생 사건 역시 같은 범주에 속한다. 그런데 진영 사건은 다른 지역의 사건과는 그 성격을 다소 달리한다.

> 이곳은 인민군의 수중에 들어간 일도 없었던 지역이었는데, 터무니없이 개인감정에서부터 비롯되어 무고한 주민들을 학살시켰던 것이다. 당시 진영양민학살 가해의 폭군들은 김해경찰서 사설(私設) 군법회의까지 만들었다. 당시의 진영지서장 김병희와 부읍장이었던 강백수, 방위군대장이었던 하계백, 의용경찰 경사였던 강치순 등으로 구성된 이 '사설 군법회의'는 진영 내의 권력을 독점하고 온갖 만행을 저질렀다.[1)]

인민군 치하에 들어간 적이 없었던 후방 지역에서 좌익 소탕을 근거로 자행된 대량 폭력 학살 사건은 전시하의 불가피성이라는 명분조차 주장할 수 없게 만든다. 지역 유지들의 사적 감정에 의해 수많은 양민들이 학살되었던 것이다. 소설에 등장하는 대진 지서장 이주호, 부읍장 박대순, 방위대 대장 김기환, 의용경찰대장 지창구 등은 모두 실존 인물에 근거한 인물들이다. 해방 후 이승만 정부 치하에서 지역 유지로 행세하고 있던 이들은 한국전쟁이 발발하자 평소에 자신들의 세력 확장에 방해가 되는 지역 인사들을 좌익으로 몰아 처형하고 지역 주민들의 재산을 탈취하는 등 개인적 욕심을 채우기 위해

---

1) 정희상, 『이대로는 눈을 감을 수 없소—6·25 전후 민간인 학살사건 발굴르뽀』, 돌베개, 1990, 95쪽.

온갖 악행을 서슴지 않는다. 소설은 이들 지역 유지들의 범행을 형상화하는 데 집중하고 있는데, 이로써 전쟁 전후 양민학살사건의 일반성 이면에 숨겨진 지역적 구체성이 드러나게 된다. 사건의 주모자였던 지역 유지들은 대부분 과거 친일 경력을 가지고 있으며, 해방 후 일시 위축되었다가 이승만 정부 수립 후 다시 세력을 얻게 된 인물들이다. 이들은 읍민들에게 두터운 신망을 얻고 있는 지역의 인사들을 표적으로 삼아 그들을 지역사회에서 제거하기 위해 수단과 방법을 가리지 않는다. 타지에서 들어온 대지주 집안이지만 소작인들에게 신망을 얻고 있었던 한용범, 친일 인사였던 아버지와 단절하기 위해 대진에서 평생 의사의 삶을 살았던 민 의사, 해방 후 민중에 밀착한 종교운동을 펼쳤던 남 목사 등이 그 대상이었다.

> 내놓고 사회주의에 물든 자식도 없고 관공서 일에 후생비며 기부금은 넉넉하게 잘 내지만 어딘지 찜찜한 구석이 있었다. 해방되던 해 봄에 죽은 한용범의 부친만 하더라도 제 할 일만 하고는 관공서 사람들과는 일정한 거리를 두는 것처럼 처신했다. 설 명절 때는 이주호 자신에게도 따로 봉투까지 보내면서도 좀처럼 밥자리 술자리는 같이 하지 않으려고 했다. 나이 차이가 많이 나서 그렇다 치고 넘어갈 수도 있으련만 어쩐지 목에 가시처럼 걸려, 그게 조선사람 경찰을 보는 영감의 시각이라고 생각해 본 적도 있었다. 그런데 몇 번 만나 본 한용범의 형제들도 하나같이 '내 꺼 내 먹고 산다'는 식으로 뻣뻣했다. 성깔이 그리 돼 먹은 건지 한말에 자수성가한 부자놈들의 새로운 가치관인지, 그런 쓰잘데기 없는 고민까지 해 본 것도 결국은 껄끄럽게 눈에 밟히는 집구석이기 때문이었다.[2)]

---

2) 조갑상, 『밤의 눈』, 산지니, 2012, 219쪽. 이하 이 작품의 인용은 인용 뒤에 쪽수만을 표

소설은 이른바 보도연맹 사건이 이념 분쟁이 불러온 참혹한 비극이며 부당한 국가권력의 횡포임은 분명하지만, 그렇다고 해서 그것만으로는 온전히 해명될 수 없는 사건임을 진영 지역의 실제 사건을 통해 제기하고 있다. 이 소설을 읽으면서 독자는 인간성과 윤리 문제, 악의 평범성에 관하여 다시 한 번 생각해 보지 않을 수 없게 된다. 한나 아렌트는 나치 전범인 아돌프 아이히만의 재판에 관한 보고서에서 '악의 평범성'이라는 개념을 통해 전쟁범죄의 이면을 철학적으로 해부했다. "자신의 개인적인 발전을 도모하는 데 각별히 근면한 것을 제외하고는 어떠한 동기도 갖고 있지 않았"[3)]던 아이히만을 대진의 지역 유지들에 겹쳐 볼 수 있을 것이다. 한나 아렌트는 "현실로부터 멀리 떨어져 있다는 것과 이러한 무사유가 인간 속에 아마도 존재하는 모든 악을 합친 것보다도 더 많은 대파멸을 가져올 수 있다는 것"[4)]이 예루살렘에서 배울 수 있는 교훈이라고 말한 바 있다. 대진의 세력가 집단, 지역 유지들은 자신들의 행위가 수많은 무고한 목숨을 빼앗고 있으며 그로 인하여 끝나지 않을 고통이 발생한다는 현실로부터 멀리 떨어져 있었다. 그 결과 자신의 개인적인 성공을 추구하는 데 각별히 근면했으나 그 밖의 것들에 대하여는 아무것도 사유하지 않았다. 돈과 지위로 얻은 권력이 부도덕과 몰염치를 기반으로 하고 있다는 것을 이들은 한용범을 통해서 안다. 읍민들이 한용범에게 보내는 신뢰는 자신들의 권력에 결여되어 있는 것이 무엇인지를 언제나 상기시켜 준다. 그들은 이러한 결여를 채우기 위해 부도덕을 반성하는 것이 아니라 그 결여 자체를 무시한다. 그러므로 그들은 자신

기한다.

3) 한나 아렌트, 『예루살렘의 아이히만』, 김선욱 옮김, 한길사, 2006, 391쪽.

4) 한나 아렌트, 위의 책, 392쪽.

들의 과거 경력을 은폐하고 더 큰 권력을 장애 없이 휘두르기 위해 한용범을 없애야 했고, 더불어 그에 따르는 추문을 묵살하기 위해 더 많은 학살을 자행해야 했다.

사건 주모자들의 무사유는 이들의 비일관적이고 모순적인 행동을 통해서도 드러난다. 청년방위대 대장과 대한청년단 단장을 겸하고 있는 김기환은 식민지 시기 정규군 출신이며 사설 비상대책위원회의 핵심 인물이기도 하다. 양민학살사건에 빠짐없이 개입해 있음은 물론 지역민의 집을 사적으로 찾아가 특별 기부금 명목으로 그들의 재산을 빼앗는 것도 서슴지 않는다. 그가 미망인이 된 민 의사의 며느리 양숙희에게 연정을 품었을 때, 마을의 다른 여자들에게 했던 것처럼 그녀를 능욕하고 강제로 그녀를 취할 수도 있었다. 그러나 그는 그렇게 하지 않았다. 시아버지의 구금 때문에 애태우는 그녀를 위해 소식을 알아봐 주고 면회를 할 수 있도록 주선한다. 절대 권력을 행사하며 승승장구하는 시기에도 권력으로 여자를 제압하려 하지 않는다. 양숙희 앞에서 김기환은 청년방위대 대장이 아니라 한 명의 진심 어린 남자가 되는 것이다. 한 여자 앞에서는 순정을 가진 남자이고, 무고한 양민들 앞에서는 학살을 서슴지 않는 김기환은 그가 악인이기 때문이 아니라 자신의 행동을 성찰하는 사유 능력이 결여되었기 때문에 이중적이다. 양숙희에 대한 연정과 읍민들에 대한 잔인성을 스스로 대조하고 성찰하는 능력이 있었더라면 김기환은 그처럼 무자비한 학살의 주동자가 될 수 없었을 것이다. 악의 평범성이란 누구나 악의 자질을 갖고 있다는 의미가 아니라 성찰되지 않는 평범함은 언제나 악과 연결될 소지가 있다는 의미로 받아들여져야 한다.

그러므로 '악의 평범성'은 모든 곳에 악이 편재해 있다는 의미에서의 '악의 보편성'으로 이해되어서는 곤란하다. 누구에게나 악이 편재해 있으므로 악은 인간 본성이며 그래서 전쟁 중의 학살이나 인권침해는 사실상 보편적인 것의 극적인 출현에 다름 아니라는 식으로 이해한다면 가해와 피해의 진상 규명, 책임 소재 문제는 사라져 버린다. 또한 국가제도나 법의 필요성도 허무주의적 무용론의 빌미가 되기 쉽다. 이념 분쟁을 주제로 한 토론에서 자주 등장하는 이념 혐오의 무정치적 인간론을 떠올릴 수도 있다.

『밤의 눈』이 의도하는 바가 여기에 있지 않음은 물론이다. 오히려 이 소설은 '평범함의 정치성', 혹은 '정치적인 것의 구체성'이라 이름 붙일 수 있는 어떤 것을 강조하고 있다. 국가폭력에 의한 민간인 희생이라는 역사적 사건을 두고 자주 벌어지는 논쟁, 즉 국가권력과 개인을 양쪽 끝에 놓고 책임의 가중치를 묻는 질문은 언제나 곤혹스럽다. 국가권력의 부당함을 강조한다면 국가권력의 명령 체계하에 있는 개인의 자유와 책임은 소실되어 버리기 쉽고, 개인의 인간성과 윤리 문제에 비중을 둔다면 국가권력의 횡포에 대응할 논리가 사라져 버린다. 진영 양민학살사건은 한국전쟁 당시 무차별적 이념 공세와 국가권력의 과잉 폭력에 의한 것인가, 아니면 자신들의 욕망을 성찰하지 않는 일부 지역 유지들에 의한 것인가. 이는 어느 한쪽에 책임을 물어 반대쪽의 문제를 희석시키기 위한 질문이 아니다. 지역의 일상 속에서 벌어지는 생존의 파워 게임, 그리고 세력 갈등은 전시체제의 비일상적 폭력 속에서 정치적 효과를 발휘한다. 보도연맹사건으로 지칭되는 국가폭력의 일반성은 진영이라는 지역의 구체적 역사와 만나 정치적으로 행사되고 활용된다. 그러므로 중요한 것은 평범함의 일상 속에서 행사되는 정치성과 이념성을 사유하는 능력, 국가체제를 만들어 내는 개인들의 주체적 사유 능력이다. 국가체제의 일반성과 지역 기반의 구체성이 만나는 접점, 『밤의 눈』은 이 지점을 파고들고 있다. 법과 제도와 정치의 일반성을 실행하는 구체적 개인들의 행동, 혹은 개인의 삶을 국가 체제의 전체성으로 연결시키는 구체적 사유 능력, 이를 두고 우리는 민주주의라 부른다.

3. 사건, 그리고 그 이후의 시간이 말하는 것들

『밤의 눈』은 1950년 7, 8월의 두 달간 일어난 진영 양민학살사건을 주요 배경으로 하고 있지만 이 특정 시점의 사건에만 한정되어 있지는 않다. 소설은 1972년 유신헌법 찬반 투표일에서 출발하여 1950년의 사건으로 되돌아갔다가 1960년과 1972년을 거쳐 1979년 부마사태로 마무리된다. 과거에 일어난 사건을 대상으로 한다는 의미에서가 아니라 그 사건을 중심에 두고 전후의 인과를 살핀다는 점에서 이 소설은 역사적이다. 우선 1950년의 사건은 해방 정국과 한국전쟁이라는 일련의 숨 가쁜 정치 국면에서 갑자기 터져 나온 사건이 아니다. 식민 지배에 협력한 과거 지배 세력들을 청산하지 못한 '정당성 없는 국가권력'이 강제로 권위를 확보하기 위해 대대적인 반대 세력 소탕을 기획했고, 부당한 권력은 야만적 폭력을 불렀다. 무차별적 폭력의 기회를 만나 개인적 안위와 권력 확대의 욕망은 거침없이 그 부도덕과 몰염치를 드러낼 수 있었다.

이 폭력은 해방과 민족국가 건설이라는 정치 변동 속에서 일제 치하의 구지배 세력들을 제거하지 못함으로써, 제거되지 않은 구 지배 세력이 새로운 지배질서에 편입되는 과정에서 배태된 폭력의 발현이었고, 그 '정통

성이 결여된 폭력'은 이념으로 포장된 야만성을 띤 것이었다.[5)]

1950년의 사건은 한용범과 더불어 부당하게 살해된 남상태 목사 때문에 세간에 알려졌다. 목사라는 신분이 근거가 되어 미국의 인권 단체에서 문제를 제기한 것이다. 이 사건이 이례적으로 조사, 재판의 대상이 된 것은 희생자가 목사였다는 특수 사정 때문이었다. 그러나 지서 주임 한 사람에게만 사형이 언도되었고 나머지 피고인들은 모두 방면되어 다시 지역사회의 유력가로 복귀한다. 책임자 처벌도 진상 규명도 되지 않은 채로 이 사건은 서둘러 일단락되었다. 재판은 사건의 부당성을 심문하는 제도이기도 하지만, 또한 사건의 종결을 선언하는 수단이기도 하다. 유죄든 무죄든 일단 법정에 선 사건은 판결과 동시에 종결된다. 억울하게 죽은 목숨들, 부당하게 유린당한 인권, 희생자를 애도하고 죽음을 슬퍼할 시간도 법정의 판결문 속으로 사라진다. 그러므로 재판은 사건의 종결을 선언하면서 영원한 미해결의 표지를 남긴다. 『밤의 눈』은 1950년의 사건을 소설의 한 장으로 배치하고 이후의 시간을 서술함으로써 그 미해결의 심연을 탐문한다. 그것은 곧 공식적 제도의 이면에 여전히 살아 남아 있는 비공식의 뜨거운 삶을 증언하는 것과 통하며 그 결과 공식적 제도는 결여를 간직한 채로 불안하게 군림할 수밖에 없다.

그러므로 사건은 끝나지 않았다. '사건 이후'란 끝나지 않은 사건의 지속이기도 하다. 옥구열이 중심이 된 유족회 결성은 이처럼 종결되었으나 끝나지 않은 사건의 문제성을 지속적으로 환기하는 행위이기

---

5) 허만호, 「6·25전쟁과 민간인 집단 학살」, 『20세기 한국의 야만』(이병천, 조연현 편), 일빛, 2001, 279쪽.

도 하다. 그리고 이 사건의 문제성을 다시 사유하는 것이 허락된 때는 소설의 시간 속에서는 4·19 직후 딱 한 번뿐이다. 이승만 정부의 부당한 권력이 지탄받고 결국 민의에 의해서 그 권력이 박탈된 직후, 비로소 부당한 권력에 의해 희생당한 피해자들이 자신의 목소리를 낼 수 있었다. 10년이 지난 후에야 겨우 발굴되어 안장된 유해는 그러나 박정희의 집권 이후 다시 파헤쳐졌다. 과거 좌익 세력의 동조자이자 그 세력의 부활을 꾀하는 불순분자로 낙인찍혀 유족들은 정치적 탄압에 시달려야 했고, 그 이후 계속 정치적으로 구금, 감시당하는 배제된 국민으로 살아갈 수밖에 없었다. 소설은 1979년 거리를 가득 메운 시위의 물결로 끝맺는다. 4·19 이후의 짧은 자유와 그 이후 오랜 구금의 세월, 그리고 다시 물결치는 민주주의의 열망이 파노라마처럼 펼쳐지는 광경에서 우리는 과거의 어두운 시간이 결코 영원한 것이 아니라는 것, 또한 새로운 자유의 물결 역시 흔들림 없는 진보의 표상이 아니라는 것을 알게 된다. 그것은 소설이 감당해 온 시간이 만들어내는 보편성이기도 하고, 소설 이후의 역사를 통해 우리가 깨달은 것이기도 하다.

소설이 1950년 사건의 진상뿐 아니라 이후의 유족회 활동에까지 확장되고, 1950년, 1960년, 1972년, 1979년의 시점을 주요 거점으로 하는 이유는 명백해 보인다. 억울한 죽음은 피해자의 원한에 그치는 것이 아니라 역사의 상처가 된다는 것, 그리고 권력의 폭력 앞에 무릎을 꿇은 것처럼 보이는 개인의 의지는 이후 그 상처를 자산으로 삼아 다시 재생된다는 것을 살아남은 자들의 활동을 통해 소설은 보여준다. 또한 부당한 권력은 또 다른 부당한 권력으로 계승되며 그 부당함을 은폐하기 위한 폭력은 더욱 질기게 살아남아 우리들의 삶을 구속한다는 것을 소설의 매듭을 따라 읽으며 우리는 알게 된다. 1950년–

1960년–1972년–1979년의 배치는 국가폭력과 그에 맞서는 민중의 항거가 교차하는 흐름을 압축적으로 구도화하고 있다. 그리하여 "무한한 건 인간에 대한 신뢰, 자신이 사는 이 세상과 내일에 대한 믿음"(379쪽)이라는 옥구열의 전언은 그대로 소설의 주제로 남는다.

1950년의 사건은 지역 유지들의 사적 감정에 의한 폭력이었지만 역사의 흐름이라는 배치에 의해 그것은 사적인 것으로만 남지 않는다. 사적인 폭력에 의한 희생은 1960년과 1972년의 민주화 물결에 의해서만 의미화될 수 있기 때문이다. 민주주의란 다름 아니라 왜소한 개인이 입을 열어 자신의 억울함을 말할 수 있게 하는 힘이며, 그랬을 때 사적인 피해는 공적인 자유를 향한 열망으로 확장될 수 있다. 소설의 결말을 장식하는 1979년 시위의 현장에서 옥구열은 자신의 마음과 몸이 발걸음과 함께 가벼워지고 있음을 깨닫는다. "참으로 십 수 년 만에 느껴 보는 자유였다."(379쪽) 1972년 유신헌법 찬반 투표의 현장에서 "어둠 속에 밝음이 있으리라고 자신을 북돋았"다면, 7년이 지난 후의 시위는 그 밝음의 직접적 현현이기도 할 것이다. 민주주의라는 국가체제와 개인의 자유가 서로를 설득하며 논리적으로 결합하고 있는 장면이라고 할 만하다.

그리고 20년도 훨씬 더 지난 이후에야 이들이 겪었던 참혹한 죽음은 비로소 밝은 세상에서 공론화되었다. 1979년의 자유 이후에도 한참이나 더 어둠의 세월이 있었던 셈이다. 소설은 1979년의 시위대를 마지막 장면으로 선택함으로써 의도적으로 이 광명의 시간을 강조한다. 이후 어둠의 시간이 예비되어 있다 하더라도 소설의 마지막이 그랬듯 그 어둠은 밝은 미래를 숨기고 있을 것이기 때문이다. '밤의 눈'이란 참혹한 어둠에도 굴하지 않는 증언의 시각, 혹은 자유에의 열망이 만들어 낼 다른 역사의 암시일지도 모른다.

그러나 이것으로 충분한 것일까.

4. 『밤의 눈』의 과제와 현재성

"한 사람의 시민이면 되었다. 식당에서 소주를 마시며 할 말을 하는 국민이고 싶었다."(378쪽) 1950년 사건의 발생으로부터 억울한 희생의 신원에 이르는 기나긴 길까지, 소설은 '국민되기'의 지난한 과정을 증언하고 있다고 해도 좋을 것이다. 해방과 전쟁의 시간 동안 스스로 자기 목숨의 주인이 되지 못한 이들은 국민이 아니었다. 억울한 죽음을 해명하려는 안간힘조차도 정권 유지를 위해 또다시 희생될 수밖에 없었다. 전쟁 중 일어난 1950년의 학살사건을 이후의 시간까지 연장해 놓음으로써 소설은 반공 이데올로기가 어떻게 국가권력을 위해 활용되는지, 그 국가권력에 맞서 스스로 국민 될 권리를 주장하는 일이 얼마나 큰 희생과 고통을 동반하는지를 효과적으로 보여주고 있다. 그럴 수밖에 없는 것이 국민이 되기 위해서는 국가권력을 부정해야 하는 딜레마가 곧 한국 현대사였기 때문이다.

식순의 처음은 국기에 대한 경례였다. 옥구열은 극장 측에다 다른 것은 다 두고라도 태극기만은 꼭 정면 단상에 걸어 달라는 부탁을 했었다. 유족들이 모두 대한민국의 국민이라는, 너무 당연해서 말할 필요조차 없는 그런 사실을 확인해 줄 수 있는 물증이 꼭 필요하다고 생각했던 것이다. 국기에 대한 경례가 끝난 뒤 모두 함께 애국가를 제창했다. 여기저기서 흐느끼는 소리가 들려왔다. 지난 10년간 빨갱이 가족으로 억울하게 살아오면서 맺힌 설움이 가사 한마디, 곡조 한마디마다 넘쳐흘렀다. 눈물 속

에 부르는 애국가는 모든 유족들이 그 긴 세월 동안 하지 못했던 말이었다.(276~277쪽)

자신의 땅에서 할 말은 하면서 최소한의 존엄을 누리고 싶은 마음, 그것이 국민되기의 소망과 다른 것이 아니므로 유족회의 결성식에서 시행되는 국기에 대한 경례와 애국가 제창, 그리고 흐느낌이 이해되지 않는 것은 아니다. 그러나 이 장면이 어쩐지 불편할 수밖에 없는 까닭은 그들이 숱한 희생에도 불구하고 여전히 국가로부터 국민으로 인정받는 날을 최종의 목적지로 삼고 있다는 생각 때문이다. 소설은 옥구열의 소망 어린 한 마디로 마무리된다. "유족회 일이 반국가 행위가 아니라는 사실이 자기 생전에 밝혀지기를 소원하는 마음."(380쪽) 국가로부터 인정받았을 때만 국민이 될 수 있다면 언제나 국가체제는 국민의 존재에 우선할 수밖에 없다. 그러나 국가가 국민을 인정하는 것이 아니라 국민의 존재가 국가를 구성하는 것이라고 말한다면 그것은 너무 이상적인 것일까. 빨갱이 가족으로 살아온 설움을 국가에 호소하는 것이 아니라, 빨갱이도 국민이라는 주장이 가능할 때 민주주의는 비로소 실현되는 것이 아닐까. 자신이 한사코 빨갱이가 아니라고 호소하는 동안 당연하게 빨갱이는 국민으로부터 배제된다. 피해자의 이름으로 다른 타자들을 만들어내는 한, 국민은 국가권력에 의해 통제당하고 억압당하는 존재일 수밖에 없다. 빨갱이는 여전히 국민을 통치하기 위한 가장 효과적인 수단으로 남을 것이기 때문이다.

그러므로 1950년 사건의 진상 규명이 영원히 유보되고 있듯이 민주주의의 실현 역시 계속 유보되고 있다. 1979년 이후의 긴 어둠, 그리고 형식적 민주화 이후에도 여전히 오지 않고 있는 민주주의를 통해 얻어야 할 역사의 간지는 그런 것이 아닐까. 빛과 어둠의 교차가 아니라 어둠을 통해서 한 발 나아가는 새로운 역사적 지평의 암시. 한용범과 옥구열은 1972년의 유신헌법 찬반투표 현장에서 절망한다. "5·16으로 집권한 지금의 정권이 계속되는 한 유족들의 원망은 풀릴 길이 없기"(359쪽) 때문이다. 그러나 그들의 국민되기는 정권 교체에 의해서가 아니라 새로운 국민의 탄생에 의해서만 가능하다. 제도적 민주주의를 넘어서 다른 민주주의를 창출해 내는 일, 그 민주주의의 극한을 심문하는 일이야말로 국민되기의 최종심급이 될 것이다.

1950년 사건을 중심으로 앞뒤에 이후의 시간을 배치한 구성은 그런 의미에서 소설의 중요한 균열점이다. 완결되지 않는 역사와 사건의 지속성을 고민하게 한다는 점에서 이 구성은 『밤의 눈』이 이룬 문학적 성과의 하나다. 그러나 그 때문에 미해결된 사건의 정치성은 더 적극적으로 탐구되지 못한다. 지역 유지들의 사적 욕심은 부당한 국가권력의 조급성과 만나면서 야만적 폭력으로 정치화되었다. 개인적 욕망과 국가권력의 행사 사이에 놓인 공백을, 그것이 만들어내는 사건의 실체를 사유하지 않음으로써 악의 평범성은 역사적 비극이 된다. 일상적 욕망과 국가권력, 개인의 욕망과 타인의 고통이 무매개적으로 결합된 이 사건을 해부하는 것이야말로 민주주의에 대한 근본적 사유와 연결된다. 그렇지 않다면 우리는 언제나 국가체제의 폭력 아래에서 어쩔 수 없이 나약한 인간으로 왜소화될 것이며, 혹은 개인적 욕망의 우선성을 앞세워 전체주의를 용인하는 왜곡된 정치성의 주체가 될 수밖에 없을 것이다. 1950년의 사건은 예외적이기 때문에 구체적이고 그래서 지역성을 읽는 시선의 섬세함은 더욱 빛난다. 그에 반해 이후의 시간들은 너무 일반화되어서 이 구체성의 인과를 해명하기도 전에 자동화된 상투어로 변환된다. 개인의 욕망이 공공성의 윤리를 성찰하고 공공성의 당위가 개인의 욕망으로 구체화되는 접합의 지점을 『밤의 눈』은 우리의 눈앞에 펼쳐놓고 있다. 그것을 탐구하는 것은 이후의 과제가 될 것이다. 그 과제만으로 『밤의 눈』이 시사하는 바는 크다. 언제나 실패하는 민주주의가 난망하기 때문에 이 과제는 더욱 절실하다. 그래서 『밤의 눈』의 현재성은 지금 여기에서 여전히 뜨겁다.

(『오늘의 문예비평』, 2013년 여름호)

정치적 인간을 위한 근원적 질문
_조해진의 『로기완을 만났다』

1. '정치보다 인간'이라는 명제

"분단이니 남북문제니 하는 차원에 앞서 그저 한 인간에 대해 쓰고 싶어서" 이 소설을 썼다고 작가는 말했다. 그리고 덧붙였다. "정치보다 인간이 먼저였다고."[1] 생소한 이야기는 아니다. 그러나 이런 식의 발언은 더 복잡하고 어려운 질문을 불러오게 마련이다. '정치'와 '그저 한 인간'이란 어떻게 구분될 수 있는 것인가. 정치와 관련되지 않는 인간을 호명하는 것은 가능한가. 정치보다 먼저인 인간에 대한 접근이란 어떤 식으로 가능한 것인가. 더 복잡하고 정교한 설명이 필요하겠지만, 무리하게 미리 단정해 보자면 대답은 대략 두 가지 방향으로 수렴된다. 하나는 정치와 이데올로기가 인간을 재단하고 그 존재를 삭제하기 마련이므로 모든 정치적인 것에 의심과 거부를 표하는 방

1) 조해진, 「『로기완을 만났다』를 만날 수밖에 없었던 짧은 이야기」, 제3회 인천 AALA 문학포럼 "오늘의 한국문학과 세계문학" 발표문, 2012. 4. 28.

식, 또는 가장 개인적일 때조차 사회적이고 정치적인 인간을 발견하는 결론. 무리하게 미리 단정한다고 했다. 아마도 작가가 굳이 표 나게 '정치보다 인간'을 발언하는 순간, 이러한 무리한 단정을 이미 예감하고 있었을 가능성이 크다. 그리고 그렇게 순순히 정해진 결말로 귀결되지 않는 틈새가 작가로 하여금 말하게 했을지도 모르겠다. '정치보다 인간'이라는 명제에 대해서. 그러므로 조해진의 소설을 읽기 위하여 우리는 꽤 자주 마주쳐 왔고, 종종 의심해 보기도 했던 이 발언의 진의를 좀 더 신중하게 가다듬지 않으면 안 된다. 조해진의 소설은 대부분 이 진의를 향한, 끝없이 집요한 질문의 여정이다.

'로기완'을 만나기 전에, 조해진이 이른바 정치적이고 사회적인 주제라 해도 좋을 만한 이슈들에 주로 관심을 가져 왔음을 상기할 필요가 있다. 그의 첫 장편인 『한없이 멋진 꿈에』(문학동네, 2009)가 그랬고, 작품집 『천사들의 도시』(민음사, 2008)에 수록된 단편들이 그랬다. 동성애자, 입양아, 결혼 이주 여성, 에이즈 환자, 또는 노숙자들. 그리고 탈북자. 그들은 한 인간이었지만, 또한 우리 사회의 민감한 이슈들을 자신의 존재로 체현하고 있는 이를테면 '문제적 개인'들이다. '정치보다 인간'이 주요 관심사였으니 당연한 선택이었다고 볼 수도 있다. 그러나 오히려 이들은 인간을 읽기에도 정치를 읽기에도 몹시 까다로운 대상들이다. 인간을 읽기에는 그 인간을 둘러싼 사회적 외피가 너무 두껍고, 정치를 읽기에는 거기에 이미 개입된 편견들이 너무 견고하다. 그러니 이들은 어쩔 수 없이 한 인간으로서 가장 정치적인 순간을 살고 있다. 분리될 수 없는 '정치보다 인간', 그런 의미에서 조해진은 가장 접근하기 까다롭고 뜨거운 대상들을 선택했다고 할 수 있다. 이 말은 작가가 정공법을 선택하고 있다는 의미이기도 하다.

그 정공법이란 어떤 것인가. 먼저 작가는 그가 다루고 있는 인물들을 둘러싸고 있는 사회적 의미망을 거론하지 않고 그들의 삶 자체를 들여다보기 위해 가능한 방법을 모두 동원한다. 이를테면 이런 식이다. 「기념사진」(『천사들의 도시』)에서 여자는 연극배우였으나 '망막색소변성증'이라는 병 때문에 시력을 잃었다. 시력을 잃은 연극배우가, 연극이 삶의 전부였던 여자가 기댈 수 있는 곳은 어디에도 없다. 그리고 남자는 우연히 범죄 현장의 CCTV에 찍혔다는 이유로 살인범이 되어 3년간이나 억울한 옥살이를 했다. 소설은 이들에 대한 정보를 미리 알려주지 않는다. 그들의 일상과 동선을 조심스럽게 쫓아갈 뿐이다. 여자의 병력이나 남자의 옥살이 이력은 그들의 일상과 동선을 쫓아가다 보면 나중에서야 알게 되는 사실이다. 그리고 이와 같은 정보들이 그들을 이해하는 데 결정적인 내용이 되는 것도 아니다. 「인터뷰」(『천사들의 도시』)는 제목처럼 인터뷰의 형식을 취하고 있다. 인터뷰어가 있으나 그는 말을 걸 뿐, 주로 말을 하는 인물은 러시아에서 한국으로 이주해 온 '나탈리아'다. 천천히, 그녀에게 간간히 말을 거는 인터뷰어의 조심스러운 질문을 따라 나탈리아의 삶은 조금씩 드러난다. 연해주 이주 정책으로 느닷없이 소련의 국민이 된 카레이스키, 그리고 소련 연방 붕괴 이후 다시 우즈베키스탄으로부터 거부당한 이 여자의 사연은 그 과정에서 과장되지도, 그녀의 삶에 우선되지도 않고 마치 일상처럼, 선선한 속삭임처럼 자연스럽게 드러난다. 그 사연이 다 밝혀졌을 즈음, 그녀는 카레이스키이며 이주 여성이지만 또한 욕망, 자본주의, 경쟁, 산업사회라는 끝없이 달리는 열차 위에 올라탄 또 한 사람의 우리로 부조된다.

이 방법이 정공법인 이유는 다음의 과정 때문이다. 인물들을 둘러싼 사회적·정치적 외피에 연연하지 않고, 가능하다면 그에 대한 정보를 아껴둔 채, 그래서 '정치보다 인간'의 속살을 향해 소설은 천천히 다가들지만, 그렇다고 해서 그들의 사회적·정치적 외피를 벗겨둔 채, 끝까지 그들을 정치와 분리된 무구한 인간으로 남겨두지 않는다. 정치보다 인간을 먼저 읽기 위해, 소설은 그들에게 덧씌워진 고정관념들을 배제한 채, 한 인간의 일상과 내면에 공들여 접근하지만, 소설의 인물들이 결국 만나는 것은 그들을 둘러싼 편견이며 고정관념이다. 그리고 소설은 묻는다. 그러므로 당신은 누구인가.

동성애를 소재로 한 『한없이 멋진 꿈에』의 연인들은 조금도 특별하지 않다. 일상의 피로에 시달리지만 그것은 세상의 어느 연인들이나 겪을 만한 딱 그만큼의 피로이며, 엇갈리는 서로의 마음에 고통스러워하지만 그것 역시 세상의 연인들이 겪는 딱 그만큼의 고통이다. 그런데 잘나가는 인테리어 회사의 사장이었던 김경수가 그의 동성 연인에게 돌아오는 것은 사회적 편견으로 인한 갈등을 겪고 난 이후에야 가능했다. 직장의 이성 직원과 하룻밤을 겪고 난 후, 자신이 동성 연인을 가졌다는 사실이 알려질 까 전전긍긍한 이후, 그제야 그는 자신의 동성 연인을 찾아 그의 위로와 애정에 감사한다. '그럼에도 불구하고' 불타오르는 뜨거운 사랑이 아니다. 그의 사연이 평범하지는 않지만, 그렇다고 해서 특별할 것도 없는, 대단한 결핍이나 열정 때문이 아니라, 누구나 사랑을 필요로 하는 그 이유 때문에 그에게도 연인이 필요하다는 것. 그는 먼 길을 돌아 겨우 처음의 자리로 돌아온다. 편견과 의혹과 두려움과 조바심을 겪고서야 비로소 사랑은 그냥 사랑일 뿐, 위로이든 공감이든 배려든 그것을 있는 그대로 받아들이는 곳에서 사랑이 시작된다는 것을 인정하는 것이다. 그러므로 정공법이란 이런 것이다. 그저 인간이 되기 위해서는 그 인간을 만들어내는 제도와 편견과 거기에 무감각해진 인식들을 정면으로 돌파하지 않으면 안 된다. 그럼에도 그저 인간이 되려 한다면, 우리는 누구보다도 치열하게 근원적이 되지 않으면 안 된다. 그래서 그의 정공법은 때로 기나긴 우회로를 기꺼이 겪는 일과도 통한다. '로기완'을 만나는 일 역시 그렇다.

2. 삶의 근원적 이유를 찾기 위한 기나긴 우회로

이야기는 두 겹이다. 함경북도 온성군 세선리에서 태어나 연길을 거쳐 벨기에의 브뤼셀로 온 로기완의 이야기. 그리고 서울에서 방송작가로 일하다가 자신 때문에 불행해진 소녀 윤주를 차마 볼 수 없어서 브뤼셀로 도망치듯 떠나온 나의 이야기. 두 이야기가 어떻게 이어질지 짐작하기란 쉽지 않다. 연길에서 어머니를 잃고 어머니의 몸값으로 브뤼셀에 건너온 로기완과, 타인을 향한 연민이 타인을 구할 수 없으며, 오히려 그것은 돌이킬 수 없이 치명적인 상처가 될 수도 있다는 것을 확인한 나 사이에 어떤 연결점이 존재하는 것일까. 두 겹의 이야기를 함께 읽기 위하여 독자는 쉽게 납득할 수 없는 두 이야기 사이의 간극을 이해해야만 한다.

하나의 문장이 단서가 된다. "어머니는 저 때문에 돌아가셨습니다. 그래서 저는, 살아야 했습니다."[2) 이 문장이 '나'를 브뤼셀로 이끌었는데 그것은 이 문장이 '나'의 것으로 번역될 수 있기 때문이다. "나 때문에 그 아이가 죽을 만큼 불행해졌습니다. 그런데도 내가 할 수 있는 일이란 고작 사는 것뿐입니다."(125쪽) 나와 로기완의 간극은 '고작 사

---

2) 조해진, 『로기완을 만났다』, 창비, 2011, 124쪽. 이하 이 작품의 인용은 인용 뒤에 쪽수만을 표기한다.

는 것'과 '살아야 한다는 것' 사이의 간극이다. '고작 사는 것'이라는 고통스러운 자책이 어떻게 '살아야 한다'는 의지와 당위로 변환될 수 있는지 알기 위해 '나'는 로기완을 만나러 브뤼셀까지 왔다. 연인이자 프로그램의 책임 피디였던 '재이'는 그런 '나'를 두고 부딪치지 않고 도망가려 하는 것이냐고 물었다. 윤주의 사연이 불러 모을 ARS 성금을 기대하며 방송 날짜를 늦춘 사이 윤주의 종양은 악성으로 변했다. 윤주를 위한 결정이었지만 결국 불행한 윤주를 더욱 불행하게 만들고 말았다. 윤주의 수술 날짜를 앞두고 브뤼셀로 떠나는 일이 도망가는 일처럼 보일지도 모른다. 그러나 '고작 사는 것'이라는 자책감 대신 '살아야 한다'는 의지를 얻는 일은 윤주와 내가 연결될 더 근본적인 이유를 찾지 않고는 불가능하다. 그러니 그 근본적인 이유를 위해 '나'는 기나긴 우회로를 선택한 것이다.

그래서 나는 로기완을 만나러 브뤼셀에 왔다. 아니 윤주를 만나기 위해 나는 방송 작가를 그만두고 로기완에 대한 소설을 쓰려고 했다. 그런데 왜 로기완이었을까. 이것은 일종의 작위는 아닌가. '누군가의 삶을 향해 최선을 다해 다가가는 과정'이라는 해법이 지니는 불충분함, 애매함에 의미를 부여하기 위해 탈북자 로기완이 채택된 것은 아닌가. 윤주와 로기완이 겹쳐지는 이야기가 온전한 의미에서 타인을 이해하는 일로 이어지기 위해서는 이음매가 필요하다. 그 이음매는 물론 윤주와 로기완 사이에 있는 '나'이며 그래서 왜 '내'가 윤주의 고통 앞에 그토록 자책할 수밖에 없었는지에 대한 좀 더 근원적인 질문이 필요하다.

프로그램의 목적은 최대한 많은 시청자들이 한 통에 천 원씩 기부되는 ARS에 전화를 걸도록 유도하는 것이었고 그보다 더 강력한 시스템의 요구는 매주 정확한 수치로 기록되어 자동으로 서열화되는 시청률에 있었다. 화면은 출연자의 불행을 극적으로 조명해야 했고 내레이션은 과장된 감상에 젖어갔다.(52쪽)

내가 그토록 자책했던 이유는 프로그램의 강력한 시스템에 맞추어 윤주를 연민했거나 동정했던 것이 아닌가 하는 의심 때문이었다. 윤주를 위한다고 했지만, 나는 윤주를 돕는 방법으로 ARS의 수치를 택했다. 그것이 "전화를 걸어 천 원을 지불하며 자신의 나쁘지 않은 현실을 새삼 깨닫고 일주일 분의 상대적인 만족감을 사는"(52쪽) 연민의 시스템이라는 의혹을 단호히 부정하기는 힘들다. 누군가의 진심은 ARS의 통화 수보다는 훨씬 무거운 것이겠지만 그것을 측량할 다른 방법을 모른다. 아마도 나의 자책은 거기로부터 나오는 것이리라. 믿어 의심치 않았던 선의나 진심조차도 방송 대본을 쓰고 편집을 하며 전파를 탄 방송의 반응을 의식하는 '나'로부터 분리될 수 없을 것이라는 의심. ARS와 함께하는 한 그 의심으로부터 벗어날 수 없을 것이다. 나는 이미 ARS로 윤주를 도울 수 있다고 믿었으므로. 그러니 그 시스템을 정면으로 돌파하지 않고서는 윤주를 만날 수 없다. ARS의 수치는 타인과 공감하고 연대하는 안전한 틀이었으나 또한 타인과의 관계를 가리는 장벽이기도 하다. "이방인이 되어서 이방인이 될 수밖에 없었던 사람에 대해 글을 쓰는 일"(13쪽)이란 수치로 계량화될 수 없는 연민의 척도를 찾는 일, 그리하여 끝없이 타인에게 다가가는 일이다. 로기완의 기사를 본 것은 우연이었겠지만 내가 방송 일을 그만두고 '이방인'이 되기로 결심한 것은 우연이 아니다. 로기완을 만나는 일이 '소설 쓰기'가 되는 것은 그 때문이다. 수치도 계량도 시스템도 없는 곳에서 타인을 만나는 일, 그것을 작가는 '소설 쓰기'라고 부르고 있는 듯하다.

인적 드문 골목으로 들어섰을 때에야 로는 어느 담벼락에 몸을 기댄 채 허리를 앞으로 깊이 숙여 끄억끄억 울었다.

나는 지금 골목 끝에 서서 눈물을 흘리는 것이 아니라 토해내는 한 사람의 자세를 힘없이, 그러나 실은 온몸에 힘을 주어 뚫어지게 바라보고 있었다.

윤주도 그때 혼자 울고 있었다.(92쪽)

대사관에서 난민 신청을 거부당하고 혼자 울고 있는 로기완을 상상하는 장면에 윤주의 영상이 겹쳐진다. 그리고 그 두 장면 사이에 두 사람에게 연루된 내가 있다. 한사코 마주치기를 거부했던 타인의 고통은 이처럼 전혀 다른 장면들에서 하나로 연결된다. 그러므로 로기완을 상상하는 일과 윤주의 고통과 마주하는 일은 나의 자책을 넘어서서 그들과 함께 '내'가 살아가는 일로 이어진다. "그 무엇으로도 치환되지 못한 감정은 이렇게 때때로 단 한 번도 조우한 적 없는 타인의 삶에서 재현되기도 한다."(92쪽) 3년 전에 브뤼셀을 떠난 로기완의 행로를 되짚어 따르는 길에서, 한사코 그를 이해하려 했던 마음이 결국 윤주에게로 향하는 것이 이제 그리 어색해 보이지 않는다. ARS가 아니라 윤주의 고통을 먼저 보았어야 했다고. 나의 진심이 무엇인가를 되묻기 전에 자기 앞의 괴물과 싸우고 있는 윤주의 곁으로 먼저 다가가야 했다고. 소설 쓰기란 세간의 시스템에 기대지 않고 진심을 측량하는 일, 그것이 가능한가를 끊임없이 되묻는 일이기도 하다. 로기완의 일기를 지도 삼아 로기완의 행로를 되짚었던 나의 마음은 이렇게 로기완에 대한 소설로 완성된다.

3. 구체적 인간이 되는 과정

로기완의 일기를 따라 허름한 호텔의 2인실에 투숙하거나, 패스트푸드점의 화장실 변기 위에서 마른 빵을 삼키는 '나'의 모습은 때로 과장된 자의식의 표현처럼 느껴지기도 한다. '나'도 그것을 알고 있다. 구체적인 굶주림을 느껴본 적이 없는 내가, 여권을 가진 한 나라의 국민인 내가, 충분한 여행 경비와 합법적인 체류 자격을 가지고 있는 내가, 로기완을 어디까지 이해할 수 있을 것인가. "나는 그의 불행했던 시간에 가슴 깊이 공감하기보다는 그저 관조하며 내 지나간 선택을 합리화하는 데 더 많은 에너지를 쏟아왔다."(116쪽) 아마도 타인을 진정으로 이해하기 위해서는 그의 행동에 자신을 겹쳐보고 그와 같은 입장에 서려고 애써 보는 일 이상을 해야 할지도 모른다. 이를테면 그가 나와 다른 곳에서 그의 처지와 입장으로 자신의 삶을 결정하는 과정을 지켜봐 주는 일 같은 것 말이다. 내가 묵묵히 로기완의 행로를 따라 걸었던 그 시간은 나의 자의식으로부터 로기완을 분리하기 위해 필요한 시간이었으며 '나'를 앞세우지 않고 타인을 연민할 수 있는 길을 찾기 위한 시간이었다. 로기완도 브뤼셀의 거리를 걷고 또 걷다가 쓰러졌다. 쓰러진 이후에야 그는 자신의 삶의 주인공이 되었다.

로기완이 소설의 주인공이 되는 것은 '내'가 시사 잡지를 통해 로기완의 기사를 접했던 때도 아니고, 어머니의 죽음 이후 기나긴 여로를 거쳐 브뤼셀에 도착했을 때도 아니다. "처음에 그는, 그저 이니셜 L에 지나지 않았다."(7쪽) 그가 진정한 주인공이 되는 때는 브뤼셀의 고아원에서 자신이 북한 출신의 탈북자임을, 스무 살의 청년임을 스스로 밝혔을 때다.

꼬레앙? 엘렌이 로를 사무실로 불러 그렇게 물었을 때, 로는 그 순간이 자신이 솔직해져야 하는 바로 그 때라는 것을 온몸으로 감지했다. 더 이상 도망갈 곳도 달아날 곳도 없었다. 로는 의자에서 일어나 고아원에서 나눠준 털모자를 벗고는 그제야 정중하게 목례를 한 후 천천히 말했다. 코리안. 로의 대답을 들은 엘렌은 손가락으로 위와 아래를 반복해서 가리켰다. 북쪽인가. 남쪽인가.

노스, 노스 코리아.

로는 단호하고도 정확하게 대답했을 것이다. 오른손 검지로 위쪽을 가리키면서, 노스 코리아 혹은 'DPRK'라고. 일기의 첫 장과 몇몇 페이지에 여러번 씌어 있던, 다시는 되돌아갈 길 없는 조국의 영문 명칭. 로는 생각이 날 때마다 이 단어를 쓰고 또 쓰며 잃어버린 자신의 국적을 언제 어디서든 주저없이 말할 수 있는 순간을 기다려왔던 것이다. 엘렌이 알 것 같다는 얼굴로 고개를 끄덕이자 용기를 얻은 로는 두 손을 이용하여 자신이 스무 살이라는 표현을 했다.(143쪽)

그는 보호받아야 할 미성년도 아니고 동양의 어느 나라에선가 도착한 유령 같은 이방인도 아니다. 그의 시간이 비록 불행하기는 했지만 그는 동정과 연민으로 남은 인생을 연명하기를 원하지 않는다. 가난한 조국은 그 나라의 국민들을 보호하지 못했지만, 그렇다고 해도 그가 떠나온 조국은 그의 지난 생애를 차지해 온 구체적 기억이다. 그 기억을 모욕하고 싶지 않았으므로, 그는 자신이 코리안이라고, 노스 코리안이라고 '단호하고도 정확하게' 말한다. 그 관문을 통과하지 못한다면 그는 언제나 이국을 떠도는 유령 같은 이방인으로 살아가야 했을 것이다. 스스로 조국을 떠나온, 그리고 타국에서 자신의 삶 권리를 주장하는 한 인간이 되기 위하여 그는 먼저 자신의 국적을 자신의 입으로 말할 수 있어야 했다. 그때, 그는 비로소 자신의 삶을 선택하는 한 사람의 주체적 인간, 자신의 삶의 주인공이 될 수 있다. 굶주림에 지쳐 국경을 넘은 수많은 탈북자 중 한 사람이라는 추상적 연민의 대상이 아니라 관계를 주고받고 이해를 구할 수 있는 구체적 인간이 되는 것. 로기완이 되고자 했던 것은 그저 '인간'이었으나 그 인간이 되기 위해 거쳐야 했던 고통은 가혹했다. 그리고 그는 구체적 인간이 되기 위해 조국의 사정과 자신의 처지와 그리고 그것의 원인과 결과를 오랫동안 반추하고 고민해야 했다. 추상적 연민과 동정을 거부하고, 자신의 자존감을 되찾아야 했으며, 냉정하고 가혹한 현실 속에서 자신의 삶을 어떻게든 자신의 의지대로 선택해야 했다. 자신의 존재를 지우고 그것을 숨기는 것이 아니라, 있는 그대로를 드러내고 타인의 시선을 감당하며 그리하여 마주칠 운명 앞에 최선을 다하는 일. 그것이 어머니를 잃고 자신이 살아야 하는 이유였다고 소설 후반부에 가서야 로기완은 자신의 목소리로 말할 수 있게 된다. 탈북자라는 자신의 신분과 그것을 숨기지 않고는 살아남을 수 없는 현실을 정면으로 통과하고서야 가능한 일이었다.

국가가 부강하여 뭐든 줄 것이 있었다면 기꺼이 베풀었을 거라는 믿음이 로에겐 있었다. 로는 나눌 수만 있다면 언제라도 나눌 준비가 되어 있던 자신의 조국을 생지옥으로 규정하는, 줄 것이 있음에도 줘야 하는 순간에는 망설이고 도망가는 자들이 경멸스러웠다.(74쪽)

살기 위하여 살아왔을 뿐인데 고향을 떠나온 순간부터 쫓기고 숨어야 하는 범법자가 되어야 했고 때로는 한 인간으로서 지키고 싶었던 것까지 송두리째 잃어야 했던 그 불가해한 시간들을 로는 입술을 깨물며 돌아볼

수밖에 없었을 것이다.(76쪽)

기근과 정치 공세 때문이기는 했으나 국민들을 기다림에 지쳐 이탈하게 했던 조국과, 수시로 인권과 평화를 입에 올리면서도 정작 구체적 고통에 빠진 인민들을 외면했던 자들에게 분노하는 로기완의 시간이 있다. 로기완의 삶을 뒤쫓으며 그를 한 사람의 인간으로 바라보기 위해 안간힘을 썼던 나의 시간이 있다. 그 시간들이 겹쳐져 소설은 완성된다. 그것은 탈정치적 인간의 시간도 아니고 무책임한 연민의 시간도 아니다. '이니셜 L'에 지나지 않았던 로기완이 구체적 인간이 되는 과정은, '이니셜 L'을 '로기완'으로 읽기 위해 우리가 무엇을 해야 하는가를 성찰하는 과정이기도 하다.

4. 타인의 고통과 연대하기

로기완은 자신이 탈북인이라고 스스로 밝힘으로써 소설의 주인공이 되었다. 그것은 자의식과 싸우면서 한사코 로기완을 읽고자 했던 '나'의 기록에 의해 가능한 일이기도 했다. 로기완은 그 기록에 의해 '이니셜 L'이었다가, 굶주림과 두려움에 지친 한 외로운 인간이었다가, 자신의 입으로 자신의 정체를 말하는 정치적 인간이 되었다. 그는 굶주림 때문에 조국을 떠나왔지만 자신의 조국을 탈출해야 할 생지옥이라고 생각하지는 않는다. 조국을 떠나 찾은 다른 삶은 정착과 안정이 아니라 한평생 불안과 싸우는 일임을 알고 있다. 자신 때문에 어머니가 죽었다는 죄책감을 안고 그 고통의 기억으로 남은 삶을 밀고 나가야 한다는 것도 각오하고 있다. 그가 스스로 말한 자신의 국적에는 이 모든 것이 포함되어 있다. 그때 비로소 그는 난민 자격을 포기하고 스스로 불법체류자가 되는 길을 선택할 수 있게 된다. 정치에 떠밀린 연민의 대상이 아니라 스스로 자신의 삶을 선택함으로써 정치적 의미 속으로 자신을 밀어 넣는 삶. 그러므로 기록의 대상이 아니라 주인공이 된 로기완을 따라 그의 서사가 의미하는 바를 좀 더 짚어보아도 좋을 것이다.

> 로가 인민학교에 들어가고 이듬해 북한에는 큰 홍수가 났고 전염병이 돌았다. 1995년, 자연재해의 얼굴을 하고 찾아온 이 재앙 앞에서 로의 조국은 말 그대로 속수무책이었다. 그건, 오래전부터 예고된 씨나리오였다. 쏘비에트 연방과 중국의 지원 감소, 동유럽 공산주의의 붕괴로 인한 무역량 감축, 무분별한 비료 사용에 의한 토지 황폐화와 연료부족이 가져온 농업 기계화의 실패, 그리고 오랜 기간 지속된 미국의 경제제재와 무역적자는 마치 정교하게 맞물린 톱니처럼 연동하면서 로의 조국으로부터 재앙에 대비할 수 있는 여유를 앗아간 것이었다.(100쪽)

'탈북인'이라는 말의 함축에는 로의 조국에서 일어난 일련의 재앙들이 포함되어 있다. 그것을 로와 그의 가족들이 어떻게 겪었는지, 그리고 그러한 탈북인들을 바라보는 세간의 시선이 어떤 파장으로 퍼져나가는지도. 로의 행적과 일기를 뒤따르면서 로의 삶을 진심으로 이해하려 한 '나'의 노력이 만들어낸 결과이기도 하다. 그래서 로의 삶은 어머니가 자신 때문에 죽었다는 비통한 자책으로 시작했지만 더 이상 개인적인 슬픔과 외로움에 한정되지 않는다. 자연재해와 소련 및 동구 사회주의의 몰락, 그리고 남쪽 정부와 미국을 비롯한 서방 국가들의 압박이 톱니처럼 맞물려 대량 탈북을 유발했다. 한편으로는 정치보다 인간의 기본적 권리와 존엄을 말하는 근거가 되었고, 한편으로는 경제적 우월성으로 이념적 우월성을 보증하는 논리가 가능해졌다. 냉전 체제의 이념 대립에서 먹고사는 문제의 절박성을 강조하는 신자유주의로 시대의 흐름이 전환되었다는 표지이기도 하다. 남북문제로 말하자면 수백만의 아사자와 탈북자가 중요한 화두로 떠올랐지만 경제가 삶의 모든 가치를 결정하므로 살아남기 위해 목숨을 건 경쟁에 뛰어들어야 한다는 점에서 지구상의 모든 인간은 분명 같은 시대를 살고 있다. 국적을 인정받음으로써 가능했던 난민 지위를 버리고 로가 불법체류자가 되는 길을 선택했다는 것은 그래서 의미심장하다. 필리핀에서 온 라이카와 함께 런던으로 떠난 로의 행로는 더 이상 그가 정치적 이념적 대립에 의해 규정될 수 없는 신자유주의 시대의 세계사적 난민이 되었음을 의미한다. 그는 탈북의 카테고리가 아니라 불법체류의 노동 이민이라는 카테고리 안에서 라이카에 의지하고 서로 연대하는 관계가 된다.

탈북이라는 화두를 중심으로 분단 서사가 박윤철의 시대로부터 로기완의 시대로 옮겨 왔음을 이해할 수 있다. 소설의 또 다른 중요 인물 중 한 사람인 박은 북한에서 인민학교를 다니다 월남했고 남쪽에서 대학을 다니다가 정치 사건에 연루되어 프랑스로 도피성 유학을 떠났다. 그리고 다시 그의 조국으로 돌아갈 수 없었다. 냉전 시대의 반공 이데올로기에 희생된 박과 기근으로 말미암은 체제 위기 속에서 탈북자가 된 로의 삶은 같으면서도 다르다. 분단이 그들의 삶을 다른 방향으로 뒤틀어 놓았으며 그로 인해 자신들의 삶이 해체되는 위기를 겪었다는 점에서 그들은 동질적이다. 로가 국적을 인정받아 난민 지위를 얻는 데 박이 조력을 아끼지 않은 것은 이러한 동질성과 무관하지 않을 것이다. 그러나 또한 로의 행로는 박의 행로와는 다를 수밖에 없다. 그가 겪는 분단 현실에는 전 지구적 자본주의와 인간 존엄의 위기라는 새로운 국면이 개입되어 있기 때문이다. 남북 대립의 긴장 속에서 여전히 반공 이데올로기가 위세를 떨치고 있는 실정이지만 그 이데올로기적 분쟁만으로 분단을 해결할 수 없다는 것을 중요하게 지각하지 않으면 안 된다. 로는 라이카와 함께 하는 자신의 삶을 통해 이러한 변화의 국면을 온몸으로 보여주고 있다. 그렇다면 『로기완을 만났다』가 분단 서사의 새로운 국면을 상징적으로 드러내고 있다고 말할 수 있을 것이다. 박으로부터 로로 옮겨가는 역사와, 라이카를 매개로 넓어지는 분단의 문제의식을 포함하는 방식을 통해서 그것은 가능해진다.

그리고 박과 로를 잇는 접점에 '내'가 있다. 이념적 분쟁도, 신자유주의적 세계화의 질서도 충분히 이해할 수 없는 난감한 세대에 '나'는 속해 있다.

> 1995년이라면 내가 대학에 들어간 해이다. 교내 대자보에서 북의 상황을 알리는 글을 몇 번인가 본 적이 있다. 정치나 사회에 무관심하다고 비난하면 발끈하며 반박할 수는 있지만 구체적인 행동을 하기엔 늘 인색한 마음을 지니고 있었던 세대에 나는 끼어 있었다. 그래서 그런 대자보를 발견하면 걸음을 멈추고 한참동안 서 있긴 했어도 구호금 모금함 앞은 무심하게 지나갔었다. 상대적인 결핍감은 가난이라는 추상명사와 결합하여 내 청춘의 한쪽을 늘 그늘지게 하였으나, 가난이라 믿었던 그 어떤 날에도 생존까지 위협당한 적은 없었다.(101쪽)

'내'가 '타인을 이해하는 것은 어떻게 가능한가'라고 끊임없이 되묻는 것, 로의 기록을 따라 그의 행로를 묵묵히 되밟는 긴 과정을 거칠 수밖에 없었던 까닭도 여기에 있을 것이다. 이를테면 이것은 이미 반공 이데올로기가 절실한 위협으로 다가오지 않는 세대, 따라서 분단이나 통일이라는 화두를 실감할 수 없는 세대가 세계를 이해하는 나름대로의 방식이라 할 수 있다. '이니셜 L'에서 시작하여 탈북인 로기완을 만나기까지의 지난한 기록과 단속적으로 이어지는 자책과 회의가 소설의 기나긴 서두를 차지하는 진정한 이유도 여기에 있을지 모른다. 체험과 지식으로 쉽게 일반화될 수 없는 삶의 여러 단면들은 언제나 타인의 얼굴로 서먹하게 단절되어 있다. 연민이나 애정도 시스템의 회로 안에서가 아니라면 선불리 꺼내들 수 없는 세대에게 국적 바깥의 삶을 자신의 것과 같은 얼굴로 마주보는 일은 단숨에 가능하지 않다. 그러므로 '나'는 이해할 수 있는가를 되물으며, 타인의 고통과 연대하는 일을 끊임없이 회의하며 타인의 삶을 집요하게 뒤따를 수밖에 없었을 것이다. 타인을 이해하기 위한 진심 어린 소망에 의해 로기완은 기록의 대상에서 소설의 주인공이 되었다. 그 과정에서 분단 서사의 시대적 전환이, 로기완의 삶이 상징하는 세계사적 보편성이 서서히 떠오른다. 이 소설이 전하는 가장 강렬한 메시지는 타인에 의해 비로소 복원될 수 있는 누군가의 삶, 그 가능성에 대한 신념이며 소망이 아닐까. 그러므로 로기완의 삶은 로기완의 것이지만 또한 로기완을 읽는 나에 의해 완성되는 것이기도 하다.

로기완은 어머니의 죽음을 뒤로 하고 유럽행 비행기를 탔고, 박은 말기암에 고통받는 아내의 안락사를 도왔다. 나의 선의는 윤주의 암을 악화시켰고 그래서 윤주에게 더 큰 고통을 안겼다. 자신으로 인해 누군가가 죽거나 죽음보다 더한 고통을 겪었다는 자책감이 로와 박과 나를 이어주었고 그 끈에 기대어 나는 로기완을 읽었다. 나의 기록은 박과 로의 삶을 통과하여 분단 서사의 새로운 지도를 만들어낼 수 있었다. 그렇다면 박과 로의 동질성뿐 아니라, 박에서 로로의 전환뿐 아니라, 나의 소설 쓰기 역시 분단 서사의 새로운 국면을 구성하고 있다고 말해도 좋지 않을까. 타인의 고통 앞에서 '무엇을 할 것인가'라는 근본적 질문으로, 타인의 삶에 집요하게 파고드는 방법으로서의 소설 쓰기. 그것은 타인의 얼굴로 단절된 세계를 나의 것으로 이해해 가는 과정이며, 그 세계에 비추어 나를 다시 읽는 작업이기도 하다. 연대는 구호가 아니며 이해는 감상이 아니다. 『로기완을 만났다』는 흔들리고 주저앉으면서 그 길을 열고 있다. 우리 시대의 분단을 읽는 일이 이토록 지난하다는 것을 이 소설을 뒤따라 읽으며 우리는 비로소 실감하게 된다.

(『작가들』, 2013년 가을호)

사랑, 안락하고 비참한 자본의 왕국에서
_최인석의 『강철 무지개』

1. 자본주의 3부작

『강철 무지개』(한겨레출판, 2014)를 최인석의 자본주의 3부작 중 하나로 부르기로 했다. 첫 번째 작품은 『연애, 하는 날』(문예중앙, 2011)이고, 세 번째 작품은 아직 쓰여지지 않았다. 그럼에도 3부작인 것은 이 작가의 현실에 대한 지독한 추궁이 계속되기를 바라는 마음에서다.

독자로서, 두꺼운 장편을 끝까지 읽는 것은 궁금증 때문이라고 생각한다. 그들은 어떻게 될까? 그들의 사랑이 과연 이루어질 수 있을까? 통속적 호기심만은 아니다. 작가가 그려내는 참담한 지옥 속에서 이 사랑이 실마리가 되기를 바라는 것을 호기심 때문이라고만은 할 수 없다. 사랑이라 했지만, 사실상 사랑이 아니라 인간이 아닌가. 저도 모를 욕망 때문에 비뚤어질 대로 비뚤어진 인간들이 그래도 겨우 살아갈 수 있게 만드는 그 무엇. 제목부터 '연애'였으나 『연애, 하는 날』의 수진과 장우의 사랑은 실패였다. 애초부터 이루어질 리 없는 사랑이었으니 그들의 씁쓸한 실패가 실망스럽지는 않았다. 대신 그들의 사랑이 실패할 수밖에 없는 이유를 거듭거듭, 책갈피를 되짚어 가며 확인했다. 생각해 보니 '사랑'이 아니라, '연애'였다. '사랑'이 마음이라면, '연애'는 행위이자 관계다. 마음이야 실패할 수도 성공할 수도 없는 것이지만 행위와 관계는 실패하거나, 성공하거나, 계속되거나, 중단된다. 그리고 그 사이에 그럴 수밖에 없는 조건과 이유가 개입된다. 그러므로 알 수 없는 마음이 아니라 우리는 명백한 조건과 환경 안에서 만들어지는 관계를 읽었던 것이다. 그렇게 사랑은 하나의 세계가 된다.

『강철 무지개』에서도 여전히 궁금하다. 재선과 지연의 사랑은 어떤 결말을 맞을 것인가. 아이리스는 어디에 있는가. 아니, 아이리스는 누구인가. 무엇보다 그들이 살고 있는 곳은 도대체 어디인가. 시간과 인물을 교차하며 배치된 사건을 만나다 보면 결국 우리는 이 세계의 구조를 탐문하게 된다. SS 울트라마켓과 SS 울트라돔과, 그리고 아담이 사는 나라로 만들어진 세계. 궁극적으로 사랑에 관한 이야기이되, 또한 우리가 살고 있는, 그리고 살아야 할 세계의 이야기이기도 하다.

2. 아직 오지 않은, 그러나 이미 와 있는 세상의 끝

그러므로 100년 후의 근 미래를 배경으로 하는 이 소설을 두고 가상이라 말하지 말라. 흔한 SF영화에서 보아왔던 로봇이나 약물이나 첨단 무기나 액션의 볼거리와도 거리가 멀다. 100년 후의 세계이되 이미 그것은 우리가 겪고 있는 세계이다. 가령 지연이 근무하는 SS 울트라마켓은 당신이 오늘 저녁, 혹은 지난 주말 온 가족을 이끌고 다녀온 바로 그 마켓이다.

그녀야말로 그 기계들의 연장이었다. 고객들마저 그 기계들의 연장이었다. 그게 아니라면 어찌 이다지 정연하게 그 크고 무겁고 불편한 수레를 끌고, 그 온갖 상품들을 스스로 운반하여, 그 비좁은 통로로 찾아들어, 줄을 지어 늘어서서 순서를 기다리다가, 고분고분 때로는 은행 신용카드를, 때로는 작업카드를, 때로는 현금을 지불하고 사라질 수 있을 것인가. SS 울트라마켓은 9층 건물 크기의 정연한 기계였고, 그들은 그 속으로 들어가 일부는 잠깐 사이 무엇인가를 소모하고, 혹은 소모당하고 빠져나왔고, 또 다른 일부는 하루 가운데 대부분을 그 가운데에서 소모하고, 또는 소모당하고 빠져나왔다. 소모하는 것은 소모당하는 것과 크게 다르지 않았다. 소모당하면서 소비한다고 믿었고, 소비하면서 소모당한다고 불평했다. 또는 자랑스러워했다.[1]

압도적으로 쏟아지는 디테일의 폭풍 속에서 2085년 어름의 세계가 지금 여기의 것과 다르지 않다는 것을 실감한다. 천장까지 쌓아올린 상품들 사이로 무거운 카트를 밀고 헤매는, 산더미 같은 물건들의 값을 자발적으로 계산하기 위해 쇼핑한 시간 이상을 초조하게 기다려야 하는 곳. 1+1과 PB(자체제작상품)로 둘러싸인 세계. 그 거대한 기계를 제대로 굴리기 위해 12시간 이상 꼿꼿이 서서 근육이 경직되도록 웃어야 하는 사람들. 그것이 100년 후의 세상이라서 놀라운 것이 아니라 이런 세상이 앞으로 100년 동안, 그리고 그 이상 더 오래 지속될 것이라는 점이 놀랍고 끔찍할 뿐이다. 알량한 휴머니즘과 자부심을 걷어내고 나면 『강철 무지개』가 재현하는 세계는 미래가 아니

---

1) 최인석, 『강철 무지개』, 한겨레출판, 2014, 13쪽. 이하 이 작품의 인용은 인용 뒤에 쪽수만을 표기한다.

라 현재다. 다른 것이 있다면 속도와 규모의 엄청난 확장, 그리하여 이윤과 소비 이외의 것이 예리하게 삭제되어 효율적으로 뼈대만 남아 버리는 시간만큼의 차이가 있을 뿐이다. 12시간 혹은 18시간의 노동을 하고 귀가할 시간조차 없어서 근처의 무빙베드에서 쪽잠을 자야 하는 지연의 삶을 과장되었다 할 것인가.

SS 울트라마켓은 SS 울트라돔으로 이어진다. 거대한 에너지돔을 바탕으로 그 안에서 모든 생활이 완벽히 이루어지는 자치 지구. 기업들은 에너지돔을 세우고 주거와 직업이 보장되고 세금도 없는 유리왕국을 만든다. 국가는 에너지를 공급할 능력도 주민들의 삶을 통치할 능력도 잃었으니 기업의 이윤활동을 보장할 명분, 이를테면 형편없는 법을 만들기 위해 존재할 뿐이다. 주민들의 세금을 대납하는 대신, 기업은 에너지돔에 정착한 인간들을 관리하고 지배하고 부릴 권한을 갖는다. 'SS 울트라돔, 여러분을 기다립니다. 의식주 무상, 교육무상, 직장 보장, 의료 보장, 세금이 없습니다. 요람에서 무덤까지, 여러분의 평생을 보장합니다.' SS 울트라마켓의 악랄한 노동에 시달려 만신창이가 된 노동자들은 생존을 위해 자발적으로 SS 울트라돔의 주민이 된다. 울트라마켓과 울트라돔은 자본의 양면이다. 마지막 한 방울까지 수단과 방법을 가리지 않고 착취하거나 아니면 안락한 삶을 미끼로 지배를 정당화하고 영속화한다. 요람에서 무덤까지 자본이 건설한 왕국에서 사는 주민들은 그것을 당연한 세계로 받아들인다.

뻔한 예를 들어 보자. 우리는 SS 마트에서 생필품을 사고 SS 프랜차이즈에서 외식을 하며 SS 아파트에 살면서 SS 자동차를 타고 SS 보험이나 SS 전자로 출퇴근을 한다. 아이들은 SS 고등학교나 SS 대학을 다니며 SS 그룹에 취직하는 것이 그들의 꿈이다. 몸이 아프면 SS 병원에 가고 휴식이 필요할 때는 SS 극장이나 SS 놀이공원에 간다. SS

은행이 없어도 괜찮다. SS 생명이나 SS 증권을 통해 예금도 하고 대출도 받고 투자도 할 수 있다. SS 왕국이다. 누군가의 직장이거나 누군가의 모교이므로 주민들은 모두 SS 기업이 영원히 번창하기를 바라고, 그래서 SS 그룹의 수익은 곧 주민들의 수익이라고 여긴다. SS 마트의 노동자가 최저 임금으로 최장 시간을 근무하다 쫓겨나고, SS 반도체의 여공들이 이름 모를 병으로 죽어나가도 잠시 분노하다가 그래도 SS 기업이 건재하기를 바란다. 지옥 같은 SS 마켓의 노동자가 아니라 SS 아파트에 거주하는 SS의 주민이 되기를 오매불망 욕망한다. 간혹 SS의 주민이라 얼마나 다행이냐고, 거주지를 성공의 지표로 내세우기도 한다. 세금을 국가에 낸다 하지만, 그 세금은 온갖 특혜의 방법으로 SS 기업에 환원되므로 그 세금은 곧 SS를 위한 세금이기도 하다. 요람에서 무덤까지 SS 기업은 우리의 평생을 보장하고 있다. 아주 비싼 비용으로. SS 기업이 울트라하게 커져서 삶의 모든 영역을 지배할 수 있다면, 거기가 SS 울트라돔이다. 다시 한 번 반복하지만 100년 후의 그곳은 지금 여기와 다르지 않다. 차이가 있다면 규모와 속도뿐이다.

SS 울트라마켓과 SS 울트라돔으로 구조화된 세계. 압도적인 디테일로 우리는 우리의 현실을 실감하고, 그 디테일이 단단하게 구축해낸 구조를 통해 멀지 않은 미래를 짐작한다. 독자는 납득되었다. 그렇다면 여기에서 어떤 삶이 가능한가 묻지 않을 수 없다.

3. 이토록 치명적인 사랑

그럼에도 불구하고 사랑이라 한다면 웃을 것인가. 물론 연애는 이미 실패했다. 서울 클라우드 익스프레스의 일용직 배달 기사인 재선과 SS 울트라마켓의 일용직 캐셔인 지연은 오직 지상의 방 한 칸과 사랑을 나눌 고단하고 달콤한 밤을 원하였으나 그들에게는 그조차도 허락되지 않았다. SS 울트라마켓과 SS 울트라돔으로 이루어진 세계에서 어떤 연애가 가능할까. 프랭크와 아이리스는 아주 잠깐 기적처럼 만났으나 아이리스는 갱과 경찰과 국가가 한통속인 멕시코에서, 프랭크는 춥고 어두운 국경도시에서 서로의 행방을 모른 채 죽었다. 안영희-마릴린-나오미-프랭크-멜라니로, 무당의 딸에서 어린 창녀로, 노숙자로, 종교 집단의 기숙 학생으로, 포주로, 범죄자로 살 수밖에 없었던 그/그녀의 삶이야말로 이들의 연애가 도무지 가능할 수 없는 이유라 할 수 있을 것이다. 그러므로 말을 바꾸자. 사랑이란 알 수 없는 마음이 아니라, 연애가 불가능한 세계에서도 아직 포기되지 않고 남은 마음의 씨앗이라고.

그 씨앗이 세상의 바깥에서 싹텄음을, 그리하여 그곳이 바깥이 아니라 그곳 역시 세상이었음을 기억해야 한다. 잠잘 틈도 없이 몰아닥치는 SS 울트라마켓의 노동 때문에, 도무지 빠져나갈 수 없는 그 지옥의 쳇바퀴 때문에 알 수 없었던, 밥과 직장의 생계와 보너스 같은 휴가가 있으면 그것으로 족했으므로, 벗어날 생각조차 않았던 SS 울트라돔의 바깥. 버려진 핵폐기물로 죽음의 폐허가 되었던 바다. 무법의 폭력과 약탈과 학살이 난무하는 멕시코의 어느 빈민가. 그곳이 세상의 바깥이었다. 에너지돔을 유지하기 위해 어느 바다는 죽음의 폐허가 되었고, 에너지돔의 안전한 이윤을 위해 어느 나라는 끔찍한 지옥 속에 방치되었다는 사실도 기억해야 할 것이다. 그렇게 세상과 세상의 바깥은 이어져 있으며 그리하여 그곳 전체가 우리가 사는 세상이다.

에너지돔 몇 개가 파괴된다고 이 체제가 쉬이 끝장날 것 같지는 않다. 그래도 폭탄을 안고 죽은 지연이 깨트린 SS 울트라돔이 안전하고 무결하여 스스로 영원할 듯 보였던 세계에 구멍 하나쯤은 되어 줄 것이다. 그 구멍이야말로 이 세계와 저 세계를 잇는 통로다. 아담을 찾는 아이리스의 목소리, 이국의 자본가에게 간을 빼앗기고 쓰레기처럼 버려졌던 멕시코의 빈민 아이를 찾는 목소리가 그래도 아직 우리가 인간임을 말하고 있다.

작은 알전구 하나가 하얗게 뜰을 비추고 있었다. 흙으로 빚은 듯한 방안에 붉은 먼지를 뒤집어쓴 식기들이 두엇 뒹굴고 있었고, 텔레비전 속에서 비키니를 입은 여자가 우렁우렁 노래를 쏟아내고 있었다. 아이리스는 한참 들여다보고 나서야 텔레비전 앞에 붉은 곱슬머리 아이 하나가 시리얼 같은 것을 손으로 집어 입으로 밀어 넣고 있는 것을 발견했다. 아이의 얼굴도 붉고, 눈도, 손도 붉었다. 터무니없이 큰 텔레비전이 쏟아내는 울긋불긋한 불빛이 아이의 얼굴에서 분주히 작열했다. 아이리스는 아이에게 물었다. 아담 비베 아키? 아이는 듣지 못한 것 같았다. 텔레비전을 쳐다보는 아이의 붉은 얼굴에 말라붙은 눈물 자국을 아이리스는 보았다.(442쪽)

아이의 눈물 자국이 곧 버려진 아담의 눈물 자국이라는 것을, 세상의 가장 낮고 더럽고 위험한 곳의 살풍경이 우리가 지켜야 하는 세계라는 것을 이제는 안다. 지연이 시한폭탄을 안고 눌렀던 비상벨, 울트라돔의 주민들이 대피할 수 있는 5분의 시간, 그 찰나의 시간에 비명처럼 번쩍이는 사랑을 본다. 재선과 지연이 폐허의 바다에서 나누었던 충만하고 고요한 사랑, 지켜내지 못해 목이 꺾이는 그 사랑과 다르지 않다. 아담을 찾는 아이리스의 간절한 목소리는 프랭크를 향해 있다. 죽고 사라지고 파괴된 연인들이 이 사랑을 흔하고 지당한 윤리나 인류애로 혼동할 수 없게 만든다. 울트라마켓과 울트라돔으로 견고하게 표상된 세계의 구체성이 그 사랑의 절박함을 증폭시키고 있다. 그래서 결국 파멸로 종착된 이 위로 없는 사랑으로서만 겨우 희망에 대해 말할 수 있다. 언제나 가장 참혹한 절망의 이름으로 희망을 말하는 작가였지만 이번처럼 구체적인 희망을 본 기억은 없다.

『강철 무지개』는 최인석의 자본주의 3부작 중 두 번째 작품이다. 다음 작품을 기다린다. 거기에 어떤 사랑이 있어, 그럼에도 불구하고 또 살게 할 것인가.

(『자음과 모음』, 2015년 봄호)

집단 기억과 개별성의 고통 사이

__한강의 『소년이 온다』

1

2012년 대선 직후, 시내의 극장은 〈레미제라블〉에 눈물을 훔치는 관객들로 가득했다. 대선 패배의 스산한 연말 거리에는 실패한 혁명의 영상과 〈Do you hear the people sing〉의 합창이 흘러 넘쳤다. 대선이 끝나자 뒤늦게 몰려든 관객을 두고 '힐링 무비'라는 해석도 등장했다. 기병대의 행진을 둘러싸고 울려 퍼졌던 혁명가와, 바리케이드 뒤편의 다른 세상은 현실의 공간에서 불가능했던 욕망의 대리 충족이었을까. 과연 혁명을 위한 열정은 순수했고 실패했을지라도 그들의 희생은 숭고했다. 그러나 실패한 혁명에 덧붙인 숭고의 아우라는 때로 망각의 명분이 되기도 한다. 어쩌면 우리는 학정과 독재에 반대한 민중의 노랫소리를 아름다운 패배의 기억으로 내장해 두고 새해의 일상으로 복귀했던 것은 아닐까. 그리고 인간다운 삶을 향한 정치적 열망은 못내 아쉽지만 간직하기에는 부담스러웠으므로 이루지 못한 꿈으로 적절히 갈무리된 것은 아닐까. 오히려 기억해야 할 것은 바리케이드의 봉기 이전, 가혹한 폭력 정치에 시달린 민중들의 고통어린 삶과 처참한 가난의 장면들이다. 위안받을 수 없는 고통을 기억함으로써만 혁명이 그 고통으로부터 비롯된다는 사실을 되새길 수 있으며, 그랬을 때 혁명은 가혹한 현실을 덮는 위안 효과로 변질되지 않을 수 있다.

문화 예술의 의미와 효과는 언제나 그 작품 자체로 존재하는 것이 아니라 그것이 읽히는 지점에서의 대중의 욕망과 기억에 연쇄된다. 〈레미제라블〉은 빅토르 위고의 위대한 예술 작품으로서만이 아니고 뮤지컬 형식의 장중한 영상으로서만도 아닌 방식으로, 2012년 한국의 정치 현실과 집단 감성의 맥락 속에서 그 효과를 발휘했다. 한 시대에 환기되는 역사적 기억이란, 서사의 형식이란 언제나 역사에 덧붙여지는 현재의 해석으로부터 비롯된다. 그리고 언제 어디서 발생한 것이든 혁명의 노랫소리에는 언제나 광주의 그림자가 있다. 최근 한국 문학에 자주 등장하는 광주의 기억 역시 이러한 맥락으로 읽어낼 수 있을 것이다. 새삼스레 왜 30년 후의 시점에서 광주냐는 질문은 곧 우리의 현재에 대한 질문이기도 하다. 한강의 『소년이 온다』(창비, 2014)에도 이러한 질문은 당연히 제기된다.

2

작가는 에필로그에서 용산의 솟구치는 화염을 보며 광주를 떠올렸다고 말한다. 작가가 덧붙인 광주의 정의(定義)는 곧 지금 여기에서 작가가 광주를 써야 했던 이유이기도 할 것이며 독자가 오늘 광주를 읽어야 할 이유이기도 할 것이다.

2009년 1월 새벽, 용산에서 망루가 불타는 영상을 보다가 나도 모르게 불쑥 중얼거렸던 것을 기억한다. 저건 광주잖아. 그러니까 광주는 고립된 것, 힘으로 짓밟힌 것, 훼손된 것, 훼손되지 말았어야 했던 것의 다른 이름이었다. 피폭이 아직 끝나지 않았다. 광주가 수없이 되태어나 살해되었다. 덧나고 폭발하며 피투성이로 재건되었다.[1)]

2009년 1월에, 그리고 2014년 4월에 광주를 다시 읽어야 한다면, 고립되고 짓밟힌 모든 것들을 광주의 기억으로부터 다시 읽어야 하기 때문일 것이다. 30년이 훨씬 지난 이후에도 사라지지 않는 폭력과 고립과 훼손에 대한 안타까움이, 분노가 새로이 광주를 불러와 다시 쓰게 했을 것이다. 그러므로 1980년 5월 그날 사라진 영혼에 대한 간절한 안타까움으로 소설이 시작되는 것은, 겁에 질려 있었으나 그 자리를 떠나지도 않았던 어린 소년의 이야기로부터 시작하는 것은 힘없는 생명들의 고통에 주목하기 위해 반드시 필요한 일이었을 것이다. 어쩌면 지금의 시점에서 필요한 것은 역사적 진실보다는 거기에서 비롯된 고통의 깊이가 아니었을까. 그래서 그 고통의 깊이로 지금 우리의 삶을 다시 읽어야 하는 것이 아니었을까. 소설은 그날 도청에 남았던 한 소년과, 그리고 그 자리에 있었던 사람들의 이후 이야기들을 단속적으로 섞어 짜는 방식으로 구성된다. 친구를 찾아 도청에 온 중학생 소년 동호가, 그때 도청에서 시체들을 정리했던 여고생 은숙, 미싱사 선주, 대학생 진수, 아들을 잃은 동호의 어머니, 그리고 소설을 기록하는 작가가 분절된 장의 주인공이 되면서 소설의 각 장은

---

1) 한강, 『소년이 온다』, 창비, 2014, 207쪽. 이하 이 작품의 인용은 인용 뒤에 쪽수만을 표기한다.

독립된다. 광주의 이야기는 이들 각각을 주인공으로 하여 다시 시작한다. 그리하여 소설 『소년이 온다』는 각 개인들의 고통을 바탕으로, 결말을 향해 진행되기보다는 반복되면서 병치된다. 『소년이 온다』가 재구성한 광주 이야기는 개별적 고통이 그려내는 단독성의 역사들이기도 하다. 유일한 고통들이 광주라는 집단의 기억을 개별화시키면서 대체 불가능한 죽음의 비극성을 극대화하고 있는 것이다.

이 개별적 고통들의 완강한 단독성이 '5월 광주'에 투사된 집단 기억들과 쉽게 화해하지 못하는 것은 당연하다. 그러나 한편으로 '5월 광주'를 읽는 독자가 떠올릴 수밖에 없는 상징성과 집단 기억이 없었더라면 이 개별적 고통의 서사들이 어떤 공공성을 확보할 수 없으리라는 것도 분명하다. 이를테면 '5월 광주'의 기억을 두고 "수십만 사람들의 피가 모여 거대한 혈관을 이룬 것 같은 생생한 느낌", "세상에서 가장 거대하고 숭고한 심장의 맥박"(114쪽)을 말했을 때, 거기에는 집단 학살에 맞서 싸울 수밖에 없었던 인간적 양심들의 숭고함이 있다. 그러나 또한 그 숭고함 이후의 고통들은 철저하게 고립되어 어떤 식으로도 위로받거나 공유될 수 없는 완강한 개별성을 주장하고 있다. '숭고한 심장의 맥박'과 '공유될 수 없는 고통'은 서로를 밀어내지만 또한 다른 한쪽이 없다면 나머지 한쪽이 존재할 근거를 잃게 되므로 서로가 필요 불가결한 모순이 된다.

이 불안한 결합을 읽는 방식은 두 가지다. 숭고한 심장의 맥박을 공유될 수 없는 고통에 얹는 방식. 공유될 수 없는 고통을 앓고 있는 광주의 경험자들은 그 고통의 지극함에 숭고한 심장을 얻어 순교자적 존재가 된다. 그 고통이 지극하면 지극할수록, 회복될 수 없으면 없을수록 이들의 숭고는 더욱 높고 아름다운 것이 될 터다. '공유될 수 없는 고통'을 끝까지 밀어붙임으로써 '숭고한 심장의 맥박'의 정체를 끝까지 묻는 방식도 있다. 치유될 수 없는 고통이 숭고한 심장의 맥박으로부터 왔다면, 아직 그 맥박은 숭고로 기억되어서는 안 되는 것이다. 고통의 정체를 묻고 또 물으면서 인간적 모멸과 용서될 수 없는 죄책감은 어떻게 치유될 수 있는지를, 고통으로부터 인간을 해방하는 집단 기억은 어떻게 만들어질 수 있는지를 묻는 일. 아마도 그것이 이 극단적으로 결벽한 서사가 이루어낼 수 있는 최대치가 될 것이다.

3

생각건대 『소년이 온다』는 이 두 가지 방식의 중간 어디쯤에 있는 것 같다. 살아남아 출판사 직원이 된 은숙, 살아남아 시민단체의 전임자가 된 선주가 개별적 삶의 지독한 고독과 고통을 견디고 있을 때 이들은 집단 학살의 증언자로서, 고립과 폐쇄의 삶을 견디는 순교자처럼 보이기도 한다. 그러나 그들이 자신의 삶에서 어린 동호의 죽음을 떠올릴 때, 검열과 강압을 견디면서 도저히 잊을 수 없는 광주의 기억들로 겨우 일어설 때, 그들은 일반화될 수 없는 숭고의 수사와 싸우고 있는 것처럼 보이기도 한다. 소설의 각 장은 구분되어 있고 그 장의 주인공들은 각자 존재하지만, 그들의 삶은 대체될 수 없는 고독과 고통으로 완강하지만, 그들의 삶에 출몰하는 동호의 넋으로 인해 그들은 완전히 개별적이지 않다. 이 완강한 개별성들과 희미하게 이어진 고통의 연대와 이입이 광주 이야기를 훨씬 까다로운 것으로 만들고 있는 것은 분명하다.

이 손쉽게 승화되지 않는 개별적 고통들을, 광주 이야기의 까다로움을 우리는 우리 시대의 집단 기억으로 구축해 나갈 수 있을까. 이를테면 광주와 다를 것 없는 야만적 시간들이 우리를 장악하고 있지만, 그래서 '뜨거운 심장의 기억'으로 이 무력한 야만의 시간을 견디고 싶겠지만, 그 기억으로 통합되지 않는 고통의 생생함을 감당하지 않으면 안 된다는 윤리. 또는 그 고통의 완강함 앞에서 더 막막해야 할 시간들을 회피하지 않는 용기. 그럼에도 불구하고 가능한 공공성의 기억은 어떤 것이어야 하는지를 추적하는 끈기. 그것은 우리 시대의 모든 짓밟히고 고립된 것들로부터 광주를 다시 읽어낼 수 있는 단서가 되어 줄 것이다. 그러므로 광주로부터 현실을 읽는 것이 아니라 현실로부터 다시 광주를 읽을 수 있을 때, 새로운 광주 이야기는 가능할 것이다. 『소년이 온다』는 집단 기억과 개별성의 고통 사이에서 그 불안한 출발을 알리고 있다. 망각할 수 없는 고통을 말하고 있다는 점에서 『소년이 온다』는 최소한의 현재성을 점유하고 있으며, 그것이 고립된 결벽으로 완강하다는 점에서 아직 현재를 향해 열려 있지 않다.

(『삶이 보이는 창』, 2014년 9—10월)

| 2부 |

리얼리티 스펙트럼

망루와 크레인, 그리고 요령부득의 자본주의
_판타지와 르포르타주를 통해 본 우리 시대 문학의 난경

1. 『의자놀이』 효과

이야기는 공지영의 『의자놀이』(휴머니스트, 2012) 출간으로부터 시작된다. 몇 가지 강조점이 있을 것이다. 편의상 세 가지 층위를 생각해 보고 싶다. 첫째는 정치적·사회적 층위로서의 쌍용자동차 해고 노동자의 문제다. 둘째는 문학이 사회적 이슈에 개입하는 방식에 대한 문제, 문학 운동적 층위다. 세 번째는 문학 텍스트의 형식이라는 층위, 이 경우에는 소설가가 쓴 르포르타주(reportage) 형식이라는 점이 문제의 핵심이 된다. 한 가지씩 짚어보기로 하자.

루카치가 살아 있었다면 개별자이면서도 보편자인 특수자를 쌍용자동차를 통해 발견했다고 말하지 않았을까. 그만큼 쌍용자동차 사건은 한국 자본주의, 세계 자본주의 체제를 압축적으로 재현하고 있다. 쌍용자동차 사건은 생산성과 이윤이라는 고전적 자본주의의 모순을 넘어선 곳에서 발생한다. 쌍용자동차의 소유주가 쌍용그룹에서 중국의 상하이자동차로, 다시 인도의 마힌드라사로 바뀌는 과정

은 이미 자본이 세계체제의 차원에서 움직이고 있다는 것을 보여주며, 거기에서 자본의 관심사는 생산성과 이윤의 문제를 넘어선다. 즉 적은 비용으로 더 많은 제품을 생산하여 거기에서 더 많은 이윤을 얻겠다는 고전적 경제학의 원칙은 이 과정에서 별다른 의미를 지니지 못한다. 기업의 자산 가치는 얼마든지 조작될 수 있으며, 그 기업체가 무엇을 얼마나 생산하고 판매하는가보다는 그 기업을 팔아넘기면서 얼마를 더 챙길 수 있느냐가 더 중요하다. 쌍용자동차 노동자들의 해고는 엄밀히 말해서 생산 비용을 줄이기 위해서가 아니라, 자산 가치를 조작하고 원활하게 그것을 팔아넘기는 데 방해가 되었기 때문에 전격적으로 시행된 것이다. 그리고 기업의 자산 가치를 조작하기 위해 회계 법인이 개입되고, 법원은 그 과정의 불법성을 묵인했으며, 국가는 해외 자본으로부터 국내 노동자들을 보호하지 않았다. 보호하기는커녕 경찰을 동원하여 노동쟁의를 불법으로 진압했으며, 그 과정에서 차마 언급하기 힘들 정도의 가혹한 폭력과 탄압이 자행되었다.

기업체의 법정 관리, 노동자들의 정리해고, 경찰의 과잉 진압은 모두 법의 이름으로 실행되었으나, 쌍용자동차 해고 노동자들의 생명은 그 법의 이름 내에서 전혀 고려되지 않았다. 그들은 정치와 법의 이름으로 자행된 일련의 사태 속에서 언제나 배제되고 희생되고 심지어 살해되었다. 존재하지만 법질서 외부에 있는 그들은 '희생양'으로서의 가치도 부여받지 못한 '호모 사케르(Homo Sacer)'였다.[1] 예컨대 경제 발전을 위해, 기업의 존속을 위해, 또는 다른 노동자들의 생존권을 위해 불가피하게 희생당할 수밖에 없다는 명분조차도 없었다.

---

1) 조르조 아감벤, 『호모 사케르』, 박진우 옮김, 새물결, 2008, 175쪽.

그들은 빨갱이며 불법 파업 세력이므로 국가의 안녕질서를 위해 빨리 진압되고 해체되어야 할 잔여물이자 방해물이었을 뿐이다. 사회 구성원으로서의 최소한의 명분도 인간으로서의 최소한의 존엄도 인정받지 못한 노동자들은 고립과 소외 속에서 처참하게 상처받고 잔혹하게 파괴되었다. 그들의 상처는 관계자 중 23명의 사망,[2] 사망자 중 절반은 자살이라는 끔찍한 결과로 나타났다. 노동자들의 격렬한 저항이 분신과 투신의 방식으로 표현되던 시대도 있었다. 그리고 이제 우리는 '성명서도 유서도 없는 자살'이라는 형식으로 우리 시대의 절망을 경험하고 있다. 분신과 투신의 시대를 거쳐 우리는 이제 자살의 시대를 살고 있는 것이다. '배제된 생명'들은 그들이 우리들의 법질서, 국가 질서 내에 없는 존재가 됨으로써, 즉 '부재 효과'로 국가 체제, 법 체제의 바닥을 드러낸다. 우리는 그러한 국가에서 살고 있다.

그들 덕분에, 그들이 없는 존재가 되었으므로, 우리는 우리가 살고 있는 이 사회의 바닥을 볼 수 있었다. 그들이 경험한 절망의 바닥이 곧 우리 삶의 바닥이기도 하다는 것을 아는 시민들이 움직이기 시작했다. 그러니 '함께 살자'라는 말은 단지 구호가 아니다. 『의자놀이』는 쌍용자동차 해고 노동자들의 삶과 죽음에 대한 증언이며 보고의 텍스트이면서 또한 우리 시대 자본과 국가 체제에 대한 저항이며 새로운 삶의 방향을 찾는 운동의 촉발점이기도 하다. 『의자놀이』는 작가의 집필, 책의 편집과 디자인, 홍보와 마케팅에 이르기까지 출간의 모든 과정이 관계자들의 재능 기부로 진행되었다. 작가의 인세와 판매 수익금은 쌍용자동차 노조 후원금으로 기부되었으므로 독자들은

---

2) 이 글을 발표하던 2012년 시점에서의 사망자 수이다. 2015년 현재 사망자 수는 28명으로 늘었다.

책을 구입함으로써 쌍용자동차 문제 해결 과정에 참여할 수 있게 되었다. 책을 사고 책을 읽는 행위가 사회적 문제를 해결하는 실천으로 연결되는 경험이 가능하게 된 것이다. 판매 부수가 책의 가치를 결정하는 상업주의 시대에 이는 분명 의미 있는 전환이며, 문학이 사회적 실천을 매개하는 방식에 대한 제안이기도 하다. 작품으로 동시대의 문제에 개입하되, 그것이 작품 자체에 한정되지 않고 작품을 읽는 행위, 작품을 구매하고 작품에 대해 소통하는 과정 자체가 또 다른 실천으로 확장될 수 있는 가능성을 『의자놀이』는 제안하고 있는 것이다. 물론 『의자놀이』가 그 화제성만큼이나 일종의 이벤트 효과로 작용하여 쌍용자동차 문제에 대한 심층적 고민과 논의 과정을 축약해 버릴 수 있다는 우려도 있고, 그래서 쌍용자동차 문제에 대한 관심이 일회적인 확산 효과에 그칠 가능성도 있다.[3)]

그러나 『의자놀이』를 하나의 촉발점이자 매개로 본다면, 쌍용자동차 문제를 바로 알고 그것을 공론화시키려는 운동의 의의가 『의자놀이』에만 집중되어서는 곤란하며, 마찬가지 의미에서 이후의 결과까지 『의자놀이』가 책임져야 하는 것도 아니다. 『의자놀이』 이전에 '희망텐트'와 '희망뚜벅이', '와락'이 있었고, 『의자놀이』 이후 대한문을 찾는 시민들은 점점 더 늘고 있다. 100만 인 뷰를 목표로 하는 유투브 동영상의 조회 수는 20만을 넘었고,[4)] 온라인과 오프라인을 통해 시민들은 다양한 방식으로 쌍용자동차 해고 노동자들과 접속하고 있다. 『의자놀이』에서 출발한 관심은 책을 읽고 구매를 통해 기부하는

---

3) 일명 '트위터 논란'을 비롯하여 『의자놀이』에 대한 비판과 르포문학의 의미에 대한 논의로 이선옥, 「무명작가, 공지영·진중권에게 묻다. "르포가 뭔가요?"」, 『프레시안』, 2012. 11. 3. 참조.

4) http://www.youtube.com/watch?v=zvSSh_jC7Ug&feature=youtu.be

실천의 경험을 통해 동시대를 살아가는 윤리적 책임으로 전환될 수 있으며, 이는 우리 시대의 문제에 대한 광범위한 고민과 토론으로 이어질 수 있을 것이다. 법 체제 외부에 있는 '벌거벗은 생명'을 목격함으로써, 그들의 부재 효과를 통해 우리가 이 척박한 삶을 공유하고 있다는 인식에 도달할 수 있다면 그것은 우리가 살아갈 미래를 함께 고민하고 탐색하는 다른 층위의 실천으로 연결될 수 있다. 그리고 그 지점에서 우리는 연민과 안타까움을 넘어서게 될 것이다. '타자'에 대한 동정과 연민이 아니라 '나'의 삶에 대한 성찰과 '우리'의 새로운 공동체를 위한 기획이 가능해지는 것이다.

그리고 『의자놀이』의 문학적 실천에 대하여, 아직 토론되어야 할 영역이 더 남아 있다. 이 토론은 우선 문학장 내부에서 먼저 진행되어야 할 것 같다. 토론의 요지는 이렇다. 한 유명 소설가가 쌍용자동차 해고 노동자 문제라는 사회적 이슈에 대해서 르포를 썼다. 그는 왜 소설이 아니고 르포를 썼는가. 르포라는 방법이 현재의 한국 문학장 내에서 제기하고 있는 문제는 어떤 것인가. 서두가 길어지기는 했지만 이 글이 하고자 하는 이야기는 여기서부터다. 물론 길어진 서두는 지금부터 하려는 이야기와 결코 무관하지 않다.

2. 판타지의 딜레마

『의자놀이』는 쌍용자동차 해고 노동자들과 그 가족들의 심리 상담을 인용하는 것으로 시작하여 사건의 진행을 뒤쫓아 나가는 방식으로 서술된다. 1년 사이에 부모를 잃고 고아가 된 어린 남매의 소식은 작가가 이 르포를 쓰게 된 결정적 계기가 된다. 우리 사회의 약자들에 대한 연민과 애정이 이 르포의 출발점일 수밖에 없다. 그리고 이 작품은 쌍용자동차 사건 일지를 부록으로 덧붙이면서 마무리된다. 쌍용자동차 사건의 문제성을 부각시키고 그것을 총체적으로 보지 않으면 안 된다는 당부인 셈이다. 작가가 지적하고 있는 바와 같이 "앞으로 우리를 고용하고 월급을 주고 해고하게 될 자본은 대개 쌍용자동차와 같은 성격을 가지게 될 것"이며, "우리 아이들을 해고하는 것도 이런 자본일 것"이다. "현대 자본의 무서움은 바로 이 모호함"이며, "그래서 쌍용자동차 해결이 우리에게 더 중요해진다."[5] 이미 많은 보고와 기록이 있었음에도 불구하고 공동체적 윤리와 약자에 대한 연민을 기반으로 쌍용자동차 문제를 종합적으로 보고한 『의자놀이』의 성과는 적지 않다. 『의자놀이』의 출간과 그와 함께 진행된 이벤트는 '벌거벗은 생명'으로 법 체제 바깥에서 숨죽이며 고통받고 있었던 쌍용자동차 해고 노동자들과 그 가족들을 '공공 담론'의 영역으로 끌어올렸다.

2000년대에 활발하게 출간된 르포 문학의 지평 속에서 '작가가 쓴 르포' 『의자놀이』는 더 논쟁적으로 읽힐 수 있을 듯하다. 『의자놀이』가 작가에 의해 대행되고 해석된 서발턴들(subalterns, 하위주체들)의 목소리라는 점에서[6] 오히려 서발턴들의 생생한 목소리를 공식 역사, 공식 문학의 이면으로 밀어 넣는다는 비판도 가능하다. 혹은 신자유주의 체제 하에서 급격히 늘어난 하위주체들의 자기재현이 르포 문

---

5) 공지영, 『의자놀이』, 휴머니스트, 2012, 167~168쪽.

6) 서발턴의 자기 재현이라는 의의를 중심으로 르포를 해석하는 관점으로 김원, 「서발턴(subaltern)의 재림—2000년대 르포에 나타난 99%의 현실」, 『실천문학』, 2012년 봄; 천정환, 「서발턴은 쓸 수 있는가—1970~1980년대 민중의 자기재현과 '민중문학'의 재평가를 위한 일고」, 『민족문학사연구』, 47집, 2011 참조.

학의 형식으로 활발히 제출되고, 기성작가가 여기에 합류함으로써 공식적 문학장의 구도가 내파되고 있다는 해석도 가능하다. 공지영의 『의자놀이』를 기성작가의 영역 확장으로 볼 것인지, 아니면 공식적 문학장의 한계에 대한 역설적 자기비판으로 볼 것인지에 따라 해석은 달라질 수 있을 것이며 이는 더 토론이 필요한 문제라고 생각하지만, 이 글에서 관심을 갖는 부분은 후자의 경우다. 작가가 의도한 것이든 의도하지 않은 것이든 『의자놀이』는 절박한 현실에 대한 공감과 실감을 잃어가고 있는 한국 문학의 한계와 곤경을 그 자체로 표상하고 있다고 보기 때문이다. 공지영은 르포라는 방식을 통해, 오랫동안 공식적 문학장에서 배제되었던 방식으로 그 한계를 돌파하고자 했다. 그렇다면 그 한계로부터 자유롭지 못한 문학장 내에서는 어떤 일들이 벌어지고 있는 것일까.

나는 작가들이 지금의 현실에 대해, 정치, 경제, 사회, 문화의 제 영역에서 벌어지고 있는 야만적 상황과 고통들에 대해서 무관심하다고 생각하지 않는다. 오히려 작가들은 나름의 방식으로 이 현실의 문제들을 깊이 고민하고 있다고 생각한다. 촛불과 용산 이후 문학은 현실의 참담함과 문학의 고통에 대해서 적극적으로 고민하기 시작했으며, 이는 작가선언을 비롯한 작가들의 다양한 현실 참여의 방식으로 외화되기도 했다. '문학과 정치'를 둘러싸고 제출된 여러 담론들 역시 이러한 작가적 고민의 결과물이라 할 수 있다. 그러나 여전히 "사회참여와 참여시 사이에서의 분열"[7]은 작가들을 괴롭히는 주제며, 그래서 아직 현실에 대한 문학의 고민은 충분한 성과를 얻지 못하고 있는 상황이기도 하다. 그러나 몇 편의 작품을 통해 작가들을 괴롭히는

---

7) 진은영, 「감각적인 것의 분배」, 『창작과 비평』, 2008년 겨울, 69쪽.

이 주제를 검토해 볼 수는 있을 듯하다.

용산과 한진중공업 이후 망루와 크레인은 일종의 문학적 상징물로 자리 잡았다. 김애란의 「물속 골리앗」(『비행운』, 문학과지성사, 2012)은 크레인의 상징을 가장 효과적으로 활용하고 있는 작품 중 하나라 할 수 있다. 건설 노동자였던 아버지가 크레인에서 떨어져 죽고, 어머니는 병사한 후 고아가 된 소년의 모습에는 공지영으로 하여금 르포를 쓰게 했던 어린 남매가 겹쳐지기도 한다. 재개발이 예정된 낡은 아파트와 대홍수의 물바다 위에 솟아 오른 골리앗 크레인은 작가들이 결코 외면할 수 없었던 사회적 비극, 용산과 한진중공업을 압축해 놓은 것이기도 하다. 문제는 소설을 지배하는 대홍수의 물바다와 그 망망대해의 절망감 위로 삐죽 고개를 내민 크레인 사이의 연결점이다. 소년은 물바다에 떠밀려 크레인에 닿는다. 세상의 모든 집과 거리가 물에 잠긴 망망대해 위에 고개를 내밀 수 있는 것은 골리앗 크레인뿐이다. 여기에서 크레인은 희망일까 절망일까. 물에 잠긴 세상은 그 자체로 압도하는 절망이고 비관이지만 거기에서 소년의 몸을 걸칠 수 있는 크레인은 물바다에 휩쓸리지 않고 자기를 버티고 있다는 점에서 어떤 희망의 징후가 될 수 있다. 또는 세상의 모든 것이 물에 쓸려 사라진 곳에서 홀로 남은 크레인이란 고립의 공포이고 구원을 기대할 수 없는 절망이기도 하다. 소년은 이 희망과 절망 사이의 거리를 알지 못한다. 크레인의 꼭대기에서 소년은 '누군가 올 거야'라고 중얼거리지만 이미 물바다에 압도된 세상에서 그 누군가가 어떻게 존재할 수 있는지도 알 수 없다. 소년이 보는 세계는 망망대해의 물바다와 골리앗 크레인으로 압축되어 있다. 이렇게 말할 수도 있을까. 고도로 압축된 상징 속에서 서사는 망망대해의 절망감에 압도되어 골리앗 크레인이라는 화두를 붙잡고 겨우 버티고 있다고.

또 한 명의 소년과 또 하나의 상징이 등장하는 소설이 있다. 황정은의 「옹기전」(『파씨의 입문』, 창비, 2012)이다. 「옹기전」은 「물속 골리앗」보다 훨씬 현실적 인과율에서 멀어져 있는 소설이지만 그렇기 때문에 오히려 메시지는 더 분명하다. 한 소년이 낯선 곳에서 항아리 하나를 파내 온다. 멀쩡한 항아리라고 좋아하며 들고 왔지만 어머니도 아버지도 낯선 물건을 반기지 않는다. 흥미가 떨어져 처박아 둔 옹기에는 눈코입이 생겼고 항아리는 밤마다 '서쪽에는 다섯 개가 있어'라고 말한다. 소년은 항아리를 들고 서쪽으로 그 다섯 개를 찾아 나서는데, 소년이 도달한 곳은 세상의 끝, 산을 깎아지른 절벽이다. 소년이 항아리를 파낸 곳은 재개발 지구의 철거촌이다. 재개발 지구의 땅 속 깊이 파묻혀 있던 항아리는 이를테면 소년이 발견하지 않았다면 말할 수 없었던 서발턴이라 해석할 수 있다. 그것은 아무도 귀 기울여 주지 않는 한밤중에 서쪽으로 가자고, 거기에 또 다른 항아리가 있다고 말한다. 「물속 골리앗」의 소년이 대홍수에 떠밀려 크레인에 도착했다면 「옹기전」의 소년은 스스로 항아리를 파내고 그 항아리의 말을 들었다는 점에서, 그리고 항아리와 함께 서쪽으로 가고자 했다는 점에서 더 분명한 입장을 가지고 있다. 소외된 약자, 서발턴의 목소리에 귀를 기울이는 작가의 위치가 한층 더 분명한 셈이다. 항아리에 밀착된 소년의 위치 덕분에 메시지는 분명하다.

> 옹기란 무겁잖아. 반년쯤 지나면 이전에 묻은 옹기가 가라앉아 자리가 난다. 덕분에 우린 계속 묻는다. 어제도 묻고 오늘도 묻고 내일도 묻고. 그렇게 묻어서 뭐 난리난 적 있냐. 이렇게 묻고도 세상은 멀쩡하다. 당장 어떻게 되는 일 없다.[8)]

세상은 눈코입을 가진 살아 있는 옹기들을 땅에 파묻고 그러고도 멀쩡하게 아무 일 없이 무사하다. 소년이 항아리와 밀착되어 있기 때문에 소설은 의외로 따뜻하지만, 한편으로는 항아리를 파묻고도 아무 일 없는 세상 때문에 비극적이다. 항아리를 땅 속에 파묻는 비정함과 그 항아리의 말을 듣는 소년의 구도는 안정적으로 이미 결정되어 있다. 항아리에 귀 기울이는 소년의 도덕률이 관념적이라고 말할 수 있는 까닭은 소년이 항아리에 완전히 밀착되어 있어서 세계의 비정함에 영향받지 않기 때문이다. 반대로 말하자면 소설의 구도가 지시하는 비극성은 소년과 항아리의 밀착된 공동체 의식 때문에 추상적이다. 황정은의 소설이 현실의 구도와 야만성을 알려진 것보다 훨씬 날카롭게 지적하고 있음에도 불구하고 그의 소설이 대체로 고집스러운 동화로 귀결되는 까닭도 여기에 있다. 소년과 항아리는 너무 가깝고 이들을 둘러싼 세계는 이들과 너무 멀거나 혹은 추상화된다.

김애란과 황정은의 소설에서 대홍수의 상황이나 말하는 항아리의 설정은 그것이 현실적 인과율로 간단히 설명되지 않는다는 점에서 판타지(fantasy)[9]에 속한다고 볼 수 있다. 여기에서 판타지의 효과는 양면적이다. 한편으로 개인적 주체를 압도하는 현실의 비극적 위력은 상징적 압축으로 인해 효과적으로 강조된다. 대홍수나 말하는 항아리는 현실에서 비롯된 것이지만, 그것으로부터 멀어짐으로써 오히려 더 강력한 이미지나 상징이 된다. 그러나 한편으로 그렇기 때문에

8) 황정은, 「옹기전」, 『파씨의 입문』, 창비, 2012, 100쪽.

9) 여기에서 판타지란 장르문학적 의미에서의 판타지(환상문학)을 말하는 것이 아니라 "작중의 사건이 터무니없는 가공의 세계에서 일어나거나 초자연적인 성질을 띠거나 아니면 일어날 수 있는 일과 일어날 수 없는 일에 관한 예상을 대개 무시하는 문학작품을 일반적으로 말하는 것"이라는 의미다. 조셉 칠더즈·게리 헨치 엮음, 『현대문학-문화비평 용어사전』, 황종연 옮김, 문학동네, 1999, 183쪽.

이 압축된 상징의 배경과 결과, 그 사이에서 예상 가능한 이런저런 장애와 갈등과 고민들은 생략될 수 있다. 이 양면성은 동시에 발생하는 효과다. 맥락이 생략되었기 때문에 이미지는 더욱 강력하며 강력하기 때문에 맥락은 생략될 수밖에 없다. 골리앗이 희망과 절망 사이에서 그 관계를 묻지 않는 것, 소년과 항아리의 관계가 그들만의 밀착으로 견고한 것은 그 때문이다. 판타지의 효과는 또한 판타지의 곤혹이기도 하다. 압도하는 현실은 이미지로서 강렬하지만 그 강렬한 이미지의 세부는 좀처럼 확인되지 않는다. 이미 판타지로 구축된 작품의 구도 속에서는 그 판타지의 정체를 탐색하는 일이 허용되지 않기 때문이다.

이 작가들의 판타지가 단지 현실 탐구의 부족에서 비롯되었다거나 현실로부터 분리되어 현실을 추상화한다고 단정 지을 수는 없다. 물론 판타지가 문학 속 상징이나 이미지를 강조함으로써 현실과 구분되는 문학의 독자성을 주장하며, 이는 때때로 현실에 산재한 여러 문제들을 희석시키거나 은폐하는 결과를 낳기도 한다. 그러나 작가들이 현실의 맥락에서 분리된 문학적 독자성으로서 판타지를 선택한 데에는 다른 이유들도 있다. 김연수의 최근작 『파도가 바다의 일이라면』(자음과모음, 2012)을 통해 이 문제를 좀 더 짚어볼 수 있을 것 같다. 『파도가 바다의 일이라면』의 서사는 입양아 카밀라가 그의 엄마를 찾아가는 과정을 따라 진행된다. 엄마가 다녔던 고등학교에서 카밀라는 쉽게 엄마를 찾을 수 없었다. 가까스로 엄마의 이름을 알았지만 놀라운 비밀은 이것뿐이 아니다. 엄마는 카밀라를 낳고 자살했으며 카밀라의 아버지는 엄마 지은의 선생님이었던 듯하다가, 다시 엄마의 오빠였던 듯하다가, 소설의 마지막에 이르러서야 겨우 암시만으로 의외의 인물로 등장한다. 그리고 이 모든 비밀들의 근원에는 파업 중에 크레인에서 투신해 자살한 지은의 아버지가 있다. 생활관에서 농성하던 노동자 4명이 화재 사고로 불타 죽고, 혼자 살아남은 아버지는 죄책감 때문에 자살했다. 소설 속에서 사건은 1984년에 일어난 것으로 되어 있지만, 그것이 언제 일어났는지보다 더 중요한 것은 화재 사건과 크레인에 용산과 한진중공업이 겹쳐진다는 점이다. 다시 강조하자면 용산과 한진중공업 이후 망루와 크레인은 강력한 사회적·문화적 상징이 되었고, 『파도가 바다의 일이라면』 역시 이러한 상징의 자장 내에 있다.

소설 속에서 크레인이 특별히 강조된 것은 아니다. 소설의 결말에 이르러서야, 그것도 매우 암시적으로만 그 의미가 드러날 뿐이다. 우선 크레인이 하나의 상징으로 등장하면서도 그것이 사건의 진행 속에서 두드러지지 않은 채, 오히려 의식적으로 숨겨진 까닭은 무엇인지가 궁금하다. 소설의 긴장감을 높이기 위한 것이기도 하지만 이는 역사적·사회적 사건들이 개인에게 새긴 심리적 각인을 끈질기게 탐구하는 김연수 특유의 주제 의식과도 연관이 깊다. 노사 갈등, 노동자의 권리, 인간으로서의 존엄 등등 크레인에 관련된 사회적 주제만으로 말할 수 없는 진실이 더 있다고 작가는 생각한 것 같다. 그리고 그 진실은 결말로부터 암시된다. 지은의 친구 미옥은 지은이 선생님의 아이를 가졌다고 소문을 내고 결국 지은을 죽음에 이르게 한다. 미옥은 왜 그렇게까지 한 것일까. 비밀은 아버지들의 사건으로 설명된다. 지은의 아버지가 주도했던 파업 현장에서 화재로 불타 죽은 노동자 중 한 명이 미옥의 아버지였기 때문이다. 대의에 통합될 수 없는 개인의 상처는 때로 우연한 운명의 시발점이 되기도 한다. 그것으로 운명은 어긋나고 삶은 파괴되기도 한다. 카밀라의 아버지는 조선소 사장의 아들 희재였다. 어째서 파업을 주도했던 노동자의 딸과 그

파업을 진압했던 사장의 아들이 결합하여 그들의 아이를 낳을 수 있었던 것일까. 희재의 아버지, 즉 조선소 사장의 몰락과 죽음에 대해 조금 설명이 필요할 것 같다. 파업 진압 후 조선소의 경영 상태는 점점 악화되었고 희재의 아버지는 그의 젊은 애인과 함께 자살했다. 아버지를 살려달라고 매일 집 앞에 서 있던 지은에게서 사장의 젊은 애인이 유령의 얼굴을 보았고 그 때문에 병이 악화되었던 탓이다. 노동자의 권리를 외쳤으나 동료들의 죽음에 대한 죄책감 때문에 죽을 수밖에 없었던 노동자 아버지가 남긴 상처, 그리고 사업을 확장하기 위해 불법과 폭력을 서슴지 않았던 사장 아버지의 비윤리성이 남긴 상처. 이 상처를 마주봄으로써 지은과 희재는 서로 위로받을 수 있었을지도 모르겠다. 그러나 이 위로와 결합을 위해 크레인은 자꾸만 감춰져야 했다. 결국 크레인의 사회성이 지워진 곳에서 개인적 위로와 구원이 가능했다고 말할 수도 있다.

지은과 희재가 결합하는 결말은 좀 다른 의미에서 일종의 판타지다. 불가능한 욕망의 가상적 충족이라는 점에서 그렇다. 크레인에서 자살한 아버지의 상처와, 파업을 불법으로 진압하고 노동자들의 죽음을 방조한 아버지의 상처가 사랑의 이름으로 결합하는 것은 그 대립의 수많은 맥락과 사연들을 생략한 곳에서만 가능한 개인적 소망 충족이다. 자신의 권리를 인정받지 못하고 인간으로 대우받지 못하는 노동자들과, 이윤을 위해 인간이기를 포기한 자본가들 모두 우리 사회의 비극적 구조를 표상하는 서로 다른 얼굴들이라는 분석이 불가능한 것도 아니다. 그러나 그렇기 때문에 이 상처와 상처가 결합하는 결말은 쉽게 충족될 수 없는 욕망이다. 노동자들과 자본가들의 상처를 같은 상처로 읽어내기 위해서는 이들의 삶이 얽힌 관계 구조를 더욱 복잡하게 탐구하지 않으면 안 되며, 그래서 이 상처를 더 넓은 맥락에서 통합적으로 읽어낼 수 있어야 할 것이기 때문이다. 그래서 소설의 사건을 만들어내는 근원적 장치였던 크레인은 화해의 근거가 되기도 하지만 그 결말은 끊임없이 지연될 수밖에 없었다.

이 지점에 판타지의 딜레마가 있다. 사회적 상징으로서 크레인과 망루를 내세우지만 그것이 한사코 현실적 맥락에서 분리될 수밖에 없는 이유는 사회적 주제만으로 만족할 수 없는 이면의 진실을 작가가 욕망하기 때문이다. 그 이면의 진실이 다시 사회적 주제의 육체를 풍부하게 할 수도 있겠지만, 이미 현실적 맥락에서 분리된 문학으로 그것을 온전히 만족시키기는 힘들다. 개인주의적 윤리의 차원으로 현실의 고통들이 흐려지거나 혹은 과장되고, 때로 가상적 욕망 충족으로 서사가 마무리되는 것은 판타지의 함정일 수밖에 없다. 뫼비우스의 띠처럼 서로 꼬리를 물고 있는 판타지의 딜레마가 좀처럼 해결하지 못하고 있는 어떤 지점을 『의자놀이』는 르포의 방법으로 내파하고 있는 것은 아닐까. 사실 자체를 탐구하고 기록하는 방법으로, 그것이 가진 무한한 진실에 접근하기 위해 우선 사실에 주목해야 한다는 문제 제기로써. 그렇다면 『의자놀이』는 효과적인 방법이었을까. 그것을 다시 물어야 한다.

3. 사실의 심층

르포는 사실의 장르이며 현장의 실감과 가치에 입각한 장르다. 르포를 "특정한 사회현상이나 사건에 대한 단편적인 서술이 아닌, 보고자(reporter)가 자신의 해석 등을 기반으로 하여 심층적으로 취재하고, 종합적인 기사로 완성하는 것"[10]이라고 정의할 때, 르포의 의의는 몇 가지 전제를 필요로 한다. 첫째, 특정한 사회현상이나 사건이 제도 언론에서 충분히 다루어지지 않았거나 왜곡되어 있다. 둘째, 르포는 보고자의 해석과 관점에 의해 서술된다. 셋째, 르포는 드러난 사건, 알려진 사실 이상의 것을 심층적으로 해석하고 종합할 수 있어야 한다. 『의자놀이』의 맥락에서 말하자면 쌍용자동차 사건은 제도 언론을 통해 충분히 보도되지 않았거나 왜곡된 형태로 단편적으로만 서술되었으며, 이는 우리 시대의 언론이 진실을 보도할 의무를 충실히 다하지 않고 있다는 사실과 연관된다. 『의자놀이』는 사건 당사자들의 고통에 대한 연민과 공감에서 출발하고 있지만, 그 연민과 공감은 파편화되어 흩어진 사건의 진상을 제대로 파헤치고 종합하겠다는 의욕과 연결된다. "그들에게 대체 무슨 일이 일어났던 것일까?"[11]라는 질문은 이 작품의 핵심적 메시지인 셈이다. 보기에 따라 충분하지 않을 수 있지만 『의자놀이』를 통해 쌍용자동차 사건의 원인과 과정, 그리고 결과는 상당히 충실하게 종합되어 있다고 할 수 있다. 우리 시대의 노동과 고용을 결정하는 자본과 국가권력의 본질에 대해 독자들은 이전보다 훨씬 비판적으로 접근할 수 있게 되었고, 그것이 우리 삶에 입힌 내상에 대해 더 심각하게 받아들이지 않을 수 없게 되었다.

작가가 "르포르타주라 했지만, 그냥 이 시대를 살아가며 해고자들과 함께 아파했던 한 작가의 사실 에세이"[12]라고 밝힌 바 있고, 작품의 출간 자체가 사태의 급박성과 문제의 심각성을 시급히 알리기 위해 기획되었다는 점을 감안하더라도, 좀 더 심층적인 취재가 아쉽기는 하다. 수많은 자료와 증언들이 참고되기는 하였지만, 쌍용자동차

---

10) 김원, 앞의 글, 193쪽.
11) 공지영, 앞의 책, 50쪽.
12) 공지영, 앞의 책, 5쪽.

사건 당사자들의 육성이 충분히 반영되지 않았다는 지점이 특히 아쉽다. 독자 입장에서 본다면 자본과 국가권력의 폭력은 용서할 수 없는 분노의 대상이지만, 그리고 거기에서 상처 입은 노동자들의 현재는 고통스럽지만, 그럼에도 불구하고 그들이 계속 싸울 수밖에 없는 이유, 현재를 살아가는 노동자들의 자의식에 대한 목소리가 더 궁금하다. 정작 주체가 되어야 할 노동자들의 목소리가 작가에 의해 대행된 서술 속에서 밀려나 있는 것은 아닌가 하는 의문이 든다. 이 부분이 중요한 이유는 『의자놀이』가 시민들에게 쌍용자동차 사건의 심각성을 알리고 그들과 연대하기 위한 캠페인적 성격을 띠고 있다는 점과 연관된다. 사건 당사자들이 사건의 주체로 부각되지 않는다면 그들은 지원과 관심이 필요한 수동적 대상으로 타자화될 수 있기 때문이다. 앞으로도 시민들의 관심과 지원이 더 필요한 것은 사실이지만 그들이 연민과 관심의 대상으로 타자화되는 것은 곤란하다. 그들이 우리 시대의 문제 지점을 떠안고 있는, 우리 시대의 병소(病巢)들을 체현하고 있는 존재들이며, 그래서 그들의 문제가 우리들 삶의 불안하고도 야만적인 기반이라는 점이 더 절실하게 공유되지 않는다면, 그리고 그렇기 때문에 싸움이 계속될 수밖에 없다는 점을 환기하지 못한다면, 쌍용자동차로 이어지는 관심은 장기간의 일회적 이벤트가 될 가능성이 있다.

취재의 부족과 작가적 관점의 과잉이 연동되어 있다고 말할 수도 있다. 작가는 사건 당사자들의 말을 대신하지만 그들의 말을 통해 서술이 교정되거나 관점이 확대되는 서사의 감동은 부족하다. 그 지점에서 르포는 폭로와 고발을 넘어서, 현장의 핍진성이 글쓰기를 규정하고 다시 글쓰기를 통해 현장이 재인식되는 상호 교차의 폭발력을 얻을 수 있을 것이다. 만약 쌍용자동차가 한국 자본주의의 현실을 단적으로 보여주고 있다고 말할 수 있다면, 그 자본주의는 앞으로도 계속 우리를 집요하게 괴롭힐 것이며, 그래서 고통은 쌍용자동차 이후에도 계속될 것이라고도 말할 수 있다. 사실의 기록이 더욱 깊숙이 사실 속으로 파고들어야 하는 이유도 여기에 있다. 쌍용자동차로 끝나지 않을 우리 시대의 자본에 대한 성찰이 계속되어야만 하기 때문이다.

그러고 보면 현재의 한국 문학장 내에서 발현되고 있는 판타지와 르포는 동일한 상황의 서로 다른 표현이라고 볼 수도 있을 것 같다. 현실의 위력이 너무나 압도적이어서 그것을 돌파할 문학적 방법이 묘연한 것, 이것이 판타지와 르포가 공통으로 부닥친 장벽이 아닌가. 부정적인 현실이 너무나 압도적이고 위력적이어서 판타지와 르포는 모두 그 현실을 파고들 동력을 얻지 못한다. 「물속 골리앗」이 시종 망망대해의 물바다에 압도될 수밖에 없는 것, 「옹기전」의 항아리가 '서쪽에 다섯 개가 있어'라는 말만을 반복할 수밖에 없는 것, 『파도가 바다의 일이라면』에서 자본가도 노동자도 모두 비극적 운명의 주인공으로 최후를 맞을 수밖에 없는 것, 『의자놀이』가 사실의 기록만으로 공공적 분노를 확산시킬 수 있었던 것은 아마도 이 압도적인 현실이 문학을 압박하고 있기 때문일 것이다. 퇴행하는 민주주의와 독재의 귀환이 최소한의 공동체적 윤리 감각을 마비시키고 있고, 그것은 인정사정없이 위세를 떨치고 있는 전 지구적 자본주의의 쇄도와 무관하지 않다. 『의자놀이』의 작가는 한 인터뷰에서 "작가의 상상력이 미치지 못할" 정도로 "현실이 잔인"하며 그것이 소설이 아니라 르포를 쓴 이유라고 밝힌 바 있다.[13] 소설의 상상력을 압도하는 현실의 잔인

13) 지승호·공지영, 「나는 약간 엉뚱한 일개 작가, 권력이 되는 것은 싫어요」, 『주간경향』

한 위력은 문학을 풍부하게 하기보다는 더 빈약하게 만든다. 작가가 압도하는 현실을 통과하지 못할 때, 판타지는 현실 자체의 충격파를 견디지 못하고 오히려 현실의 한 일면으로 위축된다. 급박한 위기감과 위압적인 폭력이 산재해 있는 곳에서, 르포는 언제나 현장 그 자체의 위력 속에서 사실과 맞선다. 그러나 기록 이후, 기록 이외의 것을 기억하는 곳에서 르포의 증언과 고발이 지속될 수 있다는 점도 분명하다. 판타지와 르포가 동시에 멈춰선 자리, 그 공백이야말로 우리 문학이 마주친 가장 절실한 과제일지도 모른다.

아마도 망루와 크레인은 한동안 사라지지 않는 우리 문학의 상징이 될 것인데, 그 상징만으로도 우리 문학의 짐은 무겁다. 그리고 망루와 크레인에 대해서 문학은 더욱 심층적이고 근본적이 되지 않으면 안 될 것이다. 망망대해에서 홀로 외로운 크레인의 의미를 파고들고, 보도블록 아래에 파묻힌 항아리의 실존에 대해 더 고민하며, 쌍용자동차의 도시 평택에서 벌어진 노동자들의 비극을 더 성찰하는 것, 이 과제 앞에서 판타지와 르포는 서로를 참조해야만 할 것이다. 현실이 바뀌지 않는 곳에서 문학이 홀로 바뀔 수 없다는 것은 분명하지만, 대선을 앞두고 정치의 변화가 제일의 희망 사항이 되어 있는 상황이지만, 그것으로 판타지와 르포가 손쉽게 융합될 수 없으리라는 것은 분명하다. 무력한 당위가 돌파구를 만들 수 없겠지만 판타지와 르포가 공통으로 마주친 장벽이 새로운 가치를 찾는 출구가 될 수는 있을 것이다.

(『실천문학』, 2012년 겨울호)

999호, 2012. 11. 6.

탈현실의 문학에서 현실을 묻다

1. 다시 환상에 관해 말한다면

소설과 환상에 관한 것이라면, 이미 새로운 이야기는 아니다. 장르의 본질이라든가 서사문학의 전통과 관련하여 말한다면, 근대소설 탄생 이전의 고전소설이나 설화로부터 시작하여 근대문학의 역사 속에서도 현실을 초월한 환상의 감각을 거론하는 일은 어렵지 않다. 최근의 문학에 범위를 한정하여 본다고 하더라도 현실의 중력으로부터 벗어난 '무중력의 글쓰기'를 2000년대 소설의 새로움으로 명명한 비평 논의가 이미 있었고,[1] 몇몇 계간지가 장르문학의 영향력이라는 주제로 환상의 문제를 전경화하는 기획을 시도한 예도 있다.[2] 최근

---

1) 이광호, 「혼종적 글쓰기, 혹은 무중력 공간의 탄생」, 『이토록 사소한 정치성』, 문학과지성사, 2006.

2) 대표적인 예로 『작가세계』 2008년 봄호의 「기획특집―장르문학 혹은 라이트 노블」, 『창작과비평』 2008년 여름호의 「장르문학과 한국문학」 특집, 『문학수첩』 2008년 가을호의 「소설의 경계, 혼종의 문법」 등을 들 수 있다.

한국소설의 특징으로 '서사의 해체 현상'을 거론한다면[3] 그 세부 항목 중 하나는 환상의 몫이 될 것이다.

소설이 사실주의적 기율에 존재의 근거를 둔다는 것은 상식이지만 그 사실주의적 기율이라는 것이 자연적인 세계에서 설명 가능하고 확인 가능한 구체적 사실만을 대상으로 삼지 않는다는 것도 상식이다. 환상을 사실과 대립하는 것으로 그래서 그 둘은 공존할 수 없는 것으로 마주 놓는 것은 해석의 편의를 위한 과장된 분리법인 것도 분명하다. 그럼에도 불구하고 이 자리에서 환상의 문제를 논하는 이유는 아마도 그것이 최근에 이르러 거의 압도적인 경향으로 드러나고 있기 때문일 것이다. 사실주의적 인과율을 떠난, 전통적 소설 문법과는 차별적인 작품 세계를 보여주었던 작가들이 그들의 작품집을 속속 묶어냄으로써[4] 급격히 출몰하는 다양한 환상의 문법들이 새로운 징후라기보다는 지배적 경향임을 보여주고 있다. 이는 분명 우리 문학이 이전과는 다른 환경에서 다른 서사의 방향을 모색하고 있다는 표지이기도 하다.

돌이켜 보면, 우리 문학은 꽤 오랜 기간 동안, 환상에 대한 상당한 양의 용례들을 축적해 왔고 그것은 이제 어떤 계보를 짐작할 수 있을 정도의 수준에 이르렀다. 소설 속 환상의 문제가 특별히 최근에 급격

---

3) 「좌담—한국 소설의 현재와 미래」, 『문학과 사회』, 2009년 봄.

4) 최근에 출간된 작품집 목록을 보더라도 구병모의 『아가미』(자음과 모음, 2011), 윤이형의 『큰 늑대 파랑』(창비, 2011), 황정은의 『百의 그림자』(민음사, 2010), 최제훈의 『퀴르발 남작의 성』(문학과지성사, 2010), 염승숙의 『노웨어맨』(문학과지성사, 2011), 김중혁의 『좀비들』(창비, 2010) 등은 새로운 세대의 개성이라 할 만한 작품세계를 보여주고 있으며 여기에는 환상의 요소가 어떤 방식으로든 중요한 역할을 하고 있다. 이 밖에 편혜영의 『저녁의 구애』(문학과지성사, 2011), 김숨의 『간과 쓸개』(문학과지성사, 2011), 박민규의 『더블』(창비, 2010)을 포함하면, 대충 추려보더라도 현재의 한국 소설에서 환상이 차지하는 비중은 거의 압도적이라고 말해도 될 정도다.

히 대두된 화제도 아니며, 그러므로 그것을 우리 문학의 새로움으로 성급하게 의미화하는 것을 경계할 필요도 있다. 새로움을 명명하려는 욕망은 자주 과거의 것과 현재의 것을 단절시킴으로써, 새로움을 근거로 낡은 것/새로운 것의 이분법을 촉진한다. 그렇게 분절된 새로움의 징후들은 다른 새로움의 욕망으로 연쇄되고 그래서 비평 담론은 자주 우리 시대의 문학적 고민들을 소비하고 소멸시키기도 한다. 그렇지만 이 환상의 사례들을 통해 우리 문학이 현재 다다른 자리, 고민의 거점들을 살펴보는 일은 충분히 유의미하다고 생각한다. 이 글에서는 여전한 것과 달라진 것의 경계에서 드러난 문학적 곤혹의 한 장면으로 환상을 읽어보고자 한다. 이를 위해서 환상의 문법이 태생적으로 짐 지고 있을 수밖에 없는 그림자, 현실의 맥락들을 잊지 않는 것은 중요하다. 섣부른 단절의 정치학을 경계하기 위해서다. 그러기 위해서는 우선, 현재 우리 문학이 보여주는 환상의 문법, 그 행로의 궤적과 거기에서 드러나는 고민의 근거들을 최대한 성실하게 존중해야 할 것이다.

2. 이야기는 '책'이라는 창으로부터

도대체 이들에게 무슨 일이 일어난 것일까. 혹은 어느새 우리 문학의 주요 경향을 좌우할 정도로 성장한 새로운 작가들이 처해 있는 문학 환경은, 그리고 그들이 추구하는 문학의 방향은 어떤 것일까. 글쓰기의 정체성에 대한 질문, 그리고 그것을 통해 자신의 문학 세계를 구축하고자 하는 욕망은 작가들에게 있어서는 근원적인 고민에 해당한다. 그러므로 글쓰기에 대한 소설, 소설 쓰기에 대한 소설은 작가의 문학적 정체성을 탐색하는 데 있어서 충분하지는 않지만 유용한 자료가 된다. 이를테면 윤이형의 「맘」(『큰 늑대 파랑』, 창비, 2011)과 같은 작품을 통해서다. 시간 여행이라는 SF적 요소를 모티브로 삼고 있지만 이 소설은 결국 실종된 엄마의 흔적 찾기며 거기에서 비롯되는 기억과 실재의 괴리, 글쓰기의 불안에 관한 이야기이기도 하다. 이야기는 단순하다. 엄마가 실종되었고 엄마가 이동한 시간을 찾기 위해 딸은 엄마의 흔적을 추적하지만 점점 더 엄마를 알 수 없다는 절망감에 시달린다. 엄마가 과거로 이동했다는 딸의 추정과는 달리 엄마는 미래로 이동하였는데 그 이동의 안내서는 딸이 쓴 소설이었다. 흥미로운 것은 엄마의 과거와 엄마가 이동한 미래라는 대립쌍을 통해 이 작가의 글쓰기가 기반해 있는 전제를 확인할 수 있다는 점이다. 엄마의 평소 생활, 앨범을 통해 본 엄마의 과거, 엄마에 대한 기억을 추적하여 딸이 얻어낸 단서는 세 가지였다. 모차르트, 월북한 외할아버지, 그리고 자신을 낳은 산부인과. 예측은 모두 어긋났다. 엄마는 과거가 아니라 미래로 이동했기 때문이다. 모차르트가 고전적 교양과 취미라면 엄마가 보고 싶어 했던 타이거 우즈의 미래는 스포츠 산업이 낳은 대중적 관심의 한 상징이다. 딸을 낳은 산부인과가 엄마가 기대고 싶었던 유일한 기억이었을 거라는 딸의 짐작과는 달리 엄마는 딸이 낳은 소설, 그것이 그려내는 미래로 이동한다. 그리고 월북한 외할아버지라는 기표는 딸에게는 물론이고 엄마에게도 어떤 기억으로 남아 있는지 알 수 없다. 월북한 외할아버지라는 익숙한 상징이 현재의 엄마를 재구성하는 데 아무런 영향도 미치지 않는 세계, 중요하지 않아서가 아니라 알 수 없으므로 아무런 감흥도 일으키지 않는 이 세계야말로 이 젊은 작가가 자신의 문학적 기반으로 삼고 있는 세계이지 않을까. 이 세계는 분명 과거의 역사로부터 현재를 구성하고, 그 현재의 삶으로부터 미래를 짐작하는 세계는 아니다. 그래서 이 소설은 이를테면 현실의 표면과 이면을 탐색하고, 그 인과와 상처를 문학의 재료로 삼아 재현하는 세계와 의식적이든 무의식적이든 결별하고 있다. "인류가 끝없이 어리석은 일을 되풀이하고는 있지만 언젠가는 지금보다 나은 세계를 만들 수 있을 거라고 소현은 믿었다. 회한에 젖어 이미 지나간 과거를 뒤적이기만 한들 무슨 소용이 있단 말인가?"[5] 엄마와 딸, 현재와 미래를 이어주는 유일한 통로는 딸이 쓴 책이다. 기억이나 경험이 아니라 책이 유일한 증거이자 안내가 되는 세계, 기억과 경험을 불신하면서도 책에 대한 신뢰를 거두지 않고 있는 작가에게 텍스트로 둘러싸인 세계는 때로 상상력의 감옥이 될 수도 있다. 그렇지만 확실한 것은 텍스트가 떠받치고 있는 소설의 세계란, 기억과 경험과 실재에 대한 불신, 혹은 불안에서 태어난 세계라는 점이다.

책에 관해서라면 또 한 편의 흥미로운 자료가 있다. 최제훈의 「퀴르발 남작의 성」이다. '퀴르발 남작의 성'이라는 가상의 영화와 이를 리메이크한 '도센 남작의 성'을 사이에 두고 대학의 교양수업, 블로그의 리뷰, 리포트, 인터뷰, 비평이 뒤섞여 한 편의 소설이 구성되는 과정은 해설에서 지적하는 바와 같이 "난장의 탈주를 통해 다채로운 이질 혼성적 이야기들이 변형 생성"[6]되는 과정이기도 하다. 영화의 모티브와 감독의 착상, 혹은 후대의 평가에 의한 신화화, 그 사이에 개입하는 영화제작의 세속적 메커니즘과 같은 우여곡절, 분분한 해석의 허구성 등이 조각난 이야기들의 틈새에서 날카롭고 유머러스하

---

5) 윤이형, 「맘」, 『큰 늑대 파랑』, 창비, 2011, 310쪽.

6) 우찬제, 「난장의 문화 공학과 그 그림자」, 『퀴르발 남작의 성』, 문학과지성사, 2010, 286쪽.

게 재구성된다. 원작과 변형, 재창조의 과정에서 '유일한 작품'이라는 예술성은 해체되고 거기에 개입되는 각종 해석들은 점점 텍스트로부터 멀어져 가거나 혹은 무한히 새로운 텍스트를 만들어낸다. 이 소설은 문화 산업과 문화 텍스트의 관계, 허구와 현실의 격차, 담론의 허구성과 자의성 등, 예술작품과 그것의 감상, 혹은 제작과 유통, 의미화의 문제에 대한 일종의 견해 표명인 동시에 해석과 풍자, 유희를 섞어 놓은 조롱이기도 하다. 소설의 제작 방식에 대해서, 혹은 소설이 지향하는 세계관에 대해서 이 작품은 많은 이야깃거리를 제공하지만, 여기에서는 일단 이 작품 역시 '책'을 구심점으로 모든 이야기가 상상되고 만들어진다는 점에 주목하기로 하자. 물론 '책'이란 일종의 은유다. 이 작품에서 '책'이란 '퀴르발 남작의 성'이라는 텍스트를 말한다. 이 텍스트 역시 실재하는 텍스트는 아니다. 사드의 『소돔의 120일』에서 모티브를 얻은 가상의 영화는 또 다른 허구의 사건과 비평과 담론 들을 만들어낸다. 영화, 혹은 책이라는 텍스트를 상상과 허구의 근간으로 삼는 태도에는 우리들의 삶이 만들어진 것, 말해진 것으로 둘러싸여 있으며 그것이 문학작품 생산의 환경이라는 인식이 전제되어 있다. 언어의 자명성에 대한 회의, 현실 인식이라는 개념의 무용성 또는 불가능성이라는 포스트모던 시대의 세계관은 이처럼 천연덕스럽고 유쾌한 또 다른 텍스트를 만들어내는 근간이 되는 것이다. 아마도 이즈음의 우리 문학에서 거침없이 출몰하는 환상의 문법은 이처럼 텍스트에 의해 중개된 세계를 기반으로 또 다른 이야기를 만들어내는 소설 쓰기의 과정과도 연관이 있을 것이다. 요컨대 실물의 세계가 소설의 이야기에 그다지 중요한 의미를 갖지 못하는 상황이 온 것이다. 물론 이러한 소설 쓰기가 현실의 무게를 휘발시킨 채 이야기 만들기의 유희에 골몰하는 결과를 낳는다는 비판은 가능하다. 그렇지만 우선, 이미 개인의 인식으로는 감당하기 힘들 만큼 넘쳐나는 정보와, 거기에서 생산되는 수많은 2차 텍스트들이 우리를 포위하고 있는 환경을 이해하지 않으면 안 된다. 또한 국가와 산업과 미디어와, 그 모든 것들이 이미 자동적으로 작동되는 시스템의 망이 우리를 장악하고 있어서, 우리가 어떤 것을 현실이라 섣불리 부를 수 없도록 우리의 시야를 차단하거나 혹은 흡수해 버렸다는 사실이 충분히 고려되지 않으면 안 된다. 환상의 문법을 만들어내는 메커니즘은 어쩌면 여기에서 발원하는 것은 아닐까.

3. 판타지는 또 하나의 관습일까

하나의 사실은 때로 열 개의 담론으로 표상된다. 그 담론 속에 드러난 사실은 모두 제각각이라 어떤 것을 진실이라 말해야 할지 알 수 없다. 그러므로 수많은 담론은 모두 허구이거나 또는 모두 각각의 진실이다. 그러니 흥미로운 것은 우리들의 삶을 지배하고 있는 현실은 무엇인가가 아니라 각각의 현실들이 어떻게 말해지고 있는가다. 우리 시대를 살아가는 구체적인 삶의 면면 대신 '책'으로 대표되는 텍스트가 작품 생산의 원천이 되는 까닭이 여기에 있다. 그리고 환상을 만들어내는 또 하나의 기제, 장르 소설의 문법을 거론해 볼 수 있겠다.

"장르 영화는 친숙한 상황 속에서 친숙한 등장인물들이 친숙한 이야기를 펼치는, 반복과 변주를 통한 상업 장편 영화"[7]라는 정의를 참고한다면 장르 소설도 대략 유사한 범주에서 정의될 수 있을 것이다.

---

7) 이상용, 「한국문학 속 장르문학, 장르문화 속 한국문화」, 『작가세계』, 2008년 봄, 235쪽.

즉 장르 소설은 친숙한 관습을 통해 독자와 소통하는 일군의 대중문학을 지칭한다고 일단 정의할 수 있다. '관습'과 '대중'이라는 코드 때문에 비평가들에게 장르문학이 그다지 환영받지 못한 영역인 것은 분명하다. 최근의 비평담론이 장르문학에 이례적인 관심을 표명하는 현상은 '관습'과 '대중'이라는 코드에 대한 불편함이 어느 정도 희석되었으며 나아가 순문학/대중문학이라는 구분 자체가 이전처럼 확실하게 존재하지 않는다는 사실의 증거이기도 하다. 이는 물론 장르문학의 관습을 자신의 개성적인 창작 기반으로 활용하고 있는 작가들이 등장한 것과 무관하지 않다. 또한 인터넷이 생활의 일부가 된 현재의 문화 환경 속에서 성장한 독자들은 장르의 문법 자체를 익숙한 것으로 받아들이고 있으며 작가들도 예외가 아니다. 이미 대중문화와 인터넷 환경을 기반으로 성장하고 이러한 매체들로부터 비롯된 감수성을 자신의 것으로 체화한 작가들에게 장르문학은 더 이상 낯설거나 경계해야 할 영역이 아니다. 조금 범위를 확장하자면 앞서 언급한 '책' 혹은 '텍스트'라는 매개는 장르문학의 활용에서도 유사하게 적용될 수 있는 문제가 된다. 이 경우 '텍스트'는 장르문학의 '관습'이 된다. 이를테면 무협 소설의 구조, 호러 소설의 이미지, 판타지나 게임 서사의 아이템 같은 것들이 그것이다. 장르문학에 익숙한 작가들에게 장르문학의 '관습'은 현실을 중개하고 소설을 만들어내는 또 하나의 원천이다.

예컨대 무협 소설의 관습을 차용한 박민규의 「절(龘)」(『더블』, 창비, 2010)은 그 자체로 무협 소설의 관습에 대한 패러디이며 그것을 통해 현실을 간접적으로 드러내는 방식이다. 무협 소설에서 부모를 모르고 태어난 주인공은 갖은 시련을 겪지만 절대 무공을 연마하고, 마침내 부모의 원수를 갚았으나 복수와 원한의 허망함마저 세상에 놓아둔 채로 표표히 자신만의 세계로 떠나곤 했다. 현실을 초월한 절대 무공의 세계는 속악한 현실을 벗어나고 싶어 하는 대중의 욕망을 반영한 것이기도 하다. 그러나 그 초월의 세계는 무협의 관습 내에서만 위대하고 경건할 뿐, 현실과 대조되는 순간 황당하고 우스꽝스런 코미디가 되고 만다. 무협의 관습은 다양한 액션물로 변형되어 불패의 영웅을 창조하지만, 자주 황당하고 조잡한 B급 영화의 범주 안에서 재생산되거나 또는 자주 코미디의 소재가 되기도 한다. 무협은 그것의 관습 내부에서는 숭고하지만 일상의 세계에서 본다면 지나친 과장이고 엄숙인, '후카시'의 위엄이다. 그리고 박민규의 「절(𪚥)」은 무협의 관습과 속된 일상의 세계를 섞어 놓음으로써 무협물을 코미디로 만들어 놓는다. 무림의 고수들은 고속도로에서 축지법을 쓰다가 교통사고를 당하고 얼치기 폭력배들을 절대 무공으로 제압하려다가 폭력 사건으로 경찰서에 끌려간다. 이러한 구도에 과거 반독재 민주화 투쟁을 하다가 수감된 이정록이 등장했을 때, 반독재 민주화 투쟁의 이상과 대의는 무협 소설의 '후카시'로 전환되고 그가 보는 세계는 속악하고 천박해서 오히려 낯선 곳이 된다. 그것은 단 한 번의 주먹으로 상대를 제압하는 권왕이 '나와바리'를 다투기 위해 회칼을 휘두르는 조폭을 상대해야 했을 때의 아연함과 같은 것이다. 소설이 장르의 문법을 수용하면서 현실은 장르의 구도로 귀속되며 그 과정에서 단순하게 도식화된다.

윤이형에게 있어서 장르 소설의 관습 자체가 소설을 만들어내는 원천적 도구며 현실을 사유하는 창이다. 절망적이고 암울하며 그래서 공포스러운 현실은 도시를 뒤덮은 좀비 떼의 습격으로 전환되며(「큰 늑대 파랑」), 잘 만들어진 세계의 정밀한 시스템을 뚫고자 하는 자유에의 욕망은 공간의 경계를 유영하는 비행선으로 전환된다.(「완전한 항해」) 윤이형이야말로 "인터넷게임 서사나 SF와 같은 장르예술의 경험이 현실적 삶의 경험과 동등한 지위를 주장하고 더 나아가 오히려 그곳에서 현실보다 더한 리얼리티를 발견하는 것이 자연스러운 세대"[8]라고 할 수 있다. 그런데 장르문학의 관습을 스스로 체화한 이 작가가 관습의 세부를 채워 나가는 과정에서 관습과 현실의 교차, 혹은 환상과 현실의 접점들이 종종 발견되곤 한다. 예컨대 「큰 늑대 파랑」에서 현실의 무게를 감당하지 못한 젊음들의 고통이 드러나는 장면이 그렇다. 사이버 공간에서 늑대 파랑을 창조한 4명의 인물들은 재미있는 것, 좋아하는 것으로 삶을 꾸려 나가길 희망했으나 현실은 그렇게 녹녹치 않다. 각자가 원하는 삶을 찾아 직장을 얻고 혹은 생계를 꾸리면서 자신만의 세계를 얻고자 했으나 이상과는 다른 현실 때문에 원하지 않는 일들에 허덕이는 인물들은 곧 우리 시대의 청춘이 처해 있는 절망적인 현실에 다름 아니다. 여기에서 좀비들이 출몰하는 공포의 환상은 자신이 원하는 삶을 살 수 없는 인물들의 절망과 겹쳐지면서 현실에 대한 극사실적인 감각으로 치환된다. 그런데 이 소설의 결말은 사이버 공간에서 자라 나온 늑대를 타고 손도끼를 손에 들고 사랑을 찾아 떠나는 '아영'의 모습으로 마무리된다. 장르문학의 관습적 결말로 회귀하는 것이다. 그로 인해 나머지 3명의 인물, 정희, 사라, 진혁의 삶은 좀비가 되어 사라진다. 물론 좀비가 된 인물이란 이 세계에 절망한 청춘들의 분노이자 원한의 다른 모습이기도 할 것이다. 윤이형에게 장르문학의 관습이 세계를 읽는 창이자 소설의 원천적 도구라는 것은 이런 의미에서다. 환상과 관습을 비집고 출몰하는 현실에 대한 고통스러운 감각조차도 장르문학이라는 관습 안으

8) 김영찬, 「한국소설의 장르문학적 상상력」, 『문학수첩』, 2008년 가을, 51쪽.

로 흡수되며, 그래서 소설이 뿜어내는 환상과 현실 사이의 날카로운 긴장은 다시 익숙한 관습으로 회귀한다. 관습에서 비껴나가면서 이질적으로 드러나는 현실의 정체를 탐색하는 일은 도중에서 중단되거나 혹은 관념적인 방식으로 비약되는 것이다.

4. 환상의 거울에 비치는 현실의 그림자

이미 만들어진 텍스트의 세계, '책'이거나 '영화'이거나 익숙한 '관습'이거나 한 현실의 대리물들을 거쳐 왔으니, 이제 그 '환상'들이 무엇을 말하고 있는가를 물을 차례다. 탈현실이든 비현실이든, 혹은 다른 현실이든 '환상'은 언제나 현실의 문제를 환기한다. 예컨대 이미 가공된 텍스트가 작가의 시야를 둘러싸고 있다고 하더라도, 그래서 그 텍스트가 현실과 문학 사이의 거리를 애매하게 만들거나 비틀어 놓는다고 하더라도 작가가 감지한 현실의 어떤 징후들이 그 상상력을 만들어내는 것은 분명하겠기 때문이다. 또는 독자들은 환상의 서사, 환상의 이미지를 통해 자신이 경험한 현실을 유추하는 오랜 습관을 갖고 있기 때문이기도 하다. 그러므로 환상이 이를테면 종래의 문학이 현실을 그려내는 방법에 대해 의식적인 반감을 갖고 있다는 증거라 하더라도, 거기에서 현실을 원천적으로 삭제하는 것은 그다지 효과적이지 않다. 문제는 어떤 현실이며, 현실에 대한 어떤 태도인가를 좀 더 섬세하게 분별하는 태도다.

그런데 환상이 현실의 근거로부터 멀리 떨어지면 떨어질수록 그것은 추상화되거나 개인적인 상징으로 주관화되는 경우가 많아서 비평적 분석의 틀로 의미화하기 쉽지 않다. 해석이 불가능하다는 것이 아니라 역시 주관적이고 자의적인 분석이 될 가능성이 많다는 이야기다. 접근의 편의를 위해 그럴 경우 환상과 그것이 근거하고 있는 현실의 관계가 비교적 뚜렷한 작품으로부터 출발해 보는 것도 방법일 수 있다. 이를테면 또 박민규의 경우다.

앞서 언급한 「절(𪚥)」의 경우 무림의 4룡은 더 이상 그들의 무공을 펼칠 수 없는 세상에 접하여 무림의 비서(秘書)에 따라 다른 세상으로 이동하기로 결정한다. 그것은 소멸을 의미하는 것이기도 하고 다른 차원을 찾는다는 의미이기도 하다. 4룡이 모여 이 세계로부터의 소멸을 결의하고 이정록의 의사를 묻는다. 자네는 어쩔 텐가.

뜨고 싶은 세상이기도 했고, 할 일이 더 많아진 세상인 듯도 했다. 부패를 못 막으면 발효라도 시켜야 할 거 아닌가. 움막에서 들었던 검제의 일언도 다시금 머릿속에 오롯이 떠올랐다. 하릴없는 마음으로 이정록은 전화기를 꺼내 들었다. 잠결의 딸이 쉰 목소리로 전화를 받았다. 그 목소리에, 문득 사별한 아내가 그리운 마음이었다.

민주니?

오…… 뭐야 아빠. 이 시간에.

미안하구나…… 급히 좀 할 말이 있어서 말이다.

글쎄 뭐냐니깐?

민주야…… 만일 말이다…… 아빠가 사라지면 너 어떻게 살래?

나 원, 별 걱정을 다 하네…… 언제 아빠가 경제 책임진 적 있어?

그래, 할 말이 없구나…….

그래도 민주야…… 경제가 전부는 아니잖니.

몰라. 어려운 얘기 하지도 마. 난 돈이 전부야. 또 이상한 사람들하고 같이 있지?

그게 무슨 말이냐.

아, 몰라 끊어. 그리고 아빠…… 제발 개량한복 좀 입지 마! 나 쪽팔려 죽겠어.[9]

무협의 언어와 현실의 언어가 적나라하게 부딪치는 순간, 무협의 비장함은 일순 공허해지며, 그와 동시에 현실 역시 어찌할 도리 없이 막막한 것이 된다. 이미 절대 무공의 눈으로 현실을 읽어 온 이후의 일이기 때문이다. 그것은 이를테면 권왕의 주먹이 조폭들의 패싸움과 대비되고, 천마의 축지가 고속도로를 질주하는 유학파의 페라리와 대비되며, 혹은 4룡의 무공이 삼성의 절대 권력과 비교되는 것과 같은 방식이다. 판타지의 눈으로 바라본 현실세계는 한심하며 비루한데 도무지 막무가내라서 어떻게 해 볼 수가 없는 세상인 것이다. 그래서 이정록이 딸과의 통화를 통해 확인하는 이 실물의 세계는 도저한 허무로 가득 차 있다.

판타지의 세계와 현실의 세계를 병치시키는 방법은 박민규가 자주 사용하는 방법인데,[10] 이를테면 전작 『카스테라』(문학동네, 2005)에 실린 소설들 역시 그렇다. 「그렇습니까? 기린입니다」에서 마지막에 아

---

9) 박민규, 「절(𪚥)」, 『더블』 side B, 창비, 2010, 115~116쪽.

10) SF적 문법에 의거한 「크로만, 운」 같은 작품이나 장편 『죽은 황녀를 위한 파반느』 같은 작품도 이에 해당한다. 「크로만, 운」에서 자신만의 우주를 만들기 위해 시련을 겪는 크로만의 피투성이 모험은 사실은 밑바닥 인생을 전전하는 빈스가 전 재산을 털어 만든 가상의 세계였다. 가상의 세계조차도 도무지 어떻게 해 볼 수가 없는 현실의 막막함과 거기에서 무기력한 인물들의 허무와 동일하다는 결론은 박민규의 소설세계가 도저한 허무주의에 입각해 있음을 알게 한다. 한편으로 그것은 씁쓸하고 고통스러운 현재에 대한 냉정한 적시이지만, 또한 미리 판단된 허무에 의한 현실 이탈이기도 하다.

버지가 기린이 되어 나타나는 장면이 대표적일 텐데, 아버지가 기린이 되는 환상은 푸쉬맨이라는 직업이 상징하는 비인간적인 도시 생활, 시급과 노동과 거기에서 비롯되는 자존감의 상실과 세계에 대한 절망감에서 기인하는 것이다. 그런데 「절(龘)」에서 판타지가 현실과 관계맺는 방식은 「그렇습니까? 기린입니다」와는 조금 다르다. 기린의 환상이 견딜 수 없이 압도하는 세계의 무게에 대응하는 주체의 반응이라면, 절대 무림의 환상은 이미 도무지 이해할 수도 살아갈 수도 없는 세계에 대한 무력감과 그로 인해 증폭되는 허무에 연결된다. 현실의 인과가 환상을 설명하는 방식과 이미 환상의 형식으로 휘발된 현실에 대한 무력감은 조금 다르다. 「절(龘)」이 겨냥하는 세계가 절대 무공의 허구적 환상인지 아니면 엉망진창인 이 세계인지를 알 수 없는 까닭도 이 때문이다. 절대 무공의 판타지가 허망한 것과 마찬가지로 이 세계에서 살아가는 일 역시 허망하다는 인식, 그래서 환상도 현실도 모두 허공에 있다.

굳이 말하자면 황정은의 『百의 그림자』는 기린의 세계의 연장이라고 볼 수 있다. 철거 직전의 용산전자상가를 배경으로, 거기에서 살아가는 사람들이 이 소설을 끌고 나가지만 실제로 이 이야기의 주인공은 그림자다. 인물들은 그림자가 일어선다거나 그림자를 따라간다거나 하는 말을 자주 하는데, 일어서거나 홀로 가 버리는 그림자는 현실에서 일어날 수 없는 환상이지만 또한 그 현실로부터 비롯되는 현실의 다른 얼굴이다. 평생을 선량하게 지켜온 일터를 얼마간의 보상을 받고 내 주는 것이 당연한 절차인 이 세계의 법은 일종의 무례이거나 폭력인데 그 무례와 폭력에 상처받은 마음, 존엄 그리고 고통이야말로 그림자의 실체이기 때문이다. 그래서 그림자는 고독이고 모멸감이고 때로 두려움인 우리들의 분신이다. 모두 그림자 하나씩 안고 살아간다. 누군가는 경제적 불평등에 대한 분노로, 누군가는 인간으로서 참을 수 없는 모욕으로, 누군가는 그래도 살아갈 수밖에 없는 일에 대한 절망감으로, 또 누군가는 그러므로 살아가는 일의 한없는 막막함과 두려움으로, 어느 순간 벌떡 일어나 다른 세계로 가 버리려는 그림자를 억누르면서 겨우 살아간다. 겨우 살아갈 수밖에 없는 세계의 고통과 막막함이 그림자의 환상으로 현현하고 있는 것이다.

그래서 언제나 나와 함께 움직이는 나의 분신이지만 빛의 양과 위치에 따라 늘어지거나 짙어지거나 비껴서 있는 그림자는 우리가 살고 말하고 생활하는 세계 이면에 다른 무엇들이 존재하고 있음을 알게 한다. 그것은 철거와 보상과 이주의 법 절차로 말할 수 없는 삶이거나 기억이거나 사랑일 터이고, 경찰과 업체와 상인이나 주민이라고만 말할 수 없는 삶의 다른 총체이기도 할 터다. 그래서 그림자는 보다 근본적인 것에 대해 묻는다. 이렇게 살아가는 것이, 혹은 이렇게 살아갈 수밖에 없는 우리의 세계는 옳은 것이냐고. 이를테면 다음과 같은 '무재'의 말이다.

사람이란 어느 조건을 가지고 어느 상황에서 살아가건, 어느 정도로 공허한 것은 불가피한 일이라고 생각했거든요. 인생에도 성질이라는 것이 있다고 말할 수 있다면, 그것은 본래 허망하니, 허망하다며 유난해질 것도 없지 않은가, 하면서요. 그런데 요즘은 조금 다른 생각을 하고 있어요.

어떤 생각을 하느냐고 나는 물었다.

이를테면 뒷집에 홀로 사는 할머니가 종이 박스를 줍는 일로 먹고산다는 것은 애초부터 자연스러운 일일까, 하고.

무재씨가 말했다.

살다가 그러한 죽음을 맞이한다는 것은 오로지 개인의 사정인 걸까. 하고 말이에요. 너무 순한 것일 뿐, 그게 그다지 자연스럽지는 않은 일이었다고 하면, 본래 허망하다고 하는 것보다 더욱 허망한 일이 아니었을까, 하고요.[11]

결국 그림자의 세계가 말하는 것은 허망함이다. 그 허망함은 인간이란 본래 허망하다라고 할 때의 허망함이 아니라 도무지 자연스럽지 않고 부당하기 짝이 없는데도 불구하고 아무 일도 없었다는 듯이 앞으로 나아가고 있는 이 세계의 허망함이다. 최근의 문학에서 출몰하고 있는 환상들은 바로 이 허망함을 말하고 있는 것은 아닐까. 괴물이 되어 버린 이 세계의 불구성, 그럼에도 불구하고 어떻게 할 수 없어서 그림자를 억누르면서 그저 살아갈 수밖에 없는 불가항력의 세계에 대한 허망함 말이다. 물론 『百의 그림자』는 그림자를 억누르며 함께 살아가고 있는 사람들의 삶이 있어서, 그림자를 따라가지 않도록 서로의 손을 잡아주는 사랑이 있어서 아직은 겨우 견딜 수 있다고 말하고 있지만, 그것은 선량한 사람들이 만들어낸 동화와 같은 세계다.

5. 미성년의 동화, 혹은 노년의 비가(悲歌)

『百의 그림자』가 동화의 세계라고 하는 까닭은 인물들이 하나같이 선량해서 서로의 그림자를 알아봐주고 그 그림자에 서린 우울과 고독과 고통을 이해하고 있는 반면에 그들의 그림자를 일어서게 하는 이 세계의 위해는 직접적으로 드러나지 않기 때문이다. 그래서 이 소

---

11) 황정은, 『百의 그림자』, 민음사, 2010, 144쪽.

설은 용산 전자상가를 배경으로 하고 있지만 해설에서 밝히고 있는 바처럼 용산참사와 직접 관련된 소설은 아니다.[12] 철거와 폭력과 분노와 싸움의 현장에서 일어나는 현실의 언어들이 이 소설에는 개입되지 않는다. 당연하고 자연스럽게 여겼지만 사실은 어이없이 부당한 이 세계의 불구성은 이 선량한 눈 덕분에 아주 낯선 방식으로 환기된다. 그런 한편으로 이 동화같이 아름답고 선량한 세계는 현실의 직접적 불구성과 섞이지 않음으로써 여전히 불안한 위안으로 아름답게 보존될 가능성도 있다.

그렇게 본다면 이 소설의 세계는 성장을 멈춘 미성년의 세계라고도 할 수 있을 것인데, 물론 이 미성년의 언어는 다분히 의도적인 것이다. 왜냐하면 성장을 통해 진입할 성년의 세계란 민주화 투쟁의 경력을 발판 삼아 정치인이 되거나 변호사가 되는 세계(박민규, 「절(龘)」) 이며, 기업의 이미지를 높이기 위해 외국인 노동자 밴드를 이용하는 세계(윤이형, 「큰 늑대 파랑」), 늘어나는 자살률을 줄이기 위해 어딘가 탐사할 곳을 제공하는 국가의 시스템(박민규, 「깊」) 등등과 같은 것이기 때문이다. 그래서 미성년의 동화는 이미 비루한 법이 되어 버린 성년의 세계에 대한 의도적인 회피이고 불안한 외면이기도 하다.[13] 미성년의 언어로부터 성년의 세계에 대한 거리두기 효과가 발생하는 것도 사실이지만 이러한 방식의 반복은 이른바 기성의 세계가 가진 불구성과 폭력성을 '원래 그런 것'으로 보존한다. 거리두기 효과에 기

12) 신형철, 「작품해설-『百의 그림자』에 붙이는 다섯 개의 주석」, 『百의 그림자』, 민음사, 2010, 174쪽.

13) 신형철이 황정은의 소설을 두고 '미성년'이 아니라 '비성년'이라고 말하거나(위의 글, 187쪽), 『문학과 사회』 좌담에서 미성숙을 '아직 성숙하지 않음'이 아니라 '성숙한 세계에 대한 타자성'이라 정의하는 것(「좌담-한국 소설의 현재와 미래」, 『문학과 사회』, 2009년 봄)도 이런 맥락에서일 것이다.

대어 이런 식의 외면을 너무 오래 지속하는 것은 문학의 다양성이나 현실의 탐구라는 측면에서는 오히려 치명적인 퇴행이 되는 것은 아닐까.

미성년의 짝패로 노년의 세계도 있다. 일반적인 의미에서 노년이 인생의 오랜 경험을 통해 우러나는 지혜와 포용의 세계로 받아들여졌다면 박민규의 소설에서 간혹 드러나는 노년의 세계는 이러한 상식과는 전혀 다른 곳에 있다. 노년의 인물들을 주인공으로 한 「근처」(『더블』, 창비, 2010)나 「낮잠」(『더블』, 창비, 2010)은 박민규의 소설 중에서는 드물게 사실주의적 작법을 따르고 있는데, 여기에서 노년이란 피로이며 그로부터 비롯되는 환각이다. 환각이란 지금까지 논의한 의미에서의 환상과는 다른 것인데, 물리적인 노쇠에서 오는 정신의 이탈이거나 착각에 가깝다. 간혹 정신을 놓고, 간혹 꿈결처럼 과거와 현재를 혼동하는 노년의 주인공들에게도 세계는 알 수 없는 것이며 허망한 것이고 끝없이 밀려드는 피로이기도 하다. 다소 단순화한 감이 없지 않지만 이즈음의 우리 문학에는 성년의 세계가 생략된 노년의 세계, 혹은 미성년의 세계만이 존재하는 것은 아닐까. 성년의 세계란 부당하고 폭력적이며 비정한 곳이라서 진입하고 싶지 않거나 이미 진입했다면 어서 빠져나가고 싶은, 다시는 돌아보고 싶지 않은 세계다. 미성년의 꿈, 혹은 노년의 환각처럼 이즈음의 환상이란 사실상 성년의 세계를 강력히 환기하면서도(구체적이지도 직접적이지도 않은 상징만으로 이 세계를 어떤 식으로든 떠올리지 않을 수 없는 공통 감각이란 것 자체가 이미 섬뜩하다), 차마 말할 수 없거나 말하고 싶지 않은 정신세계로부터 비롯되는 것은 아닌가.

원래 이 글의 목적은 최근의 문학에서 압도적으로 등장하는 환상의 문법을 비판적인 시선으로 점검하는 것이었다. 그러나 여기에서 환상의 문법을 적극적으로 비판하는 것은 가능하지도 온당하지도 않은 일이고 결과적으로 목적에 부합하는 글은 쓰지 못한 셈이다. 현실의 세계를 문학적으로 재현하는 일이 가능하지도 효과적이지도 않다는 생각이 환상의 서사 문법을 만들어낸다는 사실, 거기에는 우리가 살아가는 현실 세계의 불구적인 괴물성이 자리 잡고 있다는 의견을 겨우 내놓았을 뿐이다. 그것이 현실 세계를 부당하고 불구적이며 불가해한 채로 보존하고 지속시키는 것으로 이어질 수 있으며, 혹은 자주 반복된 환상의 상징이나 이미지가 문학적인 다양성의 차원에서도 별로 바람직하지 않다고 생각하지만, 그렇다고 해서 지금의 문학들에게 환상을 놓고 현실을 바라보라고 말하는 것도 적절한 주문은 아니다. 이미 그것이 가능한 시대가 아니며, 그 환상들이 현실적 기반 없이 작가의 상상력만으로 만들어진 것이 아니라는 사실에 대해서도 불충분하게나마 살펴보았다. 만약 비판해야 할 것이 있다면 이 환상들이 만들어지는 기반과 그것이 의미하는 바를 충분히 고민하지 않은 채, 환상과 현실을 격리시키려는 태도가 아닐까.[14] 그러므로 환상들에 차단되고 혹은 회피된 채로 겨우 드러나는 현실의 편린들, 그럼에도 불구하고 압도적으로 부당하고 절망적인 현실을 어떻게 읽을 것인가에 대한 고민이 더욱 깊어지지 않으면 안 된다. 그래서 비판은 비평에게, 문학적 환상이 기반하고 있는 그 현실을 살고 있는 우리들 자신에게 되돌아온다.

(『오늘의 문예비평』, 2011년 여름호)

---

14) 환상의 문법을 사실주의적 기율의 허구성을 지적하는 새로움의 표상으로 바라보거나, 혹은 현실의 구체성을 외면하는 추상화에 불구하다고 비판하는 태도는 모두 환상과 현실을 격리시켜 놓고 있다는 점에서는 동일하다.

불가능의 세계에서, 악마처럼 유령처럼

1. 불안은 영혼을 잠식한다

〈불안은 영혼을 잠식한다〉는 독일 뉴 저먼 시네마(New German Cinema)의 대표적 감독인 라이너 베르너 파스빈더(Rainer Werner Fassbinder)가 1974년에 발표한 영화다. 아랍 음악이 퍼져 나오는 어느 카페에 비에 젖어 초라한 노인 에미가 들어서면서 영화는 시작된다. 비와 추위를 피해 잠시 쉴 곳이 필요했던 에미는 젊은 여주인과 웨이트리스, 그리고 아랍인 손님들만 있는 카페에 어울리지 않는다. 무표정한 얼굴로 에미를 쳐다보는 카페 안의 사람들. 손님으로 와 있던 알리가 에미에게 말을 걸면서 이 둘의 사랑은 시작되지만, 이 영화의 주인공은 에미를 바라보던 카페의 무표정한 시선, 혹은 에미의 아파트 주민들이 알리를 바라보는 시선, 그 시선들이다.

알리와 하룻밤을 보내고, 에미는 이렇게 따뜻한 밤을 보낸 것이 얼마 만인지 모르겠다고 감격하며, 너무 행복해서 불안하다고 말한다. 이때, 모로코인 알리는 아랍의 속담을 전해준다. "불안은 영혼을 잠식한다.” 제목에 기대어 말한다면, 저임금의 청소부로 고된 노동을 하며 노년의 외로움을 견뎌야 했던 에미와 고향을 떠나와 외국인에 대한 멸시와 차별을 견뎌야 했던 알리의 영혼은 그들의 사랑을 덮치는 불안에 잠식당한다. 그렇다면 불안은 어디에서 오는가. 젊은 외국인 노동자와 사랑에 빠진 에미를 늙은 창녀로 바라보는 시선, 혹은 우아하지도 고혹적이지도 부유하지도 않은 에미를 따라온 알리를 짐승 같은 미개인으로 바라보는 시선, 두 남녀의 사랑에 개입된, 그 사랑의 본질을 전혀 알려고 하지 않는 주변의 시선들이 그들의 불안을 만들어낸다(파스빈더를 비롯한 뉴 저먼 시네마의 감독들이 히틀러 이후에도 여전한 선민의식과 외국인에 대한 편견을 자신들의 영화를 통해 정면으로 돌파하고자 했음을 기억하자).

영화는 국적을 초월하고 연령을 초월하며 미추를 초월하는 사랑을 아름다운 신화로 포장하지 않는다. 그들은 굳건한 사랑에도 불구하고 사회의 편견 때문에 원치 않는 이별을 한 것이 아니라(이것이야말로 멜로드라마의 가장 흔한 문법이다) 사회의 편견에 스스로가 구속당해 있었으므로, 그리하여 사랑조차도, 서로를 원하는 영혼조차도 편견과 시선에 무관하게 순수할 수 없으므로 흔들린 것이다. 그러므로 “불안은 영혼을 잠식한다”라는 심오한 속담은, 그리고 이 속담에 기댄 불우한 멜로드라마는 사랑의 심리학이 아니라 사랑의 사회학으로 읽혀야 한다. 아니, 사랑의 심리학이야말로 사랑의 사회학이다. 그들의 사랑을 바라보는 시선은 배타적일 뿐 아니라 이기적이다. 에미의 아파트에 알리가 들어와 살게 되자, 아파트 주민들은 더러운 외국인을 끌어들인 에미에게 노골적으로 수군댄다. 식료품상은 알리의 발음을 알아들을 수 없다며 물건을 팔지 않고 에미의 집에서 알리와 마주친 청소부 동료는 기겁을 하며 돌아선다. 그러나 고객을 잃어서는 안 되는 식료품상은 다시 에미에게 친절하고, 에미의 지하실을 빌려야 하는 이웃은 에미에게 다정하기만 하며, 임금격차 때문에 외국인 청소부를 따돌려야 했을 때, 내국인 청소부들은 다시 에미를 동료로 불러들인다. 그리고 이 배타성과 이기심 속에서 에미와 알리의 사랑은 결코 균질하지 않다. 에미와 알리를 묶어 주었던 위로와 공감은 서로에게 상처로 되돌아온다. 에미는 이웃과 직장 동료들이 다시 친근해지자 알리를 건장한 육체와 힘의 표상으로 타자화하며, 알리는 직장 동료들이 에미를 할머니라고 조롱하자 그들을 따라 웃는다.

성 정체성과 연령 정체성과 계급 정체성과 국가 정체성과 민족 정체성이 서로 엇갈려 뭉쳐진 존재가 바로 서로의 애인임을, 그리고 그 자신임을 알았을 때, 이제 사랑은 순수하지도 영원하지도 않다. 그러므로 사랑이란 서로가, 혹은 스스로가 쌓아온 정체성의 모순들 사이에서 불안한 찰나가 만들어낸 아주 짧은 동질감일 뿐이지만, 그럼에도 불구하고 이 짧은 찰나의 사랑이란 그들의 가계가, 그들의 역사가, 그들의 삶이 유구하게 쌓아올린 퇴적물 위에서 겨우 이루어지는 것이기도 하다. 찰나의 빈틈없는 일체와, 그리고 그 밖의 무수한 적대들 위에 불안하게 자리한 사랑을 알았으므로 더 이상 멜로드라마의 환상은 없다. 영화는 에미와 알리의 조심스럽고 친밀했던 사랑에서 출발하여 그들의 사랑을 둘러싼 거칠고 무례한 시선을 거쳐, 그 시선들과 무관할 수 없는 연인들의 내면으로 되돌아온다. 이미 사랑은 처음의 친밀감으로부터 멀어졌다. 사랑을 위하여 우리는 불안하고 거칠고 이기적인, 심리적이며 사회적인 모순들을 고통스럽게 마주하지 않으면 안 된다. 그러므로 말을 바꾸자. "불안은 영혼을 잠식한다." 그리고 "불안은 영혼의 거처다."

2. 세상의 모든 가짜들을 지워 나간다면……

그리고 자신을 학대하던 부모를 가짜 부모라고 단정 짓고 집을 나온 소녀가 있다. 제15회 한겨레문학상 수상작이기도 한 최진영의 『당신 옆을 스쳐간 그 소녀의 이름은』(한겨레출판, 2010)은 〈불안은 영혼을 잠식한다〉가 그랬던 것처럼 진정한 것, 진짜란 무엇인가를 묻고 의심하며, 그리하여 진짜와 가짜의 구분선 앞에 멈춰 선다. 〈불안은 영혼을 잠식한다〉의 연인들은 자신들의 사랑을 진짜라고 굳게 믿었으나 주위의 배타적이며 이기적인 시선들이 그들의 사랑을 잠식해 온다는 것을, 그리하여 그 시선들 속에서 그들의 사랑만이 순결하게 진짜일 수 없다는 것을 경험한다. 소녀의 형편은 이 연인들보다 훨씬 열악하다. 연인들에게는 진짜라 믿었던 사랑이 있었으나 소녀에게는 처음부터 기댈 수 있는 진짜가 없었다. 그러나 순서의 차이는 있을 뿐, 연인들의 사랑 행로와 소녀의 성장 행로는 근본적으로 같다. 소녀는 자신의 부모가 가짜라고 확신했으며, 자신을 둘러싼 세계를 가짜로 인식했으나, 진짜 부모, 진짜 세계에 대한 믿음을 버린 적은 없기 때문이다. 가짜 세계에서 출발하여 진짜를 찾아가는 행로, 아마도 이 진짜를 얻는 곳이 소녀의 성장이 완수되는 곳일 터다. 그리고 대부분의 성장소설은 그 구체적 내용이 무엇이든 이 진짜를 찾기 위한 여행이며 모험이다. 그렇다면 소녀의 경우는 어떤가. 소녀는 진짜를 찾았는가.

진짜를 찾기 위한 모험이라 말했지만, 소녀의 진짜가 그렇게 낭만적인 이상향을 뜻하는 것은 아니다. 소녀는 아직 진짜가 무엇인지 모른다. 분명한 것은 자신을 둘러싼 세계가 도무지 진짜라고 말할 수 없을 정도로 추악하고 부정하다는 것뿐이다. 어린 소녀가 아는 세계란 부모와 그들이 사는 작은 집이 전부다. 그 집에서 아빠는 엄마와 딸을 두들겨 패고, 밥상을 뒤엎고, 엄마는 커다란 가방을 들고 집을 나갔다 돌아온다. 때리고 맞고, 소리 지르고 두들겨 부수며, 울고 쓰러지고 집을 나가며 살아가야 하는 세계가 소녀가 평생 살아내야 하는 곳이라면 그것은 너무나 가혹하고 끔찍하다. 그래서 소녀는 자신이 알고 있는 세계가 가짜라고, 어딘가에 진짜 부모가, 진짜 집이 있을 것이라고 믿는다. 작은 집의 문을 열고 나와 만난 더 넓은 세계에서 소녀는 숱한 가짜와 마주친다. 그 가짜들의 목록에는 우리가 세상의 숱한 시련과 고난 속에서도 굳건히 인간의 아름다움을 지켜 주리라 믿었던, 잔인하고 추악한 가짜들의 세계에서 가장 마지막까지 남아 빛나리라 믿었던 어떤 궁극의 가치들이 포함되어 있다. 이를테면 사랑, 가족, 종교와 같은 것. 사랑은 상대를 아끼고 존중하는 것이 아니라 상대를 지배하고 소유하며 폭력적으로 그것을 정당화하는 것이었으며 가족은 무한한 애정과 신뢰를 미끼로 끝까지 이기적이어도 좋은 것이며, 종교는 희생과 사랑을 무기로 상대가 원하는 말을 듣지 않아도 좋은 것이었다. 소녀의 진짜 찾기란 어쩌면 진짜로 가장한 가짜들을 가짜로 확인하는 과정일지도 모른다. "내가 진짜 엄마를 찾는 이유는 진짜엄마가 그리워서도, 진짜엄마가 필요해서도 아니다. 가짜를 가짜라고 확신하기 위해서. 이유는 그뿐이다. 진짜를 찾아내야 가짜를 가짜라고 말할 수 있으니까."[1)]

가짜를 확인하는 여정의 끝에서 소녀는 진짜를 찾았을까. 세상의 모든 가짜들을 지워나가다 보면 마지막에 남는 진짜를 만날 수 있을지도 모르지만, 그 마지막마저 가짜라면 그것은 가짜일까 진짜일까.

---

1) 최진영, 『당신 옆을 스쳐간 그 소녀의 이름은』, 한겨레출판, 2010, 111쪽.

소녀가 확인한 진실은 그가 가짜라고 여기며 지워왔던 모든 것들이, 사실은 진짜였다는 것이다. 가짜라고 여겨왔던 것이 사실은 소중한 것이었다는 소박한 깨달음을 말하는 것이 아니다. 오히려 세상의 모든 것이 가짜이므로, 그 가짜들로 가득 찬 세계를 진짜로 받아들이지 않으면 안 된다는 것이 진실에 가깝다.

> 거리를 떠돌며 내가 정했던 진짜엄마의 조건은 모두 껍데기고 포장이며 환상이고 거짓말이다. 나의 진짜엄마는 어떤 얼굴이라도 가질 수 있으며 그래서 결국, 어떤 얼굴이라도 상관없는 그런 사람이다. 맞는 대신 때리는 자이고 때리는 게 번거로우면 죽여 없앨 수도 있다. 그 모든 게 귀찮을 땐 외면한다. 상관없는 척한다. 그뿐이다. 오직 중요한 건 자신의 생존이다. 불행이나 행복 따위엔 관심도 없다. 이제야 알겠다. 그런 사람을 찾기는 너무 쉽고, 너무 쉽기 때문에 나는 여태 못 찾고 있었다. 너무 흔하니까. 어디에나 있으니까.
>
> 거울을 보면, 그 속에도 있다.[2)]

오래된 독일 영화의 연인들이 그랬듯이, 진짜를 찾아 떠났던 소녀의 여행은 결국 가짜와 명백히 구분되는 진짜란 없다는 사실을 발견하면서 마감된다. 더럽혀진 세계와 구분되는 진짜 세계는 관념 속에서나 있을 뿐이며, 모두 더럽혀진 채로, 이기적인 파편들로, 지울 수 없는 얼룩으로, 그리하여 싸늘한 외면과 침묵으로, 일시적인 연대와 오랜 불안으로 이미 존재하고 있는 세계, 그것만이 진짜다.

그러나 아직 여행은 끝나지 않았다. 가짜와 구분되는 진짜 세계가

---

2) 최진영, 위의 책, 274쪽.

없다면, 그래서 이 세계가 모두 진짜이거나 혹은 가짜라면, 부정으로 일관했던 가짜 세계를 다시 긍정하는 것도 가능한가. 어차피 모든 것이 가짜일 뿐이라면, 그리고 그 세계에서 살아갈 수밖에 없다면, 그것을 삶의 조건으로 받아들이고 인정하면서, 진짜에 대한 부질없는 미련을 내려놓을 수도 있는가. 소녀는 진짜에 대한 부질없는 희망은 내려놓았으나, 그렇다고 해서 이 세계를 긍정하지도 않는다. 부정할 수도, 긍정할 수도 없는 세상에서 소녀가 택한 것은 죽음이다. 의붓딸을 상습적으로 강간했던 남자의 몸에 칼날을 쑤셔 박으며 소녀는 남자와 함께 죽어간다. 소녀는 임신한 몸이었다. 더러운 세상에서 피투성이가 되어 소녀는 그렇게 스스로 진짜 엄마가 되었다. 진짜를 찾는 대신 스스로 진짜가 되어야 한다는 것, 핏물이 차오르는 소녀의 동공을 바라보며 우리가 깨우치는 비정한 진실이 여기에 있다. 죽음 말고는 방법을 찾지 못했으나, 아마도 그것이 소녀가 불안을 견디는 유일한 방법이었을 것이다.

3. 우리는 모두 노웨어맨이다

진짜와 가짜의 경계를 묻는 또 하나의 이야기를 들어보자. 목숨을 걸지는 않았으므로, 이 경우는 조금 소박해 보일지도 모른다. 그러나 그렇게 만만한 이야기는 아니다. 이번에는 파산자가 주인공이다. 노웨어맨(Nowhere man), 어디에도 없는 사람들.

> 노웨어맨(Nowhere man)
>
> 누가, 언제 처음으로 이 말을 썼는지는 알 수 없지만 어쨌거나 사람들은

어느 순간부터 파산자들을 이렇게 불렀다. 노웨어맨이라는 단어는 유행어처럼 온 사회를 휩쓸었다. 신문과 텔레비전 뉴스는 증후군처럼 번져나가는 노웨어맨 현상에 대한 기삿거리들로 넘쳐났다. 노웨어맨이라는 것이, 어디에도 없는 사람이라는 것인지 혹은 아무것도 아닌 사람이라는 것인지, 그 뜻은 명확하지 않았다. 다만, 여기에 없는 사람이라는 사실만은 분명하지 않은가 하고. 장공수는 '노웨어맨'이라는 말을 접할 때마다 생각했다. 그리고 불쑥불쑥 머리꼭지까지 치받는 화를 참기가 어려웠다. 모두가 가짜인데, 진짜를 흉내내기에 급급할 뿐인 세상에 살고 있을 뿐인데, 그런데 노웨어맨이라니, 아무것도, 아니라니.[3)]

이름만 슈퍼인 동네 구멍가게는 아버지의 전부였다. 성실하고 정직하게, 하루치의 양식을 벌면 그것으로 만족하며 살았고 더 이상을 바란 적도 없다. 대형 마트가 주위에 넘쳐나면서 아버지의 가게는 문을 닫았고, 전부였던 가게를 포기할 수 없었던 아버지는 붉은 머리띠를 묶고 대형 자본의 횡포에 저항하였으나 그 결말은 개인 파산이었다. 가진 것 없고 배운 것 없이 무작정 상경한 아들은 동대문 시장에서 원단을 날랐고, 그러다가 얻은 일자리는 명품 디자인을 카피하는 짝퉁 디자이너였다. "진짜는 없이 오로지 유행과 '그럴듯함'만을 소유하기 위한 이들로 동대문은 북적거렸"[4)]으므로, 아들은 바빴다. 그 사이에 아버지는 파산자가 되어 실종되었다. 생애 처음으로 아들에게 돈을 부탁했던 아버지는 그 돈으로 변호사를 구해 스스로 파산자가 되었다.

---

3) 염승숙, 「노웨어맨」, 『노웨어맨』, 문학과지성사, 2011, 68~69쪽.
4) 염승숙, 위의 책, 59쪽.

소녀가 지옥 같은 세계를 가짜로 단정하고 진짜를 찾기 위해 세상을 떠돌았다면, 아들은 가짜가 창궐하는 세계에서 울부짖는다. 온통 카피와 흉내 내기밖에 없는 세상에서, 모두가 가짜이므로 이 세상에 진정으로 존재하는 것이란 아무것도 없는데, 누군가를 아무것도 아닌 존재라고 말할 수 있는 자격을 가진 자 누구인가. 그러므로 이번에는 좀 다른 의미로 모든 가짜는 곧 진짜다. 가짜와 진짜는 구분되지 않는다. 진짜가 될 수 있는 것은 오직 자본뿐이다. 그렇지 않은가. 명품의 오리지널리티란 그 창의력과 실용성과 개성에 의해서가 아니라 사회로부터 인정받은 상징자본에 의해서 결정된다. 그러므로 진짜는 가짜에 의존하여 겨우 존재한다. 넘쳐나는 짝퉁들은 명품을 진짜로 만들기 위한 잉여이므로, 짝퉁이 많으면 많을수록 명품은 더욱 선망의 대상이 되므로 명품은 짝퉁을 배제하지 않는다. 사람들은 짝퉁을 소유하면서 명품을 선망한다. 아무도 짝퉁을 비난하거나 부끄러워하지 않는다. 짝퉁은 다만 값이 좀 쌀 뿐이고, 싼값만큼의 이윤을 만들어내는 한 짝퉁은 여전히 세계를 떠받치는 또 하나의 진짜다. 그러므로 파산자가 노웨어맨이 되는 것은 더 이상 그들로부터 만들어낼 이윤이 없기 때문이다. 빚은 이자를 만들어내므로 또 하나의 이윤 창구다. 은행과 제2금융권과 사채업자가 그렇게 진짜가 된다. 세상이라는 사채업은 회생을 미끼로 파산을 유도하지만, 그것은 더 이상 빚을 만들 여력조차도 없는 사람들, 그래서 이윤도 만들어낼 수 없는 사람들을 세상으로부터 배제하기 위한 장치일 뿐이다. 세상의 수많은 가짜들이 그래도 어딘가에서 이윤을 만들어내면서 존재하는데, 파산자는 그 가짜들 속에도 끼일 수 없는 유령 같은 존재다.

생계의 엄숙함 앞에 겸손했으며, 사소한 물건을 다루는 노동에도 정직했던 아버지는 이 가짜 세상에서 존재할 수 없었다. 묵묵히 어깨가 부서지는 노동을 감내했던 아들은 세상의 수많은 가짜들에 또 하나의 가짜를 보태는 것으로 생을 연명한다. 다른 선택이 없다. 가짜로 살거나, 사라지거나. 아버지는 이미 지상에 없는데, 아버지의 삶이야말로 진짜라고 말할 수 있는가. 미친 듯이 돌아가는 가짜들의 수레바퀴에 끼여 쉴 새 없이 달리기만 한 아들의 삶이, 한낱 가짜에 가짜를 더하는 일일 뿐이었으므로 진짜가 아니라고 말할 수 있는가. 아들이 진짜와 가짜에 대해 묻는 순간, 아들은 길을 잃는다. 순진한 노동과, 이기적인 세상과, 그럼에도 불구하고 너무나 거대한 가짜들의 향연 앞에서 진짜와 가짜를 구분하는 것은 어떻게 가능한가. 최선을 다한 나의 삶마저 거대한 가짜 수레바퀴를 굴리고 있음을 아는 것, 그래서 스스로 파멸하거나 사라지지 않는 한 진짜로 살 수 없는 아이러니를 목격하는 것, 다시 한 번 말하자면 "불안은 영혼의 거처다". 불안으로부터 안전한 영혼은 없으며, 가짜로부터 안전한 진짜도 없다.

4. 불안은 영혼의 거처다

사랑과 가족과 종교를, 불행에 빠진 인간을 구원하리라 믿어왔던 최후의 가치들을 가짜로 단정한 후 결국 스스로를 소멸시킨 소녀의 결말이 안타까울 수 있다. 가공할 규모의 가짜들에 짓눌린 아들의 절망이 아직은 채 여물지 못한 불만의 표출처럼 느껴질 수 있다. 그러나 가짜인 세계의 표상을 향해 피투성이의 칼을 휘두르는 소녀의 분노와 저주가, 진짜를 찾을 수조차 없게 되어 버린 세상에서 살아갈 길을 잃고 망연한 아들의 절규가 쉽게 외면할 수 없는 질문으로 남아 있다.

진짜라고 믿었던 사랑이 세상의 시선들에 뒤얽힌 부분적인 진실일 뿐임을 깨닫고부터 연인들은 그들의 사랑이 진짜라고 믿는 대신, 무엇이 진짜를 가능하게 하는가를 묻게 될 것이다. 소녀는 지옥 같은 현실을 견디기 위해서 진짜와 가짜를 구분하고 어딘가에 있을 진짜를 찾고자 했지만, 결국 가짜와 구분되어 낭만적으로 남겨진 진짜란 없다는 것을 알게 된다. 그러므로 결국 진짜를 찾는 일이란, 여기에 있는 가짜를 부정하고 저기 어딘가에 있을 진짜를 찾아 떠나는 일이 아니라, 가짜임에 분명한 세상 속에서 진짜로 사는 일이 어떤 것인가를 묻고 또 묻는 일이다. 그리고 파산한 아버지를 찾아 헤매며 아들은 이 세상이 이미 진짜로 사는 것이 가능하지 않을 정도로 서로의 약점과 가치를 물고 무는 가짜 톱니바퀴로 만들어져 있음을, 거기로부터 벗어나는 일이 거의 불가능하다는 사실 앞에서 길을 잃는다. 그러니 아들은 스스로 가짜임을, 그것도 진짜가 되는 일이 절대로 불가능한 세상 속의 가짜임을 곱씹고 곱씹는 곳에서 자신의 존재근거를 찾지 않으면 안 될 것이다.

사랑이 심리학에 그치지 않듯, 성장도 개인사가 아니며, 당연히 가난도 운명으로 치부될 수 없다. 소녀가 만난 부정한 세계는 전적으로 옳거나 전적으로 짐승 같은 세계가 아니었다. 황금다방에서 만난 장미언니는 소녀를 가엽게 여기고, 돌보아 주었지만 자신을 무시하는 애인에게 맞고도 저항하지 않음으로써 가짜가 되었다. 태백식당의 할머니는 가여운 소녀를 외면하지 않았고 가난하고 불행한 사람들끼리 기대어 사는 일의 아름다움을 알게 해 주었지만 갑자기 나타난 자식 때문에 소녀를 버렸다. 아들은 주먹 하나로 세상과 맞서고자 하였으나 그것으로는 할 수 있는 일이 없음을 알고 성실하게 땀 흘려 사는 길을 택했다. 그러나 개인의 성실함으로 올바르게 살 수 있는 세상이 아니었다. 그는 자신도 모르는 새, 혹은 알면서도 어쩔 수 없이 가짜 세상에 합류함으로써 그 가짜들의 세계를 구성하는 인자가 되었다. 에미와 알리의 사랑은, 그리고 결합은 그들의 간절한 바람이었으나, 그들은 사랑으로 서로를 상처 입히고 사랑으로 서로를 버렸다.

뒤집어 말해보자. 외국인을 짐승처럼 멸시하고 그래서 내국인과 차별하는 것이 당연하다고 여기는 시선 아래에서, 젊은 남자를 사랑하는 늙은 여자를 창녀라 조롱해도 좋은 세상에서 진짜 사랑이란 불가능하다. 그리고 사랑을 얻기 위해서 연인들은 자신들의 영혼으로 잠식해 들어온 그 시선들과 마주하지 않으면 안 된다. 히틀러에 반대하지만 외국인과 직장 동료가 되기는 싫은 스스로의 모순에 좀 더 엄격해지지 않으면 안 된다. 다정함과 보살핌과, 그날치의 평화를 위해 폭력과 타협하고 타인의 불행을 외면하는 한, 세상은 언제나 가짜일 수밖에 없으며, 그 속에서 진짜 삶을 찾는 것은 불가능하다. 비록 가짜에 동참하는 것으로 연명할 수밖에 없다 하더라도, 무엇이 진짜인지를 묻는 것, 과연 이 가짜들에 기대어 살아가는 일이 옳은가를 묻는 것을 포기한다면, 우리는 언젠가 세상 어디에도 없는 존재, '노웨어맨'이 되어 버릴 것이다.

오직 자본만이 진짜로 행세하며 그 밖의 모든 것은 가짜로 연명하는 세상 속에서 우리는 살고 있다. 부채를 자산으로 삼는 방법을 개발한 선진자본주의는 부채를 담보로 거짓 호황을 선전했지만, 결국 그 부채의 연대보증에 파산한 것은 다수의 힘없는 채무자들이었다. 무엇이 자산인지 무엇이 빚인지가 분간되지 않는 세계, 누군가는 빚도 자산이라 하지만 누군가에게 그 빚은 더 거대한 빚을 불러올 재앙일 뿐이다. 정부가 자본과 협력하여 도시를 재개발하고, 재개발을 위해 경찰은 집주인들을 내쫓고 법원은 집주인들을 감옥에 가두며, 더 큰 매매 차익을 노리는 누군가는 그 폐허의 입주권을 산다. 명백한 가짜 세계에 분노하고 세상의 추악함에 절망하기는 쉽다. 그러나 그 가짜 속에서 살아가지 않으면 안 된다는 것을, 그것도 살아남기 위해 최선을 다해 가짜가 되어야 하는 것이 우리의 삶이라는 것을, 인정하기란 쉽지 않다. 창궐하는 가짜 속에서 일하고 사랑하고 용서하며 벌어먹고 사는 일의 고단함이란 언제나 우리를 곤혹스럽게 만든다. 살아가는 일의 엄연함을 존중하자니 날마다 가짜가 되어가는 삶을 용인해야 하며, 나의 가짜를 용서하기 위해 우리는 가짜 세상에 매일 무심해진다.

문학이 이 곤혹을 응시하며 또한 이 곤혹을 넘어설 수 있을 것인가. 분명한 것은 우리의 문학이 진짜와 가짜를 분간하며, 분간되지 않는 진짜와 가짜의 곤혹과 대면하고 있다는 사실이다. 우리의 주인공들이 이 곤혹 속에서 죽거나 미치거나 길을 잃고 있으니, 아마도 우리의 문학은 이 곤혹과 불안 속에서 좀 더 오래 머물러야 할 것이다. 세계의 부당함과 부정함이 지금만큼 명백한 적도 없었지만, 그것으로부터 벗어나는 일의 불가능성이 지금처럼 지난하게 여겨진 적도 없다. 전망 없는 세계의 불안과 곤혹이 오랫동안 우리를 괴롭힐 것이므로 우리는 이미 불안을 거처로 삼고 있는 우리의 영혼을, 혹은 그 영혼이 깃들어 있는 이 세계의 근본적인 불가능성을 아주 오래 고통스럽게 바라보아야 할 것이다. 가난을 개인의 운명이나 무능력으로 돌리지 않고, 사랑을 개인사의 안락이나 위안으로 착각하지 않으며, 가짜 세상에 진입하는 것을 성장으로 여기지 않는 영혼은 이 불안을 견디는 과정에서 겨우, 혹은 잠시 기적처럼 빛날 것이다.

(『사람의 문학』, 2012년 봄호)

이미지에서 서사로, 악몽에서 일상으로

_편혜영 소설의 변화와 2010년대 소설의 향방

1. 다시 편혜영 소설에게 물어야 할 것들

편혜영의 소설이 2000년대 문학의 어떤 흐름과 특징을 같이한다는 것에 대해서는 어렵지 않게 동의를 얻을 수 있을 것이다. "한국 사회의 역사적 인력에서 벗어난 자리에서", "탈국가주의적인 문명적 차원의 개체적 비전을 모색"하는 "무중력의 글쓰기"[1] 속에 편혜영의 소설을 놓을 수도 있을 것이고, 또는 "처음부터 자기 자신의 현실적·정신적 무력함을 일종의 운명으로 내면화하고 있"는, "주체의 빈곤함과 왜소함"[2]이라는 2000년대 문학의 맥락 속에 위치시킬 수도 있을 것이다. 이러한 정의가 겹쳐지는 부분을 거칠게 추출한다면 그것은 '현실의 장력으로부터 자유로운(혹은 거기에 대항하지 못하는) 주체의 비미

---

1) 이광호, 「혼종적 글쓰기, 혹은 무중력 공간의 탄생—2000년대 문학의 다른 이름들」, 『이토록 사소한 정치성』, 문학과지성사, 2006, 101쪽.

2) 김영찬, 「2000년대, 한국문학을 위한 비판적 단상」, 『비평극장의 유령들』, 창비, 2006, 73쪽.

메시스적 글쓰기'라고 정리할 수 있다. 물론 여기에서 현실의 장력으로부터 자유롭다는 것은 편혜영의 글쓰기가 현실과 전혀 무관함을 의미하는 것은 아니다. 거시적으로 본다면 IMF 이후 신자유주의적 원리의 압도적인 도래와 지배하에서 현실에 대한 불안과 거부는 극심해졌으나 거기에 대항할 주체적 방법론을 아직 얻지 못하고 있는 상황은 2000년대 젊은 작가들의 작품 경향과 유비적으로, 혹은 인과적으로 연관되어 있고 편혜영 역시 예외가 아니다. 또는 편혜영 소설의 특징이라 할 수 있을 종말과 파국, 재앙과 악몽의 이미지는 비록 알레고리적 형식으로나마 근대적 문명의 파국과 종말을 암시한다. 편혜영 소설의 "잔혹하고 역겨운 이미지들, 그 이미지들이 독버섯처럼 피어나 엉키면서 덮고-드러내고 있는 불모의 현장이 문명의 표피를 도려내고 벗겨내고 있"[3]다는 데 2000년대 문단은 대체적으로 동의해 왔다. 다만 그것이 2000년대의 구체적 현실과 만나는 접점이 그리 크지 않거나 혹은 매우 간접적이라는 것을 아울러 지적할 수 있을 것이다. '현실의 장력으로부터 자유로운 주체의 비미메시스적 글쓰기'라는 것은 이러한 의미에서다. 그리고 이러한 편혜영의 소설은 2000년대 젊은 작가들과 그 문학적 경향을 같이 한다.

편혜영은 2000년 『서울신문』 신춘문예로 등단하여 세 권의 소설집과 한 권의 장편을 출간하였다. 소설집 『아오이가든』(문학과지성사, 2005), 『사육장 쪽으로』(문학동네, 2007), 『저녁의 구애』(문학과지성사, 2011), 장편소설 『재와 빨강』(창비, 2010)이 그것이다. 낯설고 기괴하며 끔찍한 하드고어적 상상력으로 『아오이가든』이 편혜영을 2000

---

3) 김예림, 「두 도시 이야기-김애란과 편혜영 읽기」, 『오늘의 문예비평』, 2008년 봄, 38~39쪽.

년대 문학에 등재시켰다면, 이후의 작품들은 적어도 이 충격적인 이미지와 비현실적인 상상의 세계로부터 떨어져 나와 있다. 제목에서 밝힌 바와 같이 이는 '이미지에서 서사로, 악몽에서 일상으로'의 변화라고 이름 붙일 수 있을 것이다. 이것은 이를테면 "'악몽의 일상화'에서 '일상의 악몽화'로의 변화"[4]라고 부를 수 있는 것이며, 이러한 변화는 "일상의 외양 속에서 펼쳐지"는 알레고리로서, 일상의 세계 속으로 옮겨 왔음에도 불구하고 오히려 "추상적, 보편적 세계와 마주하고 있다."[5] 소설의 무대가 환상에서 일상으로 옮겨 왔으나, 그러한 변화가 자동적으로 연상시키는 바, 즉 더욱 구체적이고 현실적인 맥락을 얻을 것이라는 기대를 배반하는 것은 무엇 때문인가. 이 지점에서 편혜영 소설의 변화가 의미화될 수 있을 것이며, 그리고 거기에서 다시 편혜영 소설의 변화에 빗대어 한국 소설의 변화 가능성을 논할 수 있을 것이다. 이에 대해서는 좀 더 설명이 필요하다. 우선 『아오이가든』의 끔찍한 악몽의 세계, 시체와 역병과 악취와 오물의 이미지에 대해 탐문해 보기로 하자.

2. 시체들의 기원, 이미지의 함의

편혜영 소설의 끔찍한 이미지들이 주는 환기 효과, 그것은 극도로 생략되고 비틀린 비현실의 세계이지만, 그것이 또한 우리가 그렇지 않으리라 믿고 살아가는 일상의 지옥도에 다름 아니라는 명징한 감

---

4) 신형철, 「해설—섬뜩하게 보기」, 『사육장 쪽으로』, 문학동네, 2007, 248쪽.
5) 손정수, 「'아오이가든' 바깥에서 편혜영 소설 읽기」, 『문학과 사회』, 2011년 봄, 360쪽.

각은 이미 편혜영에 대한 성실하고 날카로운 비평들에서 숱하게 지적된 바 있다. 예컨대 "자본주의 문명이란 구더기가 우글거리는 공간을 제거하고 은폐함으로써 세워진 세계이다. 역겨운 세부의 폭로를 통해 편혜영의 미학은 이 문명의 미끈함과 자연스러움을 충격적으로 벗겨낸다"[6]라는 지적, 또는 "편혜영의 소설이 말하는 것은, 저 끔찍한 악취와 죽음은 우리의 현실 뒤에 은폐된 이면의 진실이 아니라 바로 그것이 다름 아닌 현실 자체라는 것이다"[7]라는 지적은 우리가 편혜영의 소설의 끔찍함을 견뎌내면서 그 과잉의 서사에 대해서 모종의 동의를 표하게 되는 이유로서도 적절하다. 그러므로 편혜영 소설의, 그 끔찍하고 역겨운 이미지들로부터 연상 가능한, 혹은 유추 가능한 세계에 대해서 굳이 또 다른 해석을 반복하는 것은 이 글의 목적이 아니다.

이 글에서 제기하고 싶은 질문은, 편혜영의 이 끔찍한 이미지들이 어디에서 비롯되었는지, 그 이미지들이 과연 우리가 유추해 온 의미들에 상응하는 내포를 갖고 있는가에 대한 것이다. 말하자면 그것은 시적으로 읽어야 마땅할 이 텍스트들을 서사적 인과성의 논리로 읽어 보려는 무리하고 가능하지 않은 시도라 할 수 있다. 편혜영의 소설이 "리얼리즘 소설 미학의 인과적 규율로 설명되지 않는 비현실적인 세계"이며, "현대문학이 역사적 리얼리즘 혹은 일상적 리얼리티의 이름으로 배제한 세계에 대한 미학적 재발견"[8]이라면, 여기에다 인과성을 들이대는 읽기는 적어도 적절한 시도는 아닌 것처럼 여겨질

---

6) 이광호, 「해설－시체들의 괴담, 하드고어 원더랜드」, 『아오이가든』, 문학과지성사, 2005, 261쪽.
7) 김영찬, 「불가능의 서사와 동정 없는 휴먼」, 『비평의 우울』, 중앙북스, 2011, 153쪽.
8) 이광호, 앞의 글, 259쪽.

지도 모른다. 그것은 애초에 작품이 의도하지 않은 것, 혹은 애써 벗어나려 했던 세계로 작품을 억지로 회귀시키는 일이 될 수 있으며, 그로 인해 작품의 진가를 왜곡하거나 전혀 효과적이지 못한 방식으로 비판하는 결과를 낳을 수 있기 때문이다. 그럼에도 불구하고 이 작품이 뿜어내는 기괴하고도 역겨운 이미지들의 범람에서 모종의 기원을 찾아보고자 하는 것은 그것이 『아오이가든』의 세계뿐 아니라 그 이후의 세계에 대한 해명, 평가를 위해서도 필요하다고 생각되기 때문이다.

편혜영의 트레이드마크라고 할 수 있는 역병과 재난과 시체와 오물의 이미지, 그 기괴하고 섬뜩한 형상과 역겨운 냄새가 극단화된 작품은 아마도 『아오이가든』에 수록된 「아오이가든」, 「저수지」, 「맨홀」 정도가 될 것이다. 가령 "시커먼 개구리들이 비에 섞여 바닥으로 떨어"지고, "바닥은 깊이를 알 수 없을 정도로 쓰레기가 쌓여 있"(「아오이가든」, 35쪽)는 세계, "피를 묻힌 맨살의 죽은 쥐들이 방 안을 솜처럼 떠다"(「저수지」, 31쪽)니고, "심장과 간, 허파와 꼬불거리는 내장들이 길게 바깥으로 쏟아져 나온" 시체를 "눈동자가 빠진 하얀 눈으로"(「맨홀」, 89쪽) 바라보는 세계를 인과성의 논리로 읽는 것은 불가능하거나 혹은 무의미할지도 모른다. 그러나 여전히 편혜영의 소설에 대해 궁금한 것, 도대체 어디에서 이런 이미지들이 나왔으며, 왜 꼭 이러한 이미지들이어야 하는가에 대한 질문은 소설 자체의 이미지들을 해부하는 것으로는 쉽게 풀리지 않는다. 그래서 선택한 우회로는 이 작품들의 앞과 뒤에 발표된, 편혜영적인 특징을 충분히 포함하고 있지만, 그래도 불친절하게나마 이 이미지들이 산출된 배경이나 근거를 갖고 있는 작품들이다. 『아오이가든』의 세계는 역겹고 끔찍한 이미지들로 뒤덮여 있기는 하지만 또한 온전히 그것으로만 이루어져 있는 것은 아니다. 인과성의 논리를 중심으로 생각해 볼 때, 지극히 편혜영적인 것이라 할 수 있는 특징들은 생각보다 훨씬 적은 수의 작품에 집중적으로 나타난다. 위의 세 작품을 제외한 작품, 예컨대 『아오이가든』에 수록된 작품 중 비교적 발표 시기가 이른 「누가 올 아메리칸 걸을 죽였나」(2000)와 발표 시기가 늦은 작품에 해당하는 「시체들」(2005) 같은 작품들은 현실적인 문맥에서 유추 가능한 인과성의 논리 내에 있으며, 편혜영 소설의 극단적인 이미지의 근거와 기원을 알려줄 약간의 단서들을 포함하고 있다. 발표 시기 상으로 본다면 「아오이가든」은 이 작품들의 한가운데에 위치한다.

「누가 올 아메리칸 걸을 죽였나」는 작가 스스로 이미지를 과격하게 활용하는 방식의 소설을 쓰는 계기가 된 작품이라고 언급된 바 있다.[9] 이 소설에서 다소 과장된 형태로 제시되는 죽음과 살인의 이미지는 이후 소설의 출발점이 된다고 보아도 큰 무리가 없을 것이지만, 여기에서 주목할 점은 적어도 이 소설은 현실적 인과율을 완전히 무시하지 않은 방식으로 전개된다는 사실이다.

> 나는 흰 양말을 신은 왼쪽 발로 그것을 살짝 밟아 보았다. 금붕어는 미끄덩거리며 옆으로 빠져나갔다. 발로 그것을 다시 끌어왔다. 아무리 몸을 비틀며 벗어나려고 해도 나를 이길 수는 없었다. 발뒤꿈치로 그것을 꾹 눌렀다. 팽팽하게 부풀어 오르던 풍선이 한순간에 펑, 하고 일산화탄소를 내뿜으며 터져버리는 느낌으로 숨이 막힐 것 같은 환희, 그런 것들이 한순간에 지나갔다. 발바닥으로 축축한 느낌이 스며들었다. 그의 이마에 금붕어

---

9) 「인터뷰: 감염된 시대의 소설-작가 편혜영을 만나다」, 국립국어원 블로그 '쉼표, 마침표', http://blog.naver.com/PostView.nhn?blogId=urimaljigi&logNo=40131055389.

의 뱃속에서 튀어나온 내장이 떨어졌다.[10]

'나'가 금붕어를 밟아 죽이면서 느끼는 환희, 그리고 피와 내장이 적나라하게 튀어나오는 장면에 대한 묘사는 이 작품에서 두 번 더 반복된다. 한 번은 아버지가 아들을 향해 던진 어항의 파편을 밟는 장면에서이고 또 한 번은 세탁물을 배달하러 간 아파트에서 자신에게 무례하게 군 여자를 죽이는 장면에서다. "날카로운 유리가 발바닥을 관통하는 느낌"은 "팽팽하게 부풀어 있던 무엇인가가 갑자기 발밑에서 툭 터져버리는 것"(121쪽)과 같은 느낌이며 여자를 내동댕이칠 때 "머리가 바닥에 닿을 때 팽팽하게 부풀어 있던 무엇인가가 갑자기 툭 터져버리는 느낌"(124쪽)으로 되살아난다. 순서상으로는 금붕어를 밟아 죽이는 것이 가장 뒤에 일어난 일이다. 그리고 이 반복되는 살해의 쾌감과 잔인한 이미지는 그것 자체로 어떤 인과성을 만들어낸다.

첫 번째 것은 아들에게 욕설과 경멸의 눈빛 말고 주는 게 없는 부모의 폭력에 노출된 아이의 자기 파괴, 혹은 모멸의 기억이다. 이 자기 파괴의 기억은 모피 배달을 간 '나'에게 경멸과 무시를 노골적으로 드러낸 여자에 대한 분노와 파괴 본능으로 되살아나며, 마지막에 금붕어를 밟아 죽일 때 이미 분노와 파괴는 무신경한 반복이나 본능처럼 일상화되어 버린다.「누가 올 아메리칸 걸을 죽였나」는 가정 폭력에 방치된 소년이 점점 사이코패스적 인간이 되어 자신도 모르는 새 살인을 저지르는 이야기다. 한편으로는 인간의 잔혹성과 파괴 본능이 도드라지지만 또한 그것은 가정 폭력이나 인격 무시라는 어떤 인과율 속에서 생겨난 것이다.

---

10) 편혜영,「누가 올 아메리칸 걸을 죽였나」,『아오이가든』, 136쪽.

「아오이가든」과 「저수지」, 「맨홀」이 모두 버림받은 아이들의 세계라는 점을 다시 한 번 상기할 필요가 있겠다. 「맨홀」은 부모로부터 버림받은 아이들이 '맨홀'을 서식지로 부랑하다가 결국 과학관의 실험대 위에서 해부되는 이야기다. 이 과정에서 맨홀의 축축한 습기와 악취, 해부대 위에서 내장이 흘러내리고 피가 튀며 눈알이 빠지는 그로테스크한 이미지들이 극단적으로 제시된다. 「저수지」는 엄마가 떠난 오래된 방갈로에 갇힌 아이들이 죽어가는 이야기다. 도시는 살인 사건으로 흉흉하며 이미 오물로 뒤범벅이 된 저수지에서는 괴물이 출몰한다. 방갈로에 갇혀 아이들이 썩어가고 악취와 진물과 침과 쥐와 벌레들, 쥐의 내장과 피가 난무하는 세계는 그대로 방갈로 바깥의 세계이기도 하다. 「아오이가든」의 아파트 내부에 아이는 엄마와 누이와 함께 있지만 그들은 이미 아이의 보호자로서, 가족으로서의 공동체적 의미를 상실한 어른들이다. 엄마는 고양이의 임신을 막기 위해 고양이의 배를 갈라 자궁을 들어내고 임신한 누이가 가랑이에서 개구리 떼를 쏟아놓는 세계는 아이의 악몽으로 유추될 수 있는 세계다. 그렇다면 편혜영 소설의 그로테스크한 이미지는, 하드보일드한 상상력은 보호받지 못하고 버려진 아이들의 공포와 악몽에 근거를 두고 있는 것은 아닐까. 만약 편혜영의 소설이 상상계의 차원에 놓여 있다고 말할 수 있다면,[11] 자라지 못한, 자라기를 거부한 아이들의 인식 즉 세계의 실상과 자신의 악몽이나 분열을 분간하지 않는 인식 속에 소설이 놓여 있다는 의미로 볼 수 있을까.

물론 버려진 아이들의 악몽에서 비롯되었다 하더라도 그 이미지가 주는 충격적 효과가 사라지는 것은 아니다. 그리고 편혜영의 지독

11) 손정수, 앞의 글 참조.

하게 불쾌한 이미지가 환기하는 것이 이 세계의 지옥도라는 사실 역시 부정될 수 없다. 하지만 적어도 이 극도로 팽창된 이미지의 과잉은 그것이 발원한 현실에 대한 구체적 인식을 결여한 채 확장된 것이라고 말할 수는 있지 않을까. 그의 소설이 끔찍한 방식으로 현실을 환기하지만, 알레고리적인 방식으로 그 의미가 추상화되는 것도 구체적 현실 인식의 결여와 연관되어 있지 않을까. 이러한 가정이 가능하다면 역으로 편혜영 소설에서 나타나는 거침없는 이미지의 확장과 팽창은 사실 그 세부의 구체성이 서사를 제어할 수 없거나, 혹은 제어하지 않기 때문이라는 가정도 가능하다. 세부의 구체성이 반드시 리얼리즘적인 현실원리를 따라야 한다고 주장할 생각은 없다. 하지만 그것이 어떤 방식으로든 소설이 현실을 더욱 구체적으로 환기할 수 있을 때 충격적인 이미지의 효과는 배가될 수 있을 것이며, 그것은 편혜영, 나아가 우리 소설의 새로운 방향 전환으로 이어질 수 있을 것이다. 그렇다면 그 악몽을 배태한 세계에 대한 좀 더 집요한 탐구, 더욱 확장된 시야를 요구할 근거도 생기는 셈이다.

「시체들」의 세계는 적어도 아이들의 악몽으로 채워진 세계는 아니다. 「시체들」은 실종된 아내의 것일지도 모르는 사체 일부가 발견되었다는 연락으로 시작된다. 아내는 왜 실종되었는가. 그와 아내는 오래된 상가에서 생선구이 백반을 팔았다. 그 상가 옆의 공터에 새 건물이 생기고 가게가 있던 건물은 공사장을 따라 둘러 세운 가벽(假壁) 때문에 폐허가 되었다. 헐값으로 가게를 처분하고 새 상가를 분양받으려 했으나 보증금을 날리고 부부는 갈 곳 없는 신세가 되었다. 그리고 떠난 여행이었다. 부부가 살던 도시에서 멀리 떨어진 곳에 있는 가파른 계곡에서 아내는 실종되었다. 이후 아내의 흔적은 오른 다리거나 왼팔이거나 두상이 발견되었다는 소식으로만 전해진다. 물고

기들에게 뜯기고 부패한 살점에서 아내의 흔적을 찾을 수 있을 리 만무하다. 소설은 아내의 두상이 발견되었다는 소식을 듣고 현장을 찾아가던 그가 사체들을 낚는 환상 속에서 계곡으로 미끄러져 들어가는 것으로 끝난다. 부부는 모두 실종되었고, 그들의 생사 여부는 소설에서 명확히 밝혀지지 않는다. 「시체들」에서도 예의 그로테스크한 이미지들, 부패하는 생선과 눈알, 절단되고 분해된 사체, 부패와 악취가 진동하는 끔찍한 형상들이 악몽처럼 출몰한다. 그러나 이 부부의 실종을 불러온 현실적 근거가 밝혀져 있다는 점에서 사체와 부패의 악취는 소설을 전적으로 지배하지는 못한다. 여기에서 문제가 되는 것은 서사의 원근법이다. 절단된 사체와 부패한 생선은 극단적으로 클로즈업되어 금방이라도 구역질이 날 것처럼 생생하고 서사의 배경이 된 부부의 경제적 몰락은 원경으로 제시되어 있다. 그래서 이 부부의 실종, 부패와 절단으로 점철된 서사의 근원에 있는 오래된 상가의 몰락과 그들의 파국은 잊혀지거나, 혹은 서사에서 중요한 의미를 차지하지 못한다. 극단적으로 과장된 끔찍한 이미지 탓에 쉽게 밝혀지지는 않지만, 그 이미지들과 그것을 불러온 현실적 근거들 사이에 일종의 '공백'이 자리 잡고 있는 것이다.

편혜영 소설의 잔혹하고 끔찍한 이미지의 과잉은 곧 서사의 '불안'이기도 하다. 그것이 소설에 표면적으로 드러나 있든 그렇지 않든, 이미지를 만들어내는 세부들이 충분하지 않을 때 이미지는 이미지로서 과잉 생산되고 확장된다. 견딜 수 없이 지독한 악취에 장시간 노출되면 어느새 그 악취에 익숙해지듯이, 피와 고름이 흐르는 이미지들도 반복되면 익숙해진다. 그것이 세부의 구체성으로 점점 우리의 삶을 파고들지 못할 때, 이미지는 점점 더 극단적인 감각 효과를 추구할 수밖에 없으며, 그리하여 종국에는 한계에 부딪친다. 편혜영의 소설이 끔찍한 시체들의 악몽에서 일상의 패턴으로 돌아오는 것은 그런 의미에서 필연적이다. 혹은 소설이 이전 이미지의 한계로부터 새로운 세계를 탐구하기 시작했다는 점에서 주목할 만한 징후이기도 하다. 이제 그 새로운 세계의 탐구가 어떤 양상으로 펼쳐지는지, 그리고 얼마나 의미 있는 것인지를 따져볼 차례다.

3. 일상의 원환과 위험한 타자

소설집 『사육장 쪽으로』에 이르러 예의 그 잔혹하고 그로테스크한 이미지들은 거의 자취를 감춘다. 『아오이가든』에서 편혜영의 서사를 특징짓는 것은 그 끔찍하고 역겨운 이미지들의 새로운 감각이었으며 『아오이가든』의 해석 역시 이 이미지들을 어떻게 의미화할 것인가에 의해 결정된다. 그렇다면 『사육장 쪽으로』 이후의 세계는 어떠한가. 우선 끔찍하게 넘쳐흘렀던 이미지가 사라진 곳에 현실의 공간을 살아가는 인물들이 등장하고 그들의 일상이 전면적으로 배치된다는 점에 주목하자.

여자는 백일장이나 글짓기대회 기간이면 수강생의 글을 대신 써주는 일로 시간을 보냈다. 수강생 중 하나라도 입상자가 나오지 않으면 곤란했다. 여럿이 나올수록 좋은 일이었다. 숙제로 내주는 독후감이나 생활글의 얼개를 잡아주는 일도 대개 여자의 몫으로 돌아왔다. 여자는 원래 아이들을 좋아하는 편이었다. 하지만 주어와 서술어가 뭔지도 모르는 아이라면 싫었다. 아무리 가르쳐도 공산당이 싫다고 반공 글짓기를 하는 아이도 싫었다. 푸른 하늘처럼 맑은 마음을 가지고 싶다고 쓰는 아이가 싫었다. 장래에 연예인이 되겠다고 쓰는 아이도 싫었고, 장래희망이 없으니 아무거나 써달라고 조르는 아이도 싫었다. 그 아이들은 다 여자의 수강생들이었다.[12)]

이전의 편혜영 소설에서라면 쉽게 찾아보기 힘든 구체적 일상이 제시된다. 그러나 당연히 편혜영이 일상의 세부에 의해 구축되는 인과성의 서사에 안착할 리는 없다. 비록 저수지와 아오이가든과 맨홀의 악몽은 없다 하더라도 여전히 소설은 악몽처럼 끔찍한 세계를 형성하고 있는데, 그것은 일상이 일상 바깥과 대비되는 순간에 온다는 것이 특징적이다. 여자와 남자는 아이들에게 글짓기를 가르치고 건설 현장에서 벽돌공의 일을 하느라 도시 바깥으로의 여행 따위를 시도할 여유가 없었다. 무리하게 짬을 내어 여행을 떠나는 순간, 일상 바깥의 고속도로는 공포가 된다. 그것은 단지 작은 승용차를 위협하며 내달리는 대형 트럭들 때문만은 아니다. 고속도로에 깔린 안개, 도시를 떠나는 순간부터 여자를 괴롭히는 멀미, 또는 긴 시간을 달리고 달려야 겨우 닿을 수 있다는 남쪽의 도시 자체가 주는 공포다. 이 일상의 공포에 대해서 좀 더 살펴볼 필요가 있다. 이미지가 사라진 자리를 대신 차지한 일상이 이전의 세계와 어떻게 차별적인가를 검토해 보기 위해서다.

『아오이가든』에서 『사육장 쪽으로』와 『저녁의 구애』로 변화되는 과정은 공간적으로 본다면 폐쇄적 공간에서 그 밖으로 나아가는 과정이며 이 과정은 결국 '일상에의 귀환'으로 마무리된다. 『아오이가든』의 잔혹한 이미지는 대체로 밖으로부터 고립된 폐쇄적 공간을 기

---

12) 편혜영, 「소풍」, 『사육장 쪽으로』, 문학동네, 2007, 16쪽.

반으로 한다. 살인 사건이 일어나는 저수지 한편에 버려진 방갈로에서, 밖에서 문이 잠긴 채로 아이들은 썩어가는 시체가 되었다. 역병이 창궐하는 도시에서 '아오이가든'은 밖의 역병으로부터 인물들을 분리해 주는 공간이었지만 오히려 그 내부가 더욱 공포스럽고 엽기적인 악몽들로 가득 차 있다. 맨홀은 세금 징수원과 아동 보호소로 대표되는 바깥 세계로부터 아이들을 보호해 주는 은신처였지만 그 내부에서 오히려 악몽의 이미지는 더욱 기승을 부리고 아이들은 마침내 과학관에서 박제나 해부용 시체가 되어 죽어나간다. 그러므로 폐쇄된 공간의 공포는 그대로 바깥 세계의 공포가 옮겨온 것이라는 점에서 바깥 세계와 동일하다. 내부의 악몽은 외부의 공포에 의해 생긴 것이며 그러므로 어디에도 악몽 '바깥은 없다'는 사실이야말로 이 공포의 핵심이었다.

「소풍」에서 도시의 일상 바깥으로 여행을 떠나고, 「사육장 쪽으로」에서 도시와 멀리 떨어진 곳에 전원주택을 구하는 인물들은 이 폐쇄적 공간 바깥으로 '이동'하려 한다는 점에서 일단 『아오이가든』의 세계와는 차별되는 지점을 확보한다. 그렇다면 이 '벗어남'의 성격은 어떠한 것인가. 멍청한 아이들에게 글짓기를 가르치고 벽돌을 나르다 굳지 않은 콘크리트에 오줌을 누는 일상으로부터 벗어나 남자와 여자는 여행을 떠나지만 결국 그들은 목적지에 도착하지 못한다. 목적지로 가는 길은 안개로 길을 찾기 힘들고, 지도가 정확하게 지시할 수 없는 낯선 길들은 두렵기 짝이 없는 미로가 된다. 여자는 고속도로 휴게소에서 만난 청년과의 일탈을 상상하고 시도 때도 없는 허기와 멀미에 반복적으로 시달리며, 급기야 길가에서 오줌을 누다 바라본 그의 연인은 낯설고 기괴한 괴물처럼 보인다. "전조등 빛을 받고 있는데다 짙은 안개가 두 다리를 가린 탓인지 남자는 천상으로 오르는 사자(死者)처럼 보였다."[13] 도시인의 꿈인 전원주택을 마련한 가족은 그 외곽의 도시에서 빚을 감당하지 못하여 파산한다. "전원주택이야말로 진정한 도시인의 꿈이 아니겠느냐며 큰소리를 쳤"[14]지만 그곳에서 아이는 사나운 개에게 물어 뜯겼다.

"편혜영의 소설의 알레고리는 그 폐쇄적인 세계감각에서 나오는 것이고 또 그것을 효과적으로 전달하는 장치"[15]라고 한다면 그 폐소공포의 영역에는 명백하게 외부로부터 격리된 맨홀이나 아오이가든이나 방갈로뿐만이 아니라 도시의 일상 그 자체도 포함되어야 한다. 도시를 벗어날 것을 욕망했으나 그 도시를 벗어나는 순간 인물들을 덮쳐오는 것은 경험하지 못한 낯선 것들이 주는 위협이며, 그래서 이미 경험한 것들조차도 생경하고 낯설게 공포로 다가온다. 도시의 바깥에서 맛보는 낯선 공포는 도시 내부의 반복된 일상 속에 도사리고 있는 지루한 반복성의 공포를 다시 일깨운다. 도시 내부의 반복은 무의미하지만 그것을 벗어나는 것은 불가능하다. 탈출이 불가능하므로, 우리들은 모두 이 무의미한 반복 안에 갇혀 있으므로 일상은 벗어날 수 없는 공포다. 그리하여 시체와 오물이 등장하지 않더라도, 고름이나 피가 흐르고 내장이 튀어나오지 않더라도 세계는 역시 끔찍한 악몽으로 되풀이된다. 여행은 미로가 되었고, 도시에서 떨어진 전원주택은 파산과 재앙을 불러왔다. 도시 바깥으로 떠나는 것은 가능하지 않았으며 인물들은 다시 일상의 세계로 돌아왔다. 그 세계가 바로 파견의 세계, 혹은 『저녁의 구애』의 세계다.

---

13) 편혜영, 「소풍」, 위의 책, 24쪽.
14) 편혜영, 「사육장 쪽으로」, 위의 책, 49쪽.
15) 김영찬, 「불가능의 서사와 동정 없는 휴먼-강영숙과 편혜영의 소설」, 『비평의 우울』, 중앙북스, 2011, 152쪽.

일반적인 의미에서라면 '파견'은 지금의 일상과 다른 업무, 다른 생활을 가능하게 하는 장치가 될 수 있다. 또한 그것은 다시 지금의 일상으로 돌아올 것이 예정되어 있다는 점에서 일시적이고 한정적인 '떠남'이다. 그렇다면 "'파견'을 통해 경험한 낯선 세계가 예정된 귀환 이후의 일상을 어떻게 다르게 만드는가"가 문제의 핵심이 될 듯하다. 그러나 편혜영의 소설은 이러한 상식적인 예측에서 빗나가 있다. 그의 '파견'은 낯선 세계와의 조우라기보다는 다를 것 없는 일상의 무한한 반복을 의미한다. 물론 익숙하지 않은 거처에서 익숙하지 않은 업무를 시작하면서 일시적인 긴장이나 낯섦이 있기는 할 것이다. 「토끼의 묘」(『저녁의 구애』, 문학과지성사, 2011)에서 '그'는 낯선 도시에서 자료를 수집하고 정리하여 보고하는 일을 맡아 그 일을 성실히 해낸다. 그러나 그 일이 어디에 쓰이는지, 그리고 그것이 과연 필요하기나 한 일인지를 확인할 길은 없다. 그는 어디에 소용 있는지도 모르는 업무를 매일 똑같이 반복할 뿐이다. 동일한 업무이므로, 사무실에 출근하지 않고 집에서 업무를 수행하려 하였을 때, 후임자가 파견된다. 그의 파견 임기가 끝났으므로 그는 다시 원래의 근무지로 돌아갈 것이다. 파견지에서건 원래의 근무지에서건 단순한 업무의 동일한 반복은 계속된다. 이를테면 이는 「동일한 점심」(『저녁의 구애』, 문학과지성사, 2011)에서 매일 똑같은 일상을 반복하는 그의 세계와 다르지 않다. 파견이든 아니든 우리는 소용과 목적을 알 수 없는 일들을 무료하고 지루하게 반복한다. 파견을 통해 알 수 있는 것은 그러므로 일상 '바깥은 없다'라는 명징한 깨달음이다. 새로운 거처, 새로운 업무가 제시된 파견지란 이러한 일상의 반복을 더욱 도드라지게 강조하는 하나의 무대장치와도 같은 것이다. 그런 의미에서 파견은 일상을 유지하기 위한 일종의 트릭이다.

다시 편혜영의 몇몇 소설들이 일상을 벗어나 외부로 이동하고자 하였으나, 낯선 세계의 공포와 마주한 순간 이동을 포기하였다는 사실을 떠올려 보도록 하자. 「소풍」에서 만난 낯선 도로의 공포, 혹은 「저녁의 구애」(『저녁의 구애』, 문학과지성사, 2011)에서 '김'이 도시를 떠난 뒤 보았던 장례식장 부근의 화재, 그리고 「사육장 쪽으로」에서 전원주택 인근 개 사육장에서 들려오던 개 짖는 소리. 낯선 타자들이 야기했던 불안과 공포는 편혜영 소설 곳곳에서 출몰했다. 편혜영 소설의 모순과 딜레마는 사실 이 지점에서 발원하는 것은 아닐까. 파견지라는 무대를 설정함으로써 일상의 바깥에 또 다른 일상이 있을 뿐임을 강조하고, 무한 반복의 일상이 만들어낸 또 다른 폐소공포를 형상화했지만, 사실 '파견'은 외부의 위협에 부딪쳐 되돌아온 일상을 긍정하기 위한 알리바이는 아닐까. 엄밀히 말하면 반복되는 일상의 공포는 그 바깥으로 나가는 순간 생각지도 못한 위협으로 다가올 외부 세계에 대한 공포와 같은 것이다. 일상이 결국 닫혀 있는 폐쇄 공간 안에서 반복되는 원환이 되는 것은 이 때문이다. 인물들은 이 외부 세계의 공포와 대면하는 순간, 거기에서 길을 멈추고 일상으로 다시 회귀했던 것이다. 그러므로 파견지에서 이전의 것과 전혀 다를 것 없는 일상이 반복된다는 것은, 사실은 공포 때문에 외부 세계를 차단한 곳에서 이루어지는 착시 현상이거나 자기 위안일지도 모른다. 일상으로 틈입하는 타자의 사건은 일상을 흔드는 불안과 위협의 징후인데, 그 불안을 견디기 위해 그들은 일상으로 되돌아온다. 아오이가든의 바깥에는 역병이 창궐하고 오물이 넘쳐흐르고 있었으며 그 공포가 두려워 아오이가든에 고립된 인물들은 아오이가든 바깥에 대한 공포를 아오이가든 안에서 재현한다. 이 폐쇄 공간의 공포가 그토록 끔찍하고 역겨운 악몽의 이미지를 낳았다. 그런 의미에서 본다면 피와 내장이 터지는 죽음의 시취(屍臭)로부터 벗어난 일상의 묘사와, 인물들의 이동으로부터 생겨나는 서사는 끔찍한 이미지로 점철된 전작들의 세계에서 그리 멀리 벗어나지 못한 곳에 있다.

물론 경험하지 못한 공포가 도사리고 있을 외부 세계를 상상하며 그 불안을 안고 살아가는 일상의 공포가, 다른 세상을 감히 상상할 수 없는 현대인들의 사물화된 삶을 상기시키기도 한다. 그런 의미에서 편혜영의 소설이 지금의 현실에 대한 하나의 알레고리가 된다는 점 역시 분명하다. 파견지에서 집과 사무실을 오가면서, 자료를 검색하고 서류를 제출하는 것으로만 채워진 일상은, 외부를 알 수 없는 거대한 인공 도시의 부속물로 살아가는 우리들의 것이기도 하다. 그래서 문득 되돌아보면 반복되는 일상이 그 끔찍한 무기력함으로 공포가 되는 것을 우리는 매순간 경험한다. 그러니 끊임없이 우리를 위협했던 외부 세계, 일상의 원환 바깥을 탐색해야 한다는 당위는 사실상 무리한 주문일지도 모른다.

> 베란다를 넘는 일은 생각보다 쉬웠다. 가늘고 단단한 다리를 접었다가 훌쩍 튀어 오르니 바깥에 닿았다. 이윽고 거리의 냄새가 느껴졌다. 냄새만으로 아오이가든 너머로 나왔음을 알 수 있었다. 나는 마디가 달라붙은 두 팔을 펴고, 나뭇가지처럼 가벼운 다리를 벌린 채 비강을 활짝 열었다. 죽은 새끼들이 썩은 몸을 일으켜 긴 소리로 울며 낙하하는 나를 마중하였다.[16]

「아오이가든」의 마지막 장면이다. 누이의 몸에서 개구리들이 쏟아

16) 편혜영, 「아오이가든」, 『아오이가든』, 60쪽.

지고, 몸속에서 고양이의 시체를 게워내는 아오이가든의 베란다를 넘어, '나'는 역병이 창궐하는 거리로 뛰어든다. 어쩌면 아오이가든의 그 지독한 악몽은 역병이 창궐하는 도시로부터 철저히 고립된 아오이가든의 문 안에서 증폭된 상상의 공포일지도 모른다. 혹은 역병이 창궐하는 거리가 그것보다 더 지독한 악몽이라 할지라도 아오이가든의 문을 열지 않는다면 그 악몽은 반복되면서 더욱 끔찍하게 증폭될 것이다. 그리고 문밖으로 나온 인물들은 대체로 늪이나 계곡에 빠져 죽거나 혹은 목적지를 찾지 못한 채 다시 일상으로 되돌아왔다. 만나보지 못한 외부 세계는 또다시 일상의 공포를 반복적으로 만들어낸다. 그러니 우리에게 필요한 것은 이 공포의 심장, 악몽의 심장과 만나는 일이다. 아마도 그것은 도무지 정체를 알 수 없는, 저 길 위에서 만난 타자들과 마주치는 곳에서 시작될 것이다.

4. 편혜영 소설의 변화와 2010년대 소설

편혜영의 소설이 2000년대 문학의 어떤 경향을 대표한다고 말할 수 있는가라는 질문에 대해서는 일반론적으로 '그렇다'라고 말할 수 있다. 그러나 여기에는 2000년대 문학이 드러낸 것, 표출한 것뿐만 아니라 2000년대 문학이 감춘 것, 혹은 결여한 것까지가 포함되어야 한다. 그 다음으로, 편혜영의 문학이 2000년대와 2010년대를 지나는 사이 변화했다고 말할 수 있는가. 여기에 대해서도 표면적인 의미에서는 '그렇다'라고 말할 수 있다. 그러나 그 변화는 근본적인 변화라고 할 수 없으며 여기에서 역시 편혜영의 변화가 결여하고 있는 것에 대한 질문이 제기된다.

아마도 이 결여의 탐구가 2010년대 문학의 과제가 될 것인데, 이 결여란 악몽의 이미지와 그 현실적 근거 사이에 놓인 공백이며 다가갈수록 위협이 되었던 외부 세계와 고립된 일상의 원환 사이에 놓인 공백이다. 이 결여를 외면한 곳에서 잔혹하고 음습한 이미지들은 강박적으로 강화되었고, 탈현실의 문법은 더욱 속도를 더해갔는지도 모른다. "현실의 인력으로부터 벗어난 환상의 세계로 향하는 2000년대 한국소설의 큰 흐름은 어떤 의미에서 포스트모던의 상황에 대응되는 새로운 소설에 대한 강박적 요구와 결부된, 바로 그 영향에 대한 불안이 만들어낸 것일 수도 있다"[17]라는 지적은 그래서 경청할 만하다. 아마도 2010년대 문학에 대한 전망은 저 탈현실의 지독한 이미지들에 대한 과잉 해석을 걷어내는 일로부터 시작되어야 할 것이다. 강박적으로 확장된 이미지의 늪에 가려 있었던 결여를 탐문하기 위해서다. 그리고 그 결여로부터 새로운 시작의 가능성이 열릴 것이다.

마지막으로 파견지로부터 원래의 거주지로 돌아오고자 했으나 결국 돌아오지 못하고 길 위에서 멈추어 섰던 「크림색 소파의 방」의 한 부분을 인용하면서 지루한 모색을 마무리하고자 한다.

> 진의 반가운 마음과 달리 희미한 어둠 속에서 빛을 뿜으며 빠르게 다가오는 자동차는 사나운 짐승처럼 보였다. 차가 멈춰 서고 거기에 탄 사람이 내리고 나서야 진은 그 짐승이 호랑이라는 걸 알아차렸다. 호랑이라는 걸 깨닫자마자 진은 달아날 새도 없이 사나운 이빨에 물렸다. 물렸다고 생각했으나 실제로 느껴진 것은 망치 같은 것에 얻어맞은 듯한 엄청난 통증이었다. 머리가 뜨거워졌다. 천장에 매달린 샤워꼭지에서 연신 쏟아지는 뜨

---

17) 손정수, 앞의 글, 352쪽.

거운 물에 억지로 머리통을 대고 있는 느낌이었다. 처음에는 시원했지만 나중에는 터질 것처럼 통증이 느껴졌다.[18]

집으로 돌아가는 길에서 진의 머리통을 내려친 것은 폐쇄된 주유소에서 술을 마시며 떠들던 지역의 청년들이었다. 폭우가 퍼붓는 길에서, 갑자기 작동이 멈춘 자동차를 향해 다가오는 청년은 위협적이다. 그것은 이를테면 일상을 떠난 여행길에서 만난 거대한 유조차이거나, 혹은 전원주택지의 야산에서 끊임없이 들려오던 개 짖는 소리와 같은 미지의 공포와 다르지 않은 것처럼 보인다. 그러나 이 청년은 단지 위협의 징후로만 암시되지 않는다는 점에서 좀 다르다. 청년은 폭우 속에서 와이퍼가 고장 난 차를 비에 흠뻑 젖어가며 고쳐주었고, 그에게 수리비를 갈취해 갔으며, 어두운 길에 또다시 멈춰선 차를 향해 다가와 진의 머리통을 내려쳤다. 낯선 길에서 만난 청년들은 위험하고 두려운 타자이지만 막연한 공포로만 조형되지는 않는다. 자동차를 고쳐주는 원조자였다가 그의 머리통을 내리치는 위협자이기도 한 양면의 얼굴을 가지고 있다. 지방 도시의 청년들, 비슷한 수준의 학교를 졸업하고 도시를 떠나거나 아니면 도시에 남아 거대한 선박 회사의 노동자가 되거나 아니면 건달이 되는 청년들의 실물감이, 그리고 순박한 원조자이지도 않고 일방적인 위협자이지만도 않은 이 구체성이 진의 공포를 더욱 생생하게 만든다. 편혜영의 소설이 대면해야 할 공포의 심장이란 바로 이 위험하고도 알 수 없는 타자의 얼굴 속에 있지 않을까.

진은 아마도 원래의 거주지로 돌아가지 못할 것이다. 안락한 가정

18) 편혜영, 「크림색 소파의 방」, 『저녁의 구애』, 문학과지성사, 2011, 202쪽.

을 상상하며 구입한 크림색 소파는 사이즈가 맞지 않은 채로 거실에 기우뚱하게 놓여 있을 것이다. 암흑과 폭우 속에 진의 피 흐르는 머리통과 호랑이 무늬 셔츠를 입은 청년이, 그리고 뒷좌석에서 울려나오는 아내와 아기의 겁에 질린 울음소리가 병치되는 풍경은 '아오이가든'과는 다른 공포를 만들어낸다. 조금씩 공포가 자신의 실체를 드러내고 있는 모양이다. 아울러 위험을 무릅쓰고 도움을 요청해야 하는 타자들도 조금씩 그 얼굴을 드러내고 있다.

(『한국문학과 예술』, 2012년 4월)

근원적인 것의 심연

__최진영의 『나는 왜 죽지 않았는가』

1

어릴 적 아버지의 자살을 목격하고, 차갑고 엄격한 부모와 불화했으며, 방황과 일탈로 전전하다가 횡령과 사기로 부자가 되고, 그리고 결국 가족에게 버림받아 죽어가는 남자의 황폐와 절망에 대한 이야기라고 읽을 수 있겠다.

또는, 존재의 기원이면서 이유인 아버지는 일찍이 죽었고, 살아 있는 아버지는 규율과 훈육의 상징적 법이었을 뿐이며, 언제나 가장 간절했던 어머니의 사랑은 자기 것이 아니었으므로, 결핍과 불안에 시달려야 했던 아이의 오이디푸스적 성장과 죽음에 관한 이야기라고 읽을 수도 있겠다.

물론 그것 이상의 이야기다.

2

왜 사는가.

이것은 원도의 질문이 아니다.

왜 죽지 않았는가.

이것이다.[1)]

이 질문은 소설을 통틀어 가장 자주 인용되었을 것이고, 아마 앞으로도 그럴 것이다. 그리고 여기에 하나의 질문을 덧붙인다. '그는 왜 그것을 묻는가.' 이것은 독자, 혹은 비평의 질문이다. 그리고 이 소설을 읽는, 작가와 그리고 주인공 원도와 소통하는 과정이기도 하다. 대답을 찾는 일은 만만치 않다. 대체로 불친절한 서사 그리고 각혈처럼 구토처럼 쏟아져 나오는 원도의 독백을 견뎌야 하기 때문이다. 그럼에도 불구하고 대답을 찾는 여정을 계속하기 위해서 서사는 조합되고 독백은 불충분하게 집약되어야 할 것이다. 불가피한 일이다. 여분의 단서가 아직 거기에 있으므로, 대답의 완결을 방해하며 휘저어 놓은 시간들의 불쾌가 우리를 구원해 줄지도 모른다.

3

질문으로부터 이야기는 시작되었다. 원도는 죽어 마땅한 자인지도

1) 최진영, 『나는 왜 죽지 않았는가』, 실천문학사, 2014, 16쪽. 이하 이 작품의 인용은 인용 뒤에 쪽수만을 표기한다.

모른다. 고객의 돈을 횡령했고 그로 인해 누군가는 파산했고 그중 몇몇은 스스로 목숨을 끊었다. 죽은 이의 가족들은 소중한 사람을 잃고 울부짖었으며 뿔뿔이 흩어졌다. 애초에 자기 것이 아닌 돈으로 그들을 불행에 빠트렸으며 스스로도 불행해졌다. 돈도 가족도 사라지고 간은 굳어가고 있으며 그는 각혈을 하며 거리를 떠돌고 있다. 여기에서 "왜 죽지 않았는가"라는 질문이 비롯되었을까. 그럴지도 모른다. 아니다. 그렇지 않다. 원도의 질문은 더 근원적이다.

그런 거라면, '왜 사는가'라는 질문으로 충분하지 않은가. 불행해진 사람들의 원한을 갚을 길 없고, 돈도 가족도 건강도 잃어서 재생할 희망이 없는데, 그런데도 살아 있다면, 왜 사는가. 그래서 '왜 사는가'는 미래를 위한 질문이 된다. 되고 싶고 가지고 싶고 원하고 바라는 것, 그것을 위해, '왜 사는가'는 추구의 지표를 전제한 질문이다. 희망이 없다고 하더라도 욕망이 있다면 살아야 한다. 무엇을 원하는가. 그것이 질문에 대한 대답이 될 것이다.

이 지점에서 '왜 사는가'라는 질문은 '왜 죽지 않았는가'라는 질문과 겹쳐진다. 다른 욕망을 찾을 수 없거나, 그것을 찾는 것이 무의미하다면, 그렇다면 지금까지의 욕망은 무엇이었는가가 문제다. 그래서 원도는 욕망에 대해 다른 것을 묻는다. '원한다는 것은 무엇인가.' 이 질문은 좀 더 근원적이다. 진짜로 원하는 것이었다면 실패했다고 해서 쉽게 포기하지 않는다. 그렇다면 살아야 할 이유는 있다. 원했던 것이었으나 이제 무의미하다면 그것은 가짜다. 그렇다면 진짜는 무엇이었는가. 질문은 과거로 거슬러 올라간다. 진짜를 찾을 수 있다면 그것이 그가 살아온 이유가 될 것이다. 찾을 수 없다면 그는 비로소 물을 수 있을 것이다. "왜 죽지 않았는가." '왜 사는가'가 미래를 위한 질문이라면, '왜 죽지 않았는가'는 과거를 향한 질문이다. 아직 알지 못한 어떤 것, 그것을 진짜라 이름 붙일 수 있을지 모르지만, 그것을 알지 못하므로 왜 살아야 하는지를 알 수 없으며, 그래서 '왜 죽지 않았는가'라고 물을 수밖에 없다. 가짜를 걷어내다 보면 진짜를 찾을 수 있을 것이라는 논법을 우리는 이전에도 본 적이 있다. 최진영의 전작 『당신 곁을 스쳐간 그 소녀의 이름은』(한겨레출판, 2010)에서다. 가짜 부모를 지워나가다 보면 진짜를 찾을 수 있을 것이라 소녀는 믿었다. 그러나 진짜는 없었으므로 가짜로 가득한 세상에 살아야 한다는 것만이 진실이라 말한 적이 있다. 이번에는 어떤가.

4

질문이 제시되었으므로 서사는 대답을 찾기 위해 나아간다. 물론 순조롭지는 않다. 기억을 더듬는 서사는 불충분한 정보로 혼란스럽고 예고 없는 습격처럼 끼어드는 독백 때문에 결정은 지연된다. 욕망에 대한 이야기였으므로 그것이 질서 정연할 리 없고, 정보와 독백을, 사건과 무의식을 오가는 혼란으로 독자는 결말을 맞는다. 그리고 그 혼란이야말로 해답이라고 소설은 말하고 있는 듯하다. 어떻게 혼란이 대답이 되는가.

이야기는 다시 근원으로 거슬러 올라간다. 원도의 기원에 부모가 있고, 기억의 출발점에 아버지의 죽음이 있다. 아버지는 원도의 눈앞에서 스스로 목숨을 끊었으므로 원도의 기원은 훼손되었다. 훼손된 기원에도 불구하고 아버지는 살아 있다. 현실적 어법으로 그것을 우리는 새아버지라고 부르지만 원도는 그를 산 아버지라 부른다. 아버지는 죽은 아버지와 산 아버지로 구분된다. 누가 진짜 아버지인가.

죽은 아버지는 있었으나 없는 기원, 산 아버지는 가짜이지만 살아 강압하고 훈육하는 현실원리다. 기원은 있으면서도 없고, 살아 있는 법은 가짜라면, 진짜와 가짜는 이미 뒤섞여 있다. 죽은 아버지와도 산 아버지와도 함께 사는 어머니는 죽지도 살지도 않은 존재이므로 유령처럼 불확실하다. 원도는 어머니를 간절히 원했지만 그가 원한 것은 어떤 어머니인가. 죽은 아버지를 애도하는 어머니인가, 산 아버지와 몸을 섞는 어머니인가. 혼란은 불가피하므로 대답을 얻고자 한다면 혼란을 견뎌야 한다. 혼란은 계속된다. 심지어 원도를 낳은 아버지는 죽은 아버지가 아니라 산 아버지일지 모르고, 어머니는 진실을 말해주지 않는다. 어머니 진짜 나를 낳기는 하셨나요.

> 그런데 씨발 죽은 아버지라는 작자는 말장난 같은 글자 몇 개만 덩그러니 남기고 죽어버린 주제에, 죽지도 않고 머릿속에 빌붙어서 아니다, 아니다, 너는 모른다라는 꼰대 같은 말이나 지껄이면서 재수없게 아는 체나 해대고, 씨발 산 아버지라는 작자는 세상에서 자기가 제일 옳다는 듯 역겨운 훈수 질을 멈추지 않으면서도 없는 그것을 있다고 계속 우겨대니 우스울 뿐이고, 아름답지만 괴물인 어머니는, 그 자리에 없다. 나를 완벽하게 삼키지도 뱉지도 않고, 나의 어떤 부분만을 베어 문 채 사라져 버렸다.(240쪽)

있으면서도 없고, 없으면서도 있는 부모의 자식이 되고자 하였으니, 그 욕망은 진짜면서 가짜고 가짜면서 진짜다. 진짜인지 가짜인지 알 수 없는 욕망을 충족시키는 것은 불가능하므로 원도는 그가 무엇을 원하는지 알 수 없고, 그래서 그가 원하는 것은 늘 원하지 않는 것 속에 있었다. 한 번도 안아주지 않았던 어머니, 너를 이해하지만 다른 것을 선택하라고만 말했던 아버지의 자식으로 계속 죽지 않고 살았다면 그가 원하는 것이 다른 곳에 있다고 믿었기 때문일 것이다. 어쨌든 그는 무언가를 원했다.

5

그가 원했던 것은 이를테면 장민석처럼 되는 것이었다. 장민석은 누군가. 398일 동안 잠시 그의 집에 들어와 살았던, 어머니가 돌보던 부모 없는 아이 중 하나였다. 어머니는 학교에 가는 장민석을 향해 베란다에서 손을 흔들며 환하게 웃었고, 밤늦게 들어온 아버지는 장민석의 이불을 덮어주었다. 장민석을 통해 원도는 비로소 자신이 원했던 것이 무엇인지를 안다. 의무가 아닌 웃음, 훈육이 아닌 애정. 부모라면 마땅히 가져야 할 어떤 것, 혹은 자식이라면 자연스럽게 누려야 할 어떤 것. 그것이 자신에게 결핍되어 있었음을 원도는 장민석을 통해, 안다. 자신이 마땅히 누려야 할 것을 장민석이 빼앗아 갔다고 생각했으므로 원도는 장민석을 질투하고 미워하고 괴롭혔다. 장민석이 이미 그것을 가져갔으므로 장민석이 사라지고 난 이후에도 그것은 원도의 것이 될 수 없었다. 원도는 원했으나 가지지 못한 그것 때문에 살았다고, 말할 수 있는가.

그리고 시간이 지난 후에 원도가 원했던 그녀 곁에 장민석이 나타난다면? 원도가 원하는 것 옆에 항상 장민석이 있었다면 그것은 우연이라기보다는 환영이라고 해도 좋지 않을까. 말하자면 장민석은 원도의 환영 같은 것이 아닐까. 원하는 것을 가진 장민석과 결코 그것을 얻을 수 없는 원도는 사실은 두 개의 자아가 아니었을까. 아버지의 자리가 있고 어머니의 자리가 있고 그 관계 내에 아들의 자리가 있다. 그 자리에서 마땅히 누려야 할 것이라 믿어 의심치 않는 어떤 것. 여자와 남자와 그리고 그들 사이에 섹스가 있고 거기에 마땅히 있어야 할 어떤 것. 그러나 원도는 그것이 없다는 것을 안다. 그 자리에 있는 것은 사실 장민석이 아니고 원도였기 때문이다. 이제 와서 라캉을 인용하자면 "성관계 같은 것은 없다". 은밀한 침실과 벌거벗은 남자와 여자, 그리고 그들에게 기대되는 역할과 가상적인 충족의 환영이 있을 뿐이다. 인자하고 눈물 많은 어머니와 엄격하고 올바른 아버지, 몸과 마음이 합일되는 어떤 충족의 순간. 그런 것은 없다. 그러나 장민석 때문에 원도는 그것이 없다고 확신하지 못한다. 그것이 없는 것이 아니기를 바라는 원도의 소망이 바로 장민석이라는 환영이다.

6

이야기는 여기서 끝날 수도 있었다. 그랬다면 소설은 원도와 장민석으로 분열된 자아, 부모의 자식으로 연인의 남자로 관계 속에 만들어진 자리에서 만족하는 자아, 그런 것은 없다고 언제나 갈망하는 자아의 결핍과 충족과 환영에 대한 이야기가 되었을 것이다. 그러나 작가는 이보다 훨씬 급진적인 길을 택한다. 분열된 자아를 분석하거나 그 분열을 애써 통합하는 대신 분열 자체를 없애는 방식. 어느 하나를 죽여야 한다면 환영을 죽이는 방식. 그래서 원도는 살아 있고 장민석은 죽었다.

장민석은 죽었다. 아니다. 원도가 장민석을 죽였다. 장민석을 환영으로 읽을 수 있다면, 장민석의 죽음은 원도의 무의식적 욕망으로 읽는 것이 자연스럽다. 그녀 곁에 장민석이 있다는 것을 알고 그녀와 장민석을 함께 대면한 날, 장민석은 의외의 장소에서 사고로 죽었다. 마지막까지 함께 있었던 것은 원도였으나 취한 원도는 아무것도 기억하지 못한다. 원도의 살해 욕망은 기억 밖으로 밀려났으나 장민석의 죽음으로 현존한다. 장민석을 죽이면 장민석의 것을 가져올 수 있다고 믿었는가. 아니면 장민석이라는 환영 대신 결핍과 갈망뿐인 삶을 선택했는가. 의도는 중요치 않다. 장민석의 죽음으로 원도의 삶은 환영 없는 실재의 세계로 던져졌다는 것이 중요하다. 진짜가 가짜이고 가짜가 진짜인 곳, 나의 욕망이 내 것인지 남의 것인지 알 수 없는 곳, 그리하여 무엇을 원하는지 원하지 않는지 알 수 없는 곳. 그 삭막한 구멍을 채우기 위해 원도는 돈을 택했고 그리고 몰락했다. 다른 것으로 채운다고 그 구멍이 사라지지는 않는다. 왜 죽지 않았는가. 아버지를 거부하고 어머니를 원망하며 장민석을 욕망하면서 그 구멍을 지우고 살아왔기 때문이다. 그래서 살 수 있었다. 죽음이 눈앞에 닥친 곳에서 기억을 더듬어 죽음의 연원을 묻는 일. 그리고 마침내 타인을 욕망하며 버텨왔던 삶의 진위를 묻는 일. 이제 겨우 묻기 시작했으므로 아직 아무것도 얻지 못했다. 다만 이제야 '내가 진짜로 원하는 것은 무엇인가'라고 물을 수 있게 되었을 뿐이다. 어떻게든 살아왔으나 아무것도 시작하지 못했으니 죽을 수도 없는 심연이 버티고 있다.

7

질문은 더 깊은 상처를 만든다. 하지만 묻지 않는다고 상처가 아물어 흉터가 되는 것도 아니다. 그대로 있다. 벌건 살을 드러낸 채 끊임없이 피를 흘리며, 굳지도 아물지도 하물며 썩지도 않고, 처음 구멍 그대로 존재한다. 그 자리에서 시간은 멈췄다.(227쪽)

기억의 폐쇄 회로를 돌고 돌아 우리들의 곁에서 웃고 있는 원도가 불편하다. 원도의 기억이 우리들의 삶을 향해 돌진하는 까닭은 원도의 질문이 근원적인 것을 건드리고 있기 때문이다. 간혹 왜 사는가라고 질문해 본 적이 있지만 대답을 얻은 적은 없다. 그래도 살아야 할 날들 때문에 질문을 잊은 지 오래다. 그래도 살아야 할 그날들이 혹여 장민석은 아니었는지, 있지도 없지도 않은 아버지의 이름은 아니었는지, 그리하여 장민석을 선망하고 아버지를 의식하면서 버려둔 내 결핍과 공허의 가치를 물어야 할 시간이다.

명절이 오고 교통대란이 있고 선물 배송 마감일이 째깍거린다. 도리와 의무와 피로, 그래도 있어 마땅할 가족애와 공동체와 결속력으로 고속도로는 미어터지고 택배는 전쟁이며 한 줌 애잔함과 뿌듯함의 위로가 있다. 대열에 참가하기 위해 두고 온 당신의 욕망은 무사한가. 당신이 진짜로 원하는 것은 무엇인가.

(『자음과 모음』, 2014년 봄호)

발랄하게 상상하고 우울하게 인식하라

_김애란의 『비행운』

경제적 격차가 취향의 격차, 희망의 격차로 이어지는 격차사회를 우리는 살고 있고, 그 격차가 빚어내는 미묘한 갈등과 불안을 포착하는 김애란의 감각은 여전히 탁월하다. 특히 그 세계 속에 자신도 포함되어 있음을 겸손하게 인정하고 그것으로 자신을 성찰하는 인물들과 만날 때 그 감각은 가장 싱싱하게 빛난다. 예컨대 "나도 모르는 곳에서, 내가 아는, 혹은 모르는 누군가가 나 때문에 많이 아팠을 거"[1] 라고 고백하는 장면에서, 어쭙잖은 소비의 취향을 고단한 친구 옆에서 멋쩍어 하는 윤리(「큐티클」)와 함께. 그런 의미에서 김애란 소설은 아직 3인칭의 조망보다는 1인칭의 성찰에 더 자연스럽게 어울린다. 그런데 김애란 특유의 따뜻한 공감과 명랑한 긍정이, 그 익숙함 너머로 한 발짝 발을 디딜 때, 세계는 돌연 비정하고 막막하여 감당하기 힘든 곳이 된다.

아마도 김애란의 세 번째 소설집 『비행운』을 말하기 위해서는 이

---

1) 김애란, 「너의 여름은 어떠니」, 『비행운』, 문학과지성사, 2012, 44쪽.

지점에서 시작해야 할 것 같다. 여전히 동세대의 삶을 짚어내는 예민하고 발랄한 감각에도 불구하고, 아직 충분히 말하지 않은 세계를 향해 한발 내딛는 그 새로운 시도에 대해서 말이다. 이를테면 그것은 조숙한 아이들이 바라보았던 세계를 어른의 시야로 확장시킨 것이다. 그리고 그것은 1인칭에서 3인칭으로 훌쩍 건너가려는 시도이기도 하다. 세 번째라면, 아이가 어른으로 성장하기에 꽤 적절한 타이밍이다. 아이는 세계를 상상하지만, 어른은 세계를 인식한다.

아이가 상상하는 세계란 이런 것이다. 아버지는 공사장 크레인에서 실족사하고 집은 재개발로 철거에 임박해 있으며 도시는 계속되는 폭우로 물에 잠긴다.(「물속 골리앗」) 죽은 어머니의 사체를 끌고 수도도 가스도 끊긴 집을 탈출하지만 집보다 바깥은 더 위험하다. 물에 잠긴 도시를 문짝으로 만든 배로 항해하는 소년, 세계는 위험하고 막막하며 끔찍하다. 오염된 빗물의 바다 위로 삐죽이 솟아오른 골리앗 크레인. 위험하고 절망적인 세계는 이 인상적인 장면으로 이미지화된다. 크레인의 끄트머리에서 아버지의 환영을 보면서 소년은 아버지가 본 세계를 추체험한다. 비관적 디스토피아의 감각이 일용직 노동자로 철거가 예정된 아파트에 살다 죽어야 했던 아버지의 것이라면 그것을 물에 잠긴 도시와 크레인으로 응축하는 상상력은 소년의 것인 셈이다. 아버지도 어머니도 없는 세계의 끝에서 막막한 비관의 이미지를 설명하는 일, 그것이 소년의 앞에 놓인 성장의 과제다.

응축된 이미지는 설명을 통해 확장된다. 예컨대 도급 택시기사 용대와 연변에서 온 이주노동자 명화의 비애 가득한 멜로드라마(「그곳에 밤 여기에 노래」)는 어떻게 확장될 수 있는가. 서사의 중간에 끼어든 용대의 사촌형 가족이 이 소외된 연인들을 설명하는 방식을 통해서다. 사업가로 성공한 사촌형과 검사가 된 5촌 조카, 이들과 용대 사이의 거리가 용대의 러브 스토리를 사회적 계급 구조의 문제로 확장하고 있는 셈이다. 전작과 다른 김애란의 면모가 드러나는 지점이기도 한데, 그러나 아직 그 시도가 성공적인 것 같지는 않다. 용대에 초점화된 이야기와 5촌 조카의 시점에 비친 용대의 이야기가 서로를 충분히 해명하지 못하고 있기도 하거니와, 애초에 용대의 반대편에 부유층인 사촌형 가족을 맞세우는 것은 너무 익숙한 일반화이기도 하다. 그래서 세계가 넓어지기는 했지만 충분히 확장되지는 못한다. 확실히 전작들의 명랑함에 비해 『비행운』은 훨씬 비관적이 되었고 그 비관성은 설명을 통해 사회구조의 문제로 확장된다. 그러나 그 설명 방식은 다양해 보이지만 의외로 도식적이거나 또는 모호하다.

용대의 세계에 맞세워진 사촌형의 세계처럼, 소설은 자주 대비되는 세계를 맞세우는 구성을 반복한다. 전 세계를 향하는 비행기가 뜨고 내려앉는 공항의 풍경과 어학연수를 가기 위해서 택배를 훔치는 아들의 삶이 대비되거나(「하루의 축」), 단란하고 오붓한 가족을 이루려는 소박한 꿈이 철거촌의 폐허와 대비되고(「벌레들」), 또는 낭만적으로 기획된 해외여행이 죽어서도 폐지를 줍는 할머니의 환영과 대비된다.(「호텔 니약 따」) 대비되는 세계를 맞세우는 것만으로 이 세계가 설명되지 않는다는 점에서 반복되는 구성은 자주 도식적으로 느껴지고, 그래서 다소 부담스러울 수밖에 없는 절합면을 상징이나 반전의 묘수로 봉합하려 할 때 그 도식은 모호함으로 남는다. 아파트 창틀을 기어오르는 끔찍한 벌레의 상징으로 재개발 지구의 무너져가는 삶을 온전히 감당하기는 힘들고(「벌레들」), 스트레스성 탈모나 아들의 편지가 유머 효과를 발휘하기에는 공항은 너무 넓고 크고 복잡하다.(「하루의 축」)

안정적으로 구축된 단편의 울타리 바깥에 아직 탐색되지 않은 세계가 남겨져 있다. 그 세계를 이해하기 위해 안정된 구성은 깨어졌다가 봉합되기를 반복해야 할지도 모른다. 이 과정에서 김애란의 문학은 더욱 확장될 수 있을 것이다. 우리 시대의 가장 뛰어난 작가 중 한 사람인 김애란에게 너무 일찍 만족해서는 안 된다. 그러니 김애란 문학의 결여이기도 하고 가능성이기도 한, 『비행운』의 숱한 절합면들을 기꺼이 환영할 수밖에 없다.

(『창작과 비평』, 2012년 겨울호)

| 3부 |

고통의 문장

지도에는 없는 고독

_한수영의 『조의 두 번째 지도』

1. 결정적 장면들

"사람들은 앞날을 알 수 없어 막막해 하지만 나는 그 반대여서 더 막막했다."[1]

나는 이 한 문장 때문에 한수영이 역량보다 저평가된 작가라고 내내 생각했다. 그 생각은 지금도 마찬가지다. 물론 저 한 문장이 아니더라도 한수영 작품의 미덕은 많다. 자연스러우면서도 응집력 있는 서사, 단단하고 치밀한 문장, 구석지고 소외된 곳의 존재들을 살피는 따뜻하고 사려 깊은 시선. 그럼에도 불구하고 한수영 소설의 백미가 단연 저 문장이라면 그것은 어떤 이유 때문인가. 당대의 핵심을 뚫는 진실이 저 문장 안에 담겨 있다고 생각했기 때문이다.

『공허의 1/4』이 '오늘의 작가상'을 수상했던 2000년대 초반 무렵,

---

1) 한수영, 『공허의 1/4』, 민음사, 2004, 92쪽.

우리는 한국 사회가 점점 더 변화 없는 고착의 시대로 가고 있다고 어렴풋이 짐작했다. IMF 이후 한국 사회의 경제구조와 신분구조가 감당할 수 없는 전환을 겪고 있던 시대였다. '생존'을 이유로 경제 논리는 가차 없이 우리들의 일상을 습격했고, 무자비한 경쟁 논리들이 삶의 밑바닥을 뒤흔들고 있었다. 오늘의 삶이 어떻게 될지 알 수 없어 누구나 할 것 없이 불안했지만 그 불안의 정체는 모호했다. 경제적 원인을 운운하기에는 일상의 습속과 내면의 심리 깊숙이 파고드는 불안의 그림자가 너무 깊었다. 삶의 존재 기반이 송두리째 뒤흔들리고 있다는 기분, 노련하게 적응하고 기민하게 행동하지 않는다면 살아남을 수 없다는 조바심이 더 큰 불안을 불러왔다. 그 불안의 정체가 "사람들은 앞날을 알 수 없어 막막해 하지만, 나는 그 반대여서 더 막막했다"라는 문장으로 명료해지는 기분이었다고 할까. 우리는 모두 앞날을 알 수 없어서 불안하다고 생각했다. 그러나 정작 우리가 불안했던 것은 앞으로도 계속 이 불안 속에서 살 수밖에 없으리라는 생각, 노력해도 좀처럼 변하지 않을 미래를 예감하고 있었기 때문이 아니었을까. 그리고 이 문장이 관절염에 온몸을 점령당한 아파트 관리 사무소 직원으로부터 나왔다는 점이 중요하다. 알량한 희망조차 품을 수 없는 곳에 있는 존재들, 이미 삶의 바닥을 너무 오랫동안 반복해서 본 자들이 때로는 가장 명확한 진실을 발견한다. 바야흐로 20 대 80의 신분구조가 변화 없는 미래로 예감되던 때였다.

그리고 『플루토의 지붕』(문학동네, 2010)에서, 나는 이 작가가 또 한 번 시대의 중요한 진실을 잡아채고 있음을 발견할 수 있었다. 『공허의 1/4』처럼 한 문장으로 돌올하지는 않았지만 고시 실패자 백수 삼촌이 필리핀에서 온 이주민 여성 데릴라와 사랑에 빠지는 장면이 그랬다. 돌이켜 보건대 2000년대는 외국인 노동자, 이주 여성이라는 타자들이 한국 사회의 변화를 입증하는 중요한 주체로 떠오른 시대였다. 급증하는 외국인 노동자와 결혼 이주 여성들은 우리가 세계화된 노동의 시대를 살고 있음을 실감하게 했다. 한국 자본이 내부적으로는 불안정 고용과 신자유주의적 경쟁 원리로 위계화되고 외부적으로는 자본의 신제국주의에 합류하면서 상대적으로 주변국 노동자들을 착취하는 구조로 돌입하고 있던 시점이었다. 제국이든 자본이든 오랫동안 타자의 위치에 익숙해 있었던 우리는, 그 타자의 위치로 스스로의 윤리성을 자부하기도 했었으나 사실은 그 반대의 위치에 자신이 있을 수도 있다는 점을 깨닫고 당황했다. 타자에 대한 윤리를, 타자를 만나는 상상력을 강박적으로 고민할 수밖에 없는 상황이기도 했다. 문학이 실질적 사회 변화에 무감할 수 없는 노릇이었고 외국인 노동자와 결혼 이주 여성들이 문학에 자주 등장했던 것도 이 무렵이었다. 낯선 그들의 형상을 어떻게 그려내는지도 고민이었거니와 그보다 더 난감한 것은 그들을 바라보는 시선을 설정하는 것이었다. 연민조차도 타자화의 우려 속에서 조심스러울 수밖에 없는 서사, 살얼음을 걷듯 타자에 대한 윤리는 위태로웠다.

삼촌이 사랑에 빠짐으로써 이 타자성의 문제는 단번에 다른 국면으로 접어든다. 타자를 환대하는 가장 확실한 방법은 사랑에 빠지는 것이다. 이 로맨스에서 삼촌은 약자일 수밖에 없는데, 그가 먼저 사랑했고 더 사랑했기 때문이다. 외국인 이주 여성인 데릴라와 내국인 삼촌의 위계는 망설임 없이 전복된다. 그리고 더 중요한 한 가지, 이제 내국인과 외국인의 위계보다는 그들이 철거를 앞둔 빈민촌에 함께 살고 있다는 사실이 더 중요해진다. 부당한 노동조건과 불안정한 시민권이라는 점에서 명왕 3동의 그들은 필리핀에서 온 데릴라와 다를 것이 없는 존재였다. 아마도 삼촌이 망설임 없이 사랑에 빠질 수 있었던 것은 그들이 처해 있는 삶의 조건이 이미 동등하기 때문이었을 것이다. 국적이 아니라 길 건너편의 글라스 팰리스와 마주하면서 가능한 일이었다. 강제 철거를 하루 앞두고 거행된 그들의 결혼식이 명왕 3동 주민의 마지막 축제가 되는 장면은 그래서 의미심장하다. 그 장면을 근거로 연민과 이해라는 말로는 부적절한, 사랑과 연대의 필연성을 비로소 말할 수 있게 되었기 때문이다. 『플루토의 지붕』을 통해 우리는 전 지구적 노동 분업이라는 세계적 추세가 한국 사회의 계급 격차와 단단하게 맞물려 연동하고 있음을 알 수 있었다. 고용과 노동이 이미 세계적이듯이 사랑과 연대 역시 이미 세계적일 수밖에 없다는 사실도. 그것은 외국인 노동자라는 타자에 대한 오랜 문학적 관심이 이전과는 다른 지평으로 열리고 있음을 알려주는 신호이기도 했다. 명왕 3동 백수 삼촌과 민수 엄마 데릴라는 그런 의미에서 세기의 커플이었다.

2. 비둘기의 눈으로, 鳥·瞰·圖

이 결정적 장면들로 한수영은 전작을 넘어서야 하는 과제를 안은 작가가 되었다. 그렇다면 『조의 두 번째 지도』(실천문학사, 2013)[2]의 경우는 어떤가. 이번에는 장면이 아니라 시선, 그것도 비둘기의 시선이다. 비둘기의 눈, 그리하여 이 소설은 비둘기의 눈으로 바라본 세계, 이름하여 조감도를 지향하는 소설이 된다. 공중에 뜬 새의 눈으로 세계를 조감한다는 것은 확실히 매력적인 일이다. 인간의 눈으로는 가

2) 이하 이 작품의 인용은 인용 뒤에 쪽수만을 표기한다.

능하지 않은 시야를 확보하기 때문이다. 그러나 또한 조감도의 명백한 한계도 있다. 새의 시야가 인간의 시야보다는 넓겠지만 그래도 어차피 그 시야는 한정되어 있으므로, 지점과 지점으로 이어지며 연결되는 세계의 전 면모가 확보될 수 없다. 그리고 조감도는 투시도가 아니다. 그가 볼 수 있는 것은 세계의 겉면뿐이다. 이 한계가 이 소설의 매력이 된다면 그것은 어떻게 가능한가. 우선 그가 어떤 지점을 포착하는가가 중요하다.

> 형사들을 태운 승합차는 도로에서 꼼짝 못하고 있었어. 학원버스들이 도로를 차지해 버렸어. 바깥 차선 하나는 학원버스용 주차장이나 마찬가지였어. 주정차 위반을 감시하는 CCTV가 곳곳에 설치되어 있었지만 소용없어. 이 근처에만 수백 개의 학원이 몰려 있어. 교육 특구답지. 거리 자체가 학원과 부대시설, 서점과 패스트푸드점 같은 학생 고객을 위한 상가로 형성되어 있어. 수평선과 지평선, 활주로와 백사장 말고는 이 거리에 없는 것은 없어. 아이들을 위해서라면 뭐든 다 있어. 물론 협동심이나 측은지심 같은 물건은 빼고.(54~55쪽)

"거대한 빌딩들이 피오르드 협곡을 이루고 그 사이로 8차선 도로와 간선도로가 뻗은 세상", "직선과 직각만을 사용해 그린 멋진 조감도".(24쪽) 비둘기가 자리 잡은 이곳은 아이들을 위해서라면 모든 것이 다 있고 그 아이들의 교육을 위해 모든 것이 집중되는 교육 특구의 한가운데다. 학원과 학교와 그리고 학원 등교의 편리를 위해 밀집된 주변의 아파트촌, 대학과 성공과 출세의 유리한 조건을 얻기 위해 학생과 학부모와 사교육 집단이 한 몸이 되어 달려가는 교육 열풍의 중심지라면 뭔가 그럴듯한 이야기가 나올 것도 같다. 이곳이야말로 한국 사회의 맹목적인 경쟁 논리, 점수와 서열로 위계화된 한국 사회의 전형적인 풍속도를 그리기에 가장 적절한 장소가 아닌가. 학원 버스와 등하교 승용차가 도로를 주차장처럼 메우는 곳, 학원 수업 시간에는 엘리베이터를 기다리지 못해 국경을 넘는 낙타처럼 줄을 지어 아이들이 계단을 오르는 곳. 비둘기의 포착 지점은 훌륭했다. 풍경을 묘사하는 것만으로도 아무도 행복하지 않은 곳의 미친 폭주와 팽창을 충분히 목격할 수 있으니. 그리고 이야기가 고등학생 '조'의 투신으로 시작된다면 이것은 그야말로 화룡점정이 아닌가.

그런데 여기서 잠깐, 비둘기는 비둘기일 뿐이라는 슬픈 진실이 있다. 비둘기는 '조'와 대화할 수도 없고 투신을 위해 아파트 옥상에 올라간 '조'를 말릴 수도 없었다. 심지어 비둘기는 '조'가 왜 투신하려 했는지, 정확한 이유도 모른다. 그래서 소설은 투신의 전후 맥락과 투신의 이유와 내력을, 그리고 '조'를 중심으로 이 교육 특구에 집약된 한국 사회의 모순과 왜곡을 말하는 길을 택할 수 없다. 그렇다고 길이 없는 것은 아니다. 아니, 오히려 조감도를 택하면서 이미 가능해진 다른 길이 있다. '조'를 중심에 세우지 않고, '조'를 목격한 주변의 인물들을 잇는 지도를 만드는 일이 그것이다. '조'가 아파트 옥상에서 떨어지던 순간, 건너편의 건물에서 '조'를 발견하고 필사적으로 손을 흔들었던 '표', 같은 아파트의 베란다에서 낙하하는 '조'와 눈이 마주친 '한', 그리고 아파트 상가 화장실에서 몰래 담배를 피우는 여고생에게 삥을 뜯다가 '조'의 투신을 목격한 '모'. 비둘기는 '조'에게 집중하는 대신 이 목격자들을 모두 본다. '표'와 '한'은 '조'를 만난 적도 없는 무관한 타인이고, '모'는 '조'의 동생이었으나 역시 그들은 서로를 상관 않는 타인처럼 지냈다. 그리하여 이들은 무관한가. 그들은 과연 각각이 우연한 목격자였을 뿐인가. 투시 대신 윤곽을 선택한 조감도로만 가능한 최선의 질문, 이 소설의 개성은 여기에서 비롯된다고 할 수 있다.

> 조를 반하게 했던 지도, 마셜 지도가 이 거리에서도 완성되어가고 있었어. 세 사람의 목격자가 그물코처럼 얽히기 시작한 거야. 그들 사이에 조가 있지만 누구도 조에 대한 얘기는 꺼내지 않아. 조는 분명 있는 데도 없어. 분명 없는 데도 있고. 세 사람 사이로 해류가 흐르고 바람이 불어갈 거야.(114쪽)

그리고 이 조감도를 완성한 서술자, 시크한 비둘기에 대해서 좀 더 언급해 두기로 하자. 8차선 대로의 빌딩 위에 자리를 잡기 전 비둘기는 경춘선이 지나는 성북역 전신주 위에 있었다. 귀대를 앞 둔 이등병과 그의 여자 친구의 로맨스를 훔쳐보다가 그는 한쪽 며느리발톱을 잃었고 대머리가 되었다. 남의 인생에 정신이 팔린 사이 고압선이 그의 왼쪽 몸을 훑고 지나갔기 때문이었다. 그리고 그는 이야기 대신 지도를 택했다. 남의 인생을 엿보는 대신 그 인생의 주변으로 펼쳐진 관계를 탐색하는 지도 제작자가 된 것이다. 한수영의 소설들이 한 명의 주인공으로부터 차츰 넓어져 왔다는 것을 생각해 보기로 하자. 아파트 단지 관리 사무소에서 일하는 '나'를 주인공이자 화자로 내세운 『공허의 1/4』, 데릴라의 아들 민수의 시점으로 명왕 3동의 여러 인물들을 파노라마처럼 엮어낸 『플루토의 지붕』, 그리고 이번에는 공중으로 날아오른 비둘기의 시점으로 조감도가 기획되고 있다. 주인공에게 집중된 내면의 탐색으로부터 관계들의 구도를 향한 확장. 그러므로 이 비둘기의 등장은 가히 필연적이라 할 수 있다. 그렇다면 우리는 이 조감도로부터 아직 읽어야 할 것이 많다.

3. 좌표들

"이렇게들 난간까지 떠밀려오는 거야."(45쪽) '조'의 투신을 목격하고 '표'는 그 풍경이 낯설지 않다는 데 당황한다. 학원 사업과 결혼 생활에 동시에 실패한 후 간신히 자리 잡은 교육 특구의 오피스텔에서였다. '조'의 투신을 목격한 후 그의 삶에 미세한 균열이 일기 시작한다. 아이를 빈집에 들어오게 하지 않는 일이 삶의 원칙이 되어 버린 '한', 패거리들과 골목을 장악하고 술과 본드에 취해 위태롭게 매일을 탕진하던 '모' 역시 마찬가지가 아니었을까. 이전에 한 번도 마주친 적이 없던 이들이었으나 그들은 모두 같은 불안을 견디고 있었던 것이다. '조'의 투신으로 그들은 뒤늦게 그것을 자각했다. 간신히 투신을 견디고 있는 그들의 삶을, 혹은 언제든 뛰어내려도 이상하지 않을 위태로운 난간 위에 놓인 삶을. 아이와 남편을 집 밖으로 보내고 다시 맞아들이는 일로 단단하게 여며진 '한'이, 올림피아드를 목표로 오피스텔로 모여드는 아이들에게 화학 공식을 설명하는 것 외의 일과가 없는 '표'가, 아파트와 학교와 학원으로 이루어진 8차선 도로의 반경 어디에도 자신이 있을 곳이 없는 '모'가, 모른 채 품고 있었던 불안이 동시에 스파크를 일으키는 곳에 '조'의 투신이 있다. 그들 사이로 해류가 흐르고 바람이 분다. 그리고 '조'의 투신과 이 거리의 세 방향에 자리 잡은 그들을 좌표로 하여 하나의 지도가 만들어진다.

그 좌표들이 만들어내는 지도, 그것은 8차선 대로가 가로지르는 이 교육 특구의 조감도에 다름 아니다. 그렇다면 이 좌표들을 따라 교육 특구의 조감도가 어떻게 그려지는지 좀 더 지켜볼 일이다. 보이스카우트 같은 남편과 호기심이 많지만 그래서 늘 보호를 필요로 하는 아이로 이루어진 단단한 '한'의 아파트, 몇 개의 화학식이 규칙적인 수

입과 일과를 보장해 주는 '표'의 오피스텔, 그리고 약간의 폭력과 무례함만으로 외부의 시선을 차단할 수 있는 '모'와 일당들의 아지트. 그들은 그 공간 안에서 누구의 틈입도 허락하지 않는 견고하고 폐쇄적인 삶을 견뎌왔다. 마치 성적과 경쟁과 무관심의 질서가 이 교육특구를 견고하게 유지하고 있는 것처럼. 이 좌표들과 교육 특구의 조감도는 놀랍도록 닮아 있으며 한 치도 자기 세계를 벗어나지 않는 좌표들의 안정감이 이 교육 특구의 조감도를 완성하는 비밀이었던 셈이다. '조'의 투신은 이 비밀을 흔들면서 좌표들을 이동시킨다. '조'의 투신으로 자각하게 된 각자의 불안을 혼자서 견딜 수 없었기 때문이다. 또는 성적과 경쟁과, 더 나은 성적과 그것을 위한 더 치열한 경쟁으로 너무나 견고하게 구축된 이 질서의 비밀, 불안과 균열을 이미 보아 버린 후의 동요를 나눌 누군가가 필요했을지도 모른다. 그리고 그 비밀을 본 자들은 이제 이전의 세계에 머물지 못한다. '한'은 견고한 아파트의 내부를 견디지 못하고 그날 사건을 목격했던 또 하나의 좌표인 '표'의 오피스텔을 찾아간다. '한'의 방문으로 주기율표처럼 결함 없고 변화 없는 법칙의 세계는 깨어진다. 서로의 공간에서 폐쇄되는 안정감 대신 그들은 누군가의 방문으로 흔들리는 세계를 선택한다. 그러나 그들이 그 흔들림을 견딜 수 있을까. '모'가 '한'을 향해 움직였다. '조'의 투신을 목격했던 날, '한'은 아이가 이 끔찍한 비극을 보지 못하도록 눈을 가렸다. '모'는 그때 깨달았다. 누군가 자신의 눈을 가려주기를 간절히 바라고 있었음을. '조'의 죽음으로 인해 본드와 술로는 가릴 수 없는 세계에 대한 공포와 두려움이 뒤늦게 '모'를 덮쳤던 것이다. 그것이 '모'가 '한'을 향해 움직인 이유다.

'한'이 '표'를 향한 이유와 '모'가 '한'을 향한 이유는 같다. 그러나 그들은 서로의 눈을 가려주고 서로에게 손을 내밀어 줄 수 없었다. 매일

'표'의 오피스텔을 찾아가는 '한'과 매일 '한'의 뒤를 쫓는 '모'. 그들은 서로를 두려워하며 무언가의 죄책감과 결핍감에 시달려야 했다. 그리고 결국 그들은 자신들이 있었던 곳으로 돌아간다.

서로의 곁으로 이동했다가 다시 자신의 자리로 되돌아가는 좌표, 교육 특구의 견고한 조감도가 그려낸 결론이다. 불안을 본 자 죄책감에 시달리고, 다른 것을 욕망한 자 범죄자로 처벌받는다. 단단하고 매끈한 교육 특구의 조감도는 모두가 블록처럼 고립의 안정감을 지킬 때 유지될 수 있다. 이 교육 특구 안에서 모두는 각자의 폐쇄적 공간을 지키면서 그들의 안전에 만족한다. 그러므로 불안과 동요를 견디는 것은 생각보다 훨씬 고통스럽고 위험한 일일 것이다. 네 집의 울타리를 벗어나지 마라. 네 이웃의 고통에 무관심하라. 오로지 나와 내 가족의 안위를 위해서만 전심전력하라. 기계처럼 견고하고 일사불란한 교육 특구의 질서는 이 복음들로 구성되어 있었던 것이다. 그들이 연대에 의해서가 아니라 각각의 고립으로 서로 연결되어 있다는 차가운 진실, 각각의 좌표들은 직각과 직선으로 이 차가운 진실을 그려내며 그들의 조감도를 완성한다.

조감도를 선택한 『조의 두 번째 지도』는 전작들에 비해 훨씬 차갑고 냉정하다. 『공허의 1/4』의 '나'가 아파트 단지의 허드레꾼 '남자'를 끌어안았던 결말을 생각한다면, 더구나 『플루토의 지붕』에서 백수 삼촌과 데릴라의 사랑을 생각한다면 이 결말은 얼마나 고통스러운가. 고독한 개인의 내면으로부터 서로 부대끼며 사랑하는 사람들에게로, 그리고 다시 사랑이 가능하지 않은 세계의 구조로 확장되는 과정이 비정하고 쓸쓸하지만, 한 줌의 휴머니티도 쉽게 허용되지 않는 세계를 조감하는 여운은 깊다. 그들은, 교육 특구의 조감도에 숨겨진 위태로운 난간을 본 목격자들은 각자의 자리로 돌아갔지만 이전처럼 안전하지 않다. 아마도 그들은 내내 불안과 동요를 견디며 그들의 눈을 가려줄 누군가를 기다릴 것이다. 감옥처럼 안전한 그들만의 고립 속에서 고통으로 버둥거리는 우리 시대의 얼굴들, 비둘기가 그려낸 조감도의 진실은 여기에 있을지도 모른다.

4. 조의 지도

신도시 계획을 광고하는 지면에서, 혹은 고급 우드월로 장식된 모델 하우스의 벽면에서 화려하게 빛나는 조감도를 본 적이 있는가. 벽들은 매끈하게 빛나고 하늘 높이 솟아오른 건물들의 위용은 도시의 환상을 만들어낸다. 그러나 '본 조감도는 실제 공사와 무관'하다. '조'가 이 조감도의 한 좌표가 되기를 원하지는 않았을 것이다. 그는 지도에 대해서 뭔가 좀 아는 친구였으니까. 그러므로 지도 이야기를 좀 더 해야 할 것 같다. '조'의 첫 번째 지도, 그리고 두 번째 지도에 대하여.

어디론가 가 버리고 없는 엄마의 산모 수첩에 들어 있던 초음파 사진, 조는 거기에서 그의 첫 번째 지도를 발견한다. 카스피 해를 꼭 닮은 엄마의 자궁과 그 속에서 조그맣게 숨 쉬고 있는 태아. 어째서 그는 초음파 사진을 지도라고 불렀을까. 엄마도 없고 아빠도 없는 세상에서 그가 붙박였던 최초의 장소, 누군가와의 관계 속에서 만들어진 자신의 좌표를 처음 찾았기 때문이 아니었을까. 거기에서 자신이 생겨나고 거기에서 자신이 자라났다는 것, 그래서 그가 존재한다는 것을 알려주었던 표적 같은 것. 그것을 '조'는 첫 번째 지도라고 불렀다.

카스피 해와 태아 상태의 말랑말랑한 조. 바로 순수 그 자체인 지도 한

장이 탄생하는 순간이야. 하지만 여기서 잠깐. 순수의 지도? 지도의 순수라고? 물론 이런 말을 들으면 너무 우스워 죽은 콜럼버스도 벌떡 일어날 거야. 웃느라고 지금은 사라지고 없을 턱뼈가 달그락거리겠지. 맞아. 순수한 지도를 찾느니 순수한 전쟁을 찾는 게 빨라. 태생부터 순수와는 거리가 먼 물건이 지도야. 모든 지도의 배후에는 목적이 있단 말이지. 하지만 여기 딱 하나, 목적이라고는 없는, 배후라고는 없는 순수한 지도가 있어. 순수 그 자체인 지도. 조는 자신의 초음파 사진에 다음과 같은 이름을 붙여 주었어.

조의 첫 번째 지도.(85쪽)

그 첫 번째 지도로부터 그는 지도에 열중하게 되었을 것이다. 그러나 비둘기도 말했듯이 순수한 지도란 없다. '조'가 모은 숱한 지도들처럼, 그리고 소설에 등장하는 수많은 지도처럼, 그 지도는 목적지를 찾아 나아가기 위해 만들어졌고, 누군가를 침략하고 침해하며 정복하기 위해 만들어졌다. 태생부터 순수와는 거리가 먼 물건이 지도다. 목적지를 정하고 그곳에 오차 없이 도착하기 위하여 만들어진 지도, 그리고 목적지를 장악하고 마침내 그것을 정복하기 위해 발전에 발전을 거듭해 온 지도에서 목적지 이외의 것을 찾기란 쉬운 일이 아니다. 자신이 '첫 번째 지도'라고 이름 붙인 초음파 사진으로부터 '조'가 찾고자 하는 것은 목적지라기보다는 그를 감싸줄 주변이었고, 그가 있는 곳의 의미를 알려주는 속삭임 같은 것이었다. 이를테면 "지느러미가 잘린 상어를 위한 지도", "다리를 저는 고양이를 위한 지도", "밀렵꾼에게 막 당한 코끼리의 상아를 위한 지도", "몇 년에 한 번 창문을 두드리는 아버지의 귀가를 위한 지도", "그 소리를 알아듣는 너의 커다란 귀를 위한 지도"(189쪽) 같은 것. 그가 있는 곳은 교육 특구의 후

미진 골목이었고 8차선 도로를 중심으로 학원 빌딩과 아파트가 위용을 빛내는 조감도였으니 그가 찾는 지도가 거기에 없는 것은 당연하다. 있다면 전시와 과시를 위해 과장되게 빛나는 조감도뿐이었으며, 그 조감도는 한사코 틈과 그늘을 감추면서 어디에도 그림자 따위는 없다는 듯이 단단하고 매끈하기만 하였으므로. 그래서 '조'가 선택한 두 번째 지도는 수직의 직선으로 그려진 낙하의 지도였다. 고립과 폐쇄로 이루어진 교육 특구의 조감도 속에서 '조'가 찾을 수 있는 길은 없었으므로 그는 그의 두 번째 지도를 따라 투신했다. 그의 투신을 목격하고 이전처럼은 살 수 없게 되어 버린 몇 명의 목격자들을 남겨 놓고.

이쯤에서 『플루토의 지붕』의 소년 화자 민수가 들고 다녔던 청진기를 떠올려 보자. 민수는 낡은 청진기로 세상의 모든 소리를 들었고 그들의 말을 전했다. 그리고 『조의 두 번째 지도』는 청진기 대신 빌딩의 피뢰침 위에 올라앉은 비둘기를 택했다. 비둘기가 본 것은 절대로 움직이지 않을 것 같은 거대 도시의 비정하고 쓸쓸한 조감도다. 누군가는 추락하고 누군가는 외면하고 누군가는 동요했으나 결국 제자리로 돌아가는, 그 모든 것들을 함께 보는 일이야말로 우리 시대의 진실을 마주보는 것이라 소설은 말하고 있는 듯하다. 이 차가운 진실이 쉽게 전환될 것 같지는 않다. 남은 것이 있다면 투신하는 '조'로부터 들렸던 위험의 경계경보, 그리고 거대한 벽을 향해 질주하는 '모'의 무모한 고통. 그래도 감히 말할 수 있는 것은 비둘기를 통해 본 것이 결코 무망한 것만은 아니라는 믿음이며, 그것을 보았기 때문에 겨우 열릴 수 있는 다른 길이 있기도 하리라는 기대다. '조'와 '모'와 '한'과 '표'가 그랬던 것처럼, 우리는 어쩔 수 없이 누군가의 고통으로부터 연원하며 그 고통으로 연루되어 있다. 한수영의 다음 소설을 기다릴 이유가 또 생긴 셈이다.

(『조의 두 번째 지도』 작품해설, 실천문학사, 2013)

사라지는 것들은 이야기를 남긴다

_한수영의 『플루토의 지붕』과 임철우의 『이별하는 골짜기』

1

'플루토'는 '명왕성', 태양계의 마지막 행성이다. 행성으로서의 자격을 의심받고 있는 명왕성처럼 '천왕시 해왕구 명왕 3동'은 "환태평양 시대의 비전을 담은 공원" 건설 계획에 의거, 곧 철거될 운명에 처해 있다. '이별하는 골짜기'란 '별어곡(別於谷)', 경제성이 낮은 철도 노선이 우선적으로 폐지되면서 곧 사라지게 될 정선의 작은 역 이름이다. 크고 화려하고 빠르고 강한 것들에 밀려 사라져 가는, 작고 소박하고 느리고 약한 것들의 다른 이름일 터다. 약하고 힘없는 것들도 이 세상에서 살아왔고 살아가고 있다고, 그것이야말로 세상의 모든 생명체가 가진 당연한 권리이고 자격이라고 힘껏 외치고 주장하는 일, 힘없고 외로운 자들이 오랫동안 해 왔던 일이다. 그러나 또한 오랫동안 이 작은 목소리들은 군홧발이거나 포클레인의 삽날이거나, 크고 강하고 무지막지한 것들에게 짓밟히거나 떠밀리며 사라져 갔다. 하여 울고 외치고 싸우는 일 말고, 조용조용 다른 말들이 들려온다. 작고 약한 것들이, 그들만이 가진 아름답고 슬픈 이야기들을, 누구도 대신 할 수 없는 자신들만의 고통과 부끄러움과 바람을, 때로 들뜬 목소리로, 때로 비통하고 힘겹게 내어놓는다. 그것은 밀리고 지워지고 사라질 그들의 마을, 그들의 추억에 바치는 그들만의 존재 증명이다. 이런 이유로 그들이 사라진 자리에 이야기가 남았다. 그런데 이 외롭고 가난한 마을에서 이야기는 힘인가 독인가.

2

『플루토의 지붕』(문학동네, 2010)[1]의 화자는 필리핀에서 온 엄마를 둔 '민수'이며, 그가 지붕 위에서 혹은 골목길에서 청진기로 주워 온 이야기가 이 소설을 꾸려 나간다. 그러므로 이 소설의 육체를 이루는 것은 '명왕 3동'의 사람들이 만들어내는 소문이며 이야기다. 그러나 실상은 신성설비의 '녹두장군'이 술에 취하면 들려주는 그의 전생, 혹은 과거의 경험담이 이 소설의 뼈대를 이룬다. 신성설비의 녹두장군에 대해서는 좀 설명이 필요하다. 봉두난발의 외모 때문에 녹두장군이라는 별명을 얻은 그는 해마다 첫눈이 올 무렵부터 이듬해 봄까지 집에 틀어박혀 긴긴 잠을 잔다. 그가 전하는 이야기란 300년 동안 이야기에 취해 이야기에 나오는 세상을 찾아 헤맨 내력이기도 하다. 자칭 300살로, 겨울잠을 자는 인물의 이야기니 그것이 실제의 일인지, 전생의 일인지, 아니면 정신분열인지는 아무도 모른다. 그가 찾아 헤맨 세상이란 어떤 세상인가. 지상에는 없을 것 같은, 걱정도 고통도

---

1) 이하 이 작품의 인용은 인용 뒤에 쪽수만을 표기한다.

없는 행복한 꿈과 같은 세상이다.

> 색색의 꽃 끝없이 펼쳐진 들판에, 주먹만 한 수정이 돌멩이처럼 구르고, 세상 온갖 진귀한 음식에, 귀한 보석에, 아름다운 사람들, 함께 일하고 웃고 노래하고 춤추는 마을. 1년 내내 꽃 지지 않고 새 날고, 노루 뛰고, 맑은 샘물 솟아오르고, 해 달 별 거르지 않고 뜨는…… 그런 마을.(54쪽)

나귀 몰이꾼이었던 녹두장군은 장터의 이야기꾼에게서 들은 이 마을을 찾기 위해 아직도 헤매는 중이다. 그 마을을 찾아 헤매는 과정에서 주인 아가씨를 사랑한 코끼리 이야기, 사원에서 방귀를 뀐 것이 창피하여 일생을 도망 다니는 아랍인 이야기, 큰물에 쓸려가 용궁에 갔다 왔더니 50년이 지나 버렸다는 남자의 이야기를 듣는다. 그리고 녹두장군 이야기는 그가 찾아 헤맸던 세상이 결국 나귀 똥구멍 속에 있더라는 것으로 끝을 맺는다.

> 한 발짝만 들여놓으면 그 마을인데 환장하겠더라고. 그렇게 찾아다닌 마을이 바로 저 안에 있는데. 눈을 부릅뜨고 그 안을 들여다보았지. 그 때, 누군가 내 뒤통수를 여지없이 후려치는 거야.
>
> 따악!
>
> 죽비 쪼개지는 소리가 났어. 눈에서 번갯불이 튀었지. 얼른 뒤통수를 싸쥐며 뒤돌아봤어. 한 노인이 별 미친 놈 다 보겠네. 하는 표정으로 나를 쳐다보며 그러더라고.
>
> "떼끼 이 놈아. 왜 멀쩡한 나귀 똥구멍 속은 들여다보고 있는 거야!"(260쪽)

'명왕 3동'의 일상사 사이사이, 민수와 그의 청진기가 짚어낸 소문들 사이사이에 녹두장군의 이야기는 배치되어 이 소설 전체의 맥락을 더욱 뚜렷하게 만든다. 아이의 눈으로 고단하고 가난한 서민들의 삶을 그려낸 소설들은 드물지 않다. 근대화와 도시 개발의 박차에 밀려 지상 끝으로 사라져간 마을들에 대해서도 우리는 꽤 많은 기억들을 가지고 있다. 난장이가 살았던 '서울특별시 낙원구 행복동'은 '천왕시 해왕구 명왕 3동'의 선배 격이며, '명왕 3동'의 골목길은 우리들의 시인이 살고 있던 '원미동'의 어느 어름일지도 모른다. 여기에 더 보태진 것이 있다면 바로 푸른 드레스를 입은 필리핀인 엄마 '데릴라'와 취학 통지서를 무서워하는 아들 민수일 것이다. 그러고 보면 녹두장군이 괜히 압둘 두바이와 코끼리 콩콩의 이야기를 한 것이 아니었다. 지상에 없는 세상을 찾아 헤매던 길에서 만난 것이 아랍인 압둘 두바이와 인도 어디쯤에 있었을 코끼리 콩콩이라면, 우리가 살고 있는 이 가난한 땅에 코코넛 같은 눈을 가진 데릴라와 그의 아들 민수가 살고 있다 한들 그것이 별나거나 이상한 일은 아니다. 그래서 민수와 데릴라는 '명왕 3동'에서 전혀 이질적이지 않다. 민수는 녹두장군의 이야기를 듣는 가장 알뜰한 청자이고 태평양 약국의 삼촌과 둘도 없는 친구다. 데릴라는 양말 공장의 사장 부인과 한국말로 농담을 하고 연애 상담도 하며, 그리고 마침내 태평양 약국의 삼촌과 사랑을 한다. 이 우정과 친밀과 사랑이 녹두장군이 찾아 헤매던 꽃이 피고 새가 나는 다른 세상의 풍경을 이루지 않는가.

녹두장군은 그가 찾던 다른 세상이 자기가 기르던 나귀 배 속에 있었다고 했다. 도시 개발에 밀려 곧 철거될 운명에 처한 '명왕 3동'의 좁은 골목 속에, 남루한 지붕 아래에 그 다른 세상은 있다는 의미일 것이다. 그리하여 '명왕 3동'의 이웃들, 샌드백 아줌마와 깔다구, 김 약사와 삼촌, 또는 용만 아저씨와 팽 할머니와 비보이가 우리가 간절히 찾아 헤매던 그 아름답고 행복한 세상의 주인공이라 말하고 있는 듯하다. 나귀의 배 속에 있던 그 세상이 나귀의 똥구멍 밖에 있는 이 세상과 다르지 않다. 나귀의 뱃가죽을 뒤집으면 그 세상이 곧 여기고 이 세상이 곧 거기다. 그 아름다운 세상이 황금빛 유리창으로 빛나는 '글라스 팰리스'의 미관을 헤치지 않기 위해 쫓겨나야 하는 현실은 더욱 슬프다.

그러나 나귀 뱃가죽의 안과 밖, 그 경계를 좀 더 주의 깊게 살펴볼 필요는 있다. 소설은 거기가 여기고 여기가 거기라고 말하고 있지만, 여전히 우리가 살고 있는 세계, 혹은 데릴라와 민수가 살고 있는 세계는 나귀의 똥구멍 밖에 있기 때문이다. 녹두장군의 이야기는 '명왕 3동'이 바로 꽃이 만발하고 새가 날고 맑은 샘물 솟는 그곳이었다고 말하고 있지만, 그래서 데릴라와 민수의 반지하방을 찾아가는 삼촌의 발걸음은 색색의 우산과 빗방울이 튕겨 반짝반짝 빛나는 '싱잉 인 더 레인'의 노랫소리가 되지만, 그것은 또한 나귀 똥구멍 밖의 세계를 잊어야만 가능한 아름다움이다. "2010년 8월 31일까지 모두 사라져 주시기" 바란다는 정부의 통보를 받고 "며칠 밤샘 회의 끝에 명왕 3동은 집단적으로 일구사오를 잊기로 했다. 잊는 게 이기는 거라는 걸 명왕 3동 주민들은 알고 있었"(17쪽)다. 그리고 그 망각에 의해 명왕 3동은 녹두장군이 300년이 넘는 세월을 찾아 헤맨 지상에 없는 아름다운 세상이 된다. 외국인 노동자와 혼혈아가 이질감 없이 섞여 들고, 매일 샌드백처럼 두들겨 맞는 샌드백 아줌마가 한 방의 주먹으로 깔다구를 포용할 수 있고, 곧 사라질 마을에서 삼촌과 데릴라가 결혼을 하는 '명왕 3동'이 아름다울 수 있었던 것은 이 망각이 있었기 때문이다. 그리하여 그들은 나귀의 뱃가죽을 뒤집을 수 있었다. 이를테면 망각과 상상은 그들이 행복해지기 위한 하나의 전략이었다.

이 전략이 어디에서 나왔는지 우리는 알고 있다. 작가 한수영은 몇 년 전 "사람들은 앞날을 알 수 없어 막막해 하지만 나는 그 반대여서 더 막막했다"[2]라고 썼다. 힘들고 막막한 이 삶을 견디면 다른 삶이 올 것이라는 기대가 없어져 버린 곳에서 세상은 더욱 삭막하고 피폐하다. 그 절망의 끝이 다른 상상을 불러와 겨우 현재를 견디게 한다. 외국인 노동자, 외국인 이주자의 모습을 생활에서 발견하는 일이 더 이상 어색해지지 않게 되어 버린 지금, 이른바 다민족, 다문화의 시대가 도래하고 있다. 그들에 대한 차별과 폭력이 조금도 나아지지 않은 채로 이미 그들은 우리의 이웃이 되어가고 있다. 그리고 외국인 노동자에게 가해지는 차별과 폭력은 이미 그들만의 문제가 아니라 우리들 자신의 문제가 되고 있는 것도 사실이다. 민족과 인종이라는 분할이 의미를 잃을 만큼 우리 사회의 계급구조는 공고해지고 있다. 일용직, 비정규직, 도시 빈민, 재건축과 철거, 이 참담한 삶의 가장 낮은 곳에 외국인 이주자가 있는 것도 사실이지만, 그들의 최저임금이 낮아지고 인간다움이 무시될수록 우리 사회의 인간다움과 존엄은 점점 더 파괴된다. 더 낮은 비용으로 더 손쉽게 부릴 수 있는 노동이기만 하다면 자본은 내국인과 외국인을 가리지 않기 때문이다. 데릴라와 민수가 자연스럽게 '명왕 3동'의 이웃이 되고, 더 이상 그들을 타자의 시선으로 바라볼 수 없게 된 데에는 이러한 내막이 숨겨져 있다. 분노와 슬픔 대신 망각과 상상을 선택한 그들의 전략이 사실은 기대도 희망도 없으며 윤리도 정의도 없는 우리들의 막막한 현실에 기반하고 있으므로, '명왕 3동'의 행복한 결혼식은 아직 나귀의 배 속에 갇힌 가난한 꿈이다.

---

2) 한수영, 『공허의 1/4』, 민음사, 2004, 92쪽

3

어느 잡지의 구석진 지면을 장식하고 있을 법한 작은 간이역. 햇살이 잠시 머물다 가고 바람이 잠시 일렁이지만 사람의 그림자는 없는 고요하고 한적한 공간. 사람들은 흔히 그 작은 간이역에서 번잡한 일상을 잠시 잊는 짧은 일탈이나 정처 없는 탈출을, 고요한 휴식과 먹먹한 성찰의 시간을 기대하곤 한다. 그러나 역이란 사람이 머물고 떠나고 모이는 곳, 그러므로 사람이 깃들 것 같지 않은 그 작은 간이역에도 머물고 떠나가는 사람들의 사연이 깃들어 있다.

하루 두 번 열차가 정차하는 산간 마을의 간이역에서 한적과 고요 대신 격렬하고 뜨거운 누군가의 사연을 엿들을 수 있게 된 것은 전적으로 그 역에 쌓인 이야기 덕분이다. 『이별하는 골짜기』(문학과지성사, 2010)[3]는 간이역에 대한 고정관념을 이미 알고 있다는 듯이, 그 고정관념으로부터 시작한다. 시를 쓰는 역무원 '정동수'에게 시란, 세상의 모든 아름다운 것들, 자신이 감각한 세상의 아름다움이었다. 공들여 마련한 노트에 매일 아름다운 것들을 기록하다가 그는 문득 깨닫는다. "세상에, 얼마나 어리석었는가. 아름다움만으로 시가 될 수 있으리라 믿었다니." 청년은 창유리에 머리를 기대고 조용히 울기 시작한다. "삶은 아름다움만도 슬픔만도 아니"다. "아무리 두렵고 끔찍해도, 결코 도망치거나 외면해선 안 될 그 무엇"(39쪽)이다.

그리하여 이 별어곡 역을 거친 사람들의 이야기는 두렵고 끔찍한, 그럼에도 결코 도망치거나 외면할 수 없었던 오랜 상처와 기억으로 만들어진 이야기다. 열여섯에 정신대에 끌려가 모진 삶을 겪은 것으

3) 이하 이 작품의 인용은 인용 뒤에 쪽수만을 표기한다.

로도 모자라, 천신만고 끝에 돌아온 고향에서 가족의 몰살을 확인해야 했던 「겨울—귀로」의 할머니, 자신의 실수로 죽은 남자의 아내와 딸을 거두어 그들과 가족을 이루고 살았던 신주사의 기막힌 몇 년, 또는 어릴 때 목격한 탈영병의 위치를 군인들에게 알려준 기억 때문에 평생을 악몽에 시달려야 했던 베이커리의 그 여자. '별어곡 역'을 사이에 두고 그려지는 이야기의 주인공들은 하나같이 기구하고 기막힌 사연들을 품고 있다. 모두 세상에서 흔히 만나기 힘든 극적이고 운명적인 사연들이며 그래서 선뜻 공감하기 힘들기도 하다. 그럼에도 불구하고 이 사연들을 그저 가혹한 운명의 장난이라 넘겨버릴 수 없는 까닭은 이 이야기들이 우리들 삶에 미만한 폭력과 그 폭력이 남긴 상처를 탐구하고 있기 때문이다. 이 폭력은 국가와 이념, 군대, 그리고 가정 폭력이 겹쳐진, 그야말로 우리 삶의 전체를 포괄하고 있으며 그것은 집단과 개인, 이념과 젠더를 아우른다. 그리하여 소설은 국가나 이념, 혹은 집단의 차원뿐 아니라 가족과 이웃, 그리고 개인의 내면에까지 이 폭력의 그림자가 드리워져 있음을 뚜렷하게 드러낸다.

우리 삶 어디에나 있고 누구나 제물이 될 수 있는 폭력들은 개인에게 결코 망각할 수도 회복할 수도 없는 깊은 상처를 남긴다. 이는 단지 누군가를 죽이거나 망가뜨리는 물리적 폭력의 문제가 아니다. 그 폭력에 상처 입은 자들, 그 폭력의 기억을 안고 사는 이들에게 삶이란 언제나 지옥이며 헤어날 수 없는 절망이기 때문에 그 폭력은 더욱 가혹하고 잔인하다. 「여름—이별의 골짜기」에서 신주사는 자신의 실수로 일어난 철도 사고에 대한 죄책감 때문에 아내를 폭행하는 가장이 되어버렸다. 철도 사고로 죽은 청년의 젊은 아내는 기댈 데 없는 삶에 지쳐 떠돌다가 신주사에게 발견되었다. 죄책감 때문에 유가족을 거두고, 자신의 존재를 숨긴 채 그들과 또 다른 가족이 되었지만 신주사는 기억의 고통으로부터 벗어나지 못한다. 아내가 아름답고 귀할수록, 기구한 사연으로 만나 이룬 가족이 애틋하고 소중할수록 과거의 기억은 더욱 신주사를 압박한다. 아내가 자신을 떠날까 두렵고 소중하고 안타까운 행복이 깨어질까 두려워 신주사는 자신을 괴롭히고 아내를 괴롭힌다. 그의 의심과 폭력과 자학은 아내를 죽였을 뿐 아니라 자신의 삶도 갉아먹었다. 「겨울―귀로」의 노파는 정신을 놓은 이후에도 가족에게 전할 보잘것없는 선물 꾸러미들을 가득 채운 여행 가방을 끌고 마을을 헤맨다. 「봄―손가락」의 여자는 어릴 때 목격한 탈영병의 죽음 때문에, 그리고 그 죽음이 자신으로부터 비롯되었다는 죄책감 때문에 강박과 망상에서 놓여나지 못한다. 그러니 국가나 이념, 혹은 군대가 여자를 소유하려는 집착이 불러일으키는 폭력은 가해자와 피해자를 구분하지 않고 모두에게 깊은 상처와 고통을 남긴다. 그 상처와 고통은 그들의 관계에 감염되고, 또 그들 자신을 파괴하며 그리하여 다시 반복된다.

아마도 이 상처와 고통을 잊거나 극복하는 일은 아주 오래 걸릴 것이다. 그러므로 쉽게 화해할 수도 쉽게 용서할 수도 없는 폭력과 그 상처에 대해 더 오래 이야기하지 않으면 안 된다. "새것은 무조건 선이고, 느리고 오래된 건 모조리 악이 되는", 그래서 작고 외로운 "간이역들은 이 땅에서 곧 흔적도 없이 사라지"(308쪽)는 현실이 비정한 까닭은 이 작고 외로운 마을에 남은 이야기들, 아직 망각도 화해도 할 수 없는 사연들이 지닌 무게를 돌보지 않기 때문이다. 비록 남달리 기구하고 고단한 사연들이지만, 평탄한 인생에서는 한 번도 겪어볼 수 없는 고통과 상처일지 모르지만, 그 사연들로 인해 우리는 평탄하고 일상적인 행복이 감춘 폭력과 그것이 남긴 불안을 두려워할 수 있게 된다. 그리고 급기야 그 폭력과 공포와 불안이 남의 것이 아니라 바로 우리들의 것임을 문득 깨닫게 될 것이다. 그것은 속도와 경제성보다도 더 강하고 귀한 것이라고, 사라져가는 '별어곡 역'은 우리에게 말하고 있는지도 모른다.

> 유선형의 날렵한 초고속열차가 꿈길 같은 들판과 강과 다리를 지나 섬광처럼 현란한 속도로 질주하는 광경이 펼쳐졌다. 노인들의 눈에 그것은 마치 지구 밖으로 날아가는 우주선처럼 낯설기만 했다. 속도의 혁명도, 꿈의 철도도 오직 도시 사람들의 몫일 뿐이었다. 저쪽에선 우주선이 씽씽 나는데, 우린 고작 이 코딱지만 한 간이역조차도 빼앗기고 마는구나. 노인들의 흐린 눈빛들은 그렇게 말하고 있었다.(305쪽)

그들이 과거의 기억과 상처 때문에 현재를 살지 못했다는 사실을 기록해 두어야겠다. 그것은 한편으로 과거의 기억과 고통이 그만큼 크고 아팠다는 것을 의미하기도 하지만 현재의 삶이 그 과거의 기억과 정면으로 맞닥뜨리지 않는다면 과거는 영원한 강박과 망상을 낳을 뿐이다. 사라져가는 '별어곡 역'은 그들의 과거, 그들의 사연이 속도와 규모에 밀려 사라져가고 있기 때문에 안타깝다. 그러나 더욱 안타까운 것은 '별어곡 역'에는 이미 그들이 살고 사랑하고 싸우고 분노하고 감사하는 현재의 삶이 없다는 사실이다. 과거만이 깃들어 머물고 있는 '별어곡 역'에, 이제 더 이상 우리가 마주할 현실이 그려지지 못하므로, '별어곡 역'이 말하는 사연들은 차라리 한 자락 아련한 '애수'가 되고 마는 것은 아닌가. 과거의 폭력과 그 상처의 기억에 묻혀 어쩌면 현재의 더 크고 강하고 부당한 폭력들과 마주하는 시간은 감상적으로 유예되는 것일지도 모른다. 과거의 기억이 남긴 아프고 깊은 상처의 사연들은, 그저 말없이 사라져서는 안 될 우리들 삶 하나 하나를 소중하게 일깨우지만, 그렇기 때문에 작고 외로운 간이역에서 여전히 살아가야 할 이들의 현재는 더욱 소중하다. 오래 이야기하지 않으면 안될 그들의 과거가 현재의 삶과 뜨겁고 격렬하게 마주칠 때, 그 긴장감이 이 작은 간이역의 쓸쓸한 소멸에 저항하는 더 큰 힘이 되어줄 것이다.

(『리토피아』, 2010년 겨울호)

반전의 용도, 욕망의 성분
_이혜경의 『너 없는 그 자리』

손발이 오그라들지만, 그것이 사랑이다. "깊은 밤, 당신 방으로 스며드는 아프리카의 꽃향기로 변할 수 있다면 지금이라도 내 몸을 내주고 꽃이 되고 싶어요."[1] "기운 내요, 당신. 당신 친구들 열 명을 합한 것보다 내가 더 큰 위로가 되어주고 힘이 되어줄 거니까요."(「너 없는 그 자리」, 28쪽) 사소한 기미에도 섬세하게 떨리는 여자의 마음은 사랑의 환희로 빛나고, 운명처럼 만났다는 남자와 여자의 관계는 완벽한 플롯을 갖추고 있지만, 이 사랑의 서사는 어쩐지 상투적이다. 운명적 만남과 심금을 울리는 대사에 관하여 우리는 이미 세간의 숱한 멜로드라마들이 제시한 리스트를 갖고 있다. 그러니 사랑의 플롯과 고백의 간절함은 클리셰가 되고 어디선가 본 듯한 익숙함 때문에 절실한 사랑의 서사는 진부한 풍속이 된다. 이것은 작가의 의도일까 아닐까.

1) 이혜경, 「너 없는 그 자리」, 『너 없는 그 자리』, 문학동네, 2012, 15쪽. 이하 모든 작품은 『너 없는 그 자리』에서 인용한 것이며 인용시 작품명과 쪽수만을 표기한다.

소설이 반전을 준비하고 있다는 점에서, 일단 이 잘 만들어진 사랑의 플롯이 의도적인 연출이었다고 짐작할 수 있다. 여자의 연서는 부쳐지지 않은 편지였고, 정작 남자는 여자를 사랑한 적이 없으니, 여자가 만들어낸 사랑의 서사는 여자의 일방적인 착각일 뿐이었다. 케냐로 파견을 갔다던 남자를 도심의 거리에서 발견한 여자의 어조는 돌변한다. "당신, 용케도 숨어 있었네. 어느 그늘에 숨어 있었던 거야? 하지만 언제까지 숨어 있을 수 없다는 거, 당신도 알지?"(「너 없는 그 자리」, 33쪽) 혼자 상상하고 혼자 만들어낸 이야기이기 때문에 그 여자의 소설은 아름다운 문체와 완벽한 플롯으로 완성될 수 있었다. 그리고 이 완벽한 연애소설은 여자를 사랑한 적이 없는 남자의 입장에서는 신경증적 강박이며 섬뜩한 집착의 복수극이기도 하다. 사랑은 집착의 다른 이름이며 달콤하고 아름다운 장면들은 언제나 예상치 못한 심연을 숨기고 있다고 말하고 싶은 것인가. 사랑의 상투적 서사를 전면에 내세운 작가의 의도는 여기에 있는 것일까. 알 수 없는 삶, 파국을 만들어내는 관계의 균열, 짐작과는 다른 일들에 대한 의혹과 경계, 그것으로 충분한 것일까.

아직 남은 이야기들이 있다. 예컨대 다음과 같은 여자의 고백. "당신, 알아? 난 거울을 들여다보고 있었어. 거울 속의 나와 눈을 맞추고, 이렇게 저렇게 표정을 지어가면서. 그런데 어느 순간, 거울 속의 상이 사라진 거야. 얼마나 황당하겠어?"(「너 없는 그 자리」, 31쪽) 여자의 사랑도 남자에 대한 마음도, 혹은 착각했던 남자의 관심도 모두 거울이 만들어 준 것. 그것은 일방적인 것이었지만, 그렇다고 해서 여자의 상상만으로 완성된 것도 아니다. 자신이 상상했던 얼굴과 몸짓과 언어를 되비추어 주는 거울이 있었던 것이다. 그 거울은 이를테면 세간에 흘러 다니는 사랑의 서사들, 욕망의 표정 같은 것이었다. 덕분에 여자의 착각은 그럴듯한 서사로 만들어질 수 있었다. 혹은 세간의 서사에 기대어 자신을 동일시할 수 있었으므로 여자는 거울로부터 원하는 상을 볼 수 있었다. 다른 이들의 삶을 욕망하면서 그것을 자신의 욕망이라 여겼던 사람들. 주어진 욕망 말고는 다른 것을 욕망할 수 없었던 사람들, 『너 없는 그 자리』를 그들에 대한 이야기로 읽는 것은 어떨까.

그러니 또 다른 상투성의 서사들이 예사롭지 않다. 아이를 빈집에 홀로 남겨두지 않겠다는 결심으로 악착같이 전세금을 모으고, 비루한 가족들과 같아지지 않기 위해 상류층의 삶을 꿈꾸고, 동생들의 방패막이가 되고 자식을 위한 바람막이가 되어, 단란하고 안전하게 이 삶을 지켜내겠다는 욕망. 저마다의 절실함이 없었던 것이 아니고, 그들이 마침내 자신의 꿈을 이루는 과정이 결코 만만한 것이 아니었지만, 그럼에도 불구하고 이들이 만들어낸 서사는 어디선가 본 익숙한 성공 스토리 이상이 되지 못한다. 그들이 마침내 집을 사고, 가족을 이루고, 원하던 부와 지위를 얻었다는 이야기. 그래서 그들의 땀과 눈물이 얼마나 소중한가를 말하는 것이라면 몇 개의 미담 사례와 인간 다큐를 들먹이는 것으로 충분하다. 소설이 미담과 달라지는 것은 반전에 의해서다. 천신만고 끝에 전셋집을 얻었으나 보증금을 하루아침에 날렸다거나, 선물처럼 품 안으로 날아들어 온 여자가 새처럼 날아가 버렸다거나, 요새처럼 단단한 집 밖에서 천금 같은 아들이 사고로 죽었다든가 하는 반전. 이 반전으로 인해 삶과 미담이 얼마나 먼 거리에 있는지, 성공 서사를 추동했던 욕망들이 얼마나 허망한지를 새삼 생각하지 않을 수 없게 된다.

사랑의 신화가, 성공의 미담이 전부가 아니라는 것을 어렴풋이는 알고 있다. 그러나 문제는 다른 욕망을 가질 수 없다는 데 있다. 죽을 힘을 다해 노력하더라도 언제나 우리의 욕망은 몇 개의 뻔한 관습적 서사의 테두리 안에서 뱅뱅 돈다. 소설의 인물들이 꿈꾸었던 욕망이 다른 이들의 욕망을 흉내 낸 것에 지나지 않았다는 것을 상기해보자. 영화관의 스크린 같던 TV로 올림픽 중계를 보면서 선망과 위축으로 움츠렸던 때, 그가 평생 쫓아야 할 욕망은 이미 정해진 것인지도 모른다.(「북촌」) 생활비와 학비에 허덕이던 그가 꿈꾸었던 여유란 친구 하숙방에서 들었던 클래식의 선율 같은 것이었다.(「금빛 날개」) 집과 가족과 사랑과 그리고 약간의 교양이 첨가된 윤택한 삶—우리 시대의 욕망은 이 협소한 거푸집에서 한 치도 벗어나지 못한다. 이들의 욕망은 결코 충족될 수 없으며 사랑과 성공의 서사가 완결될 수 없는 것은 이 때문이다. 배신과 몰락의 결말은 그러므로 예정된 반전이었다. 절실하기 그지없었던 그 욕망들이 사실은 가짜 욕망이었으니, 만들어진 욕망 안에 갇힌 우리들의 삶은 얼마나 빈곤한가.

그러나 반전만으로는 아직 충분하지 않다. 각각의 인물들에게 저마다의 사연은 절실했겠지만 그것이 사실은 만들어진 관습의 언저리를 맴돌고 있을 뿐임을 작가는 반전의 플롯으로 보여주었다. 그리하여 우리 시대의 빈곤한 욕망과 아직 남아 있는 미답의 삶을 향해 시선을 돌릴 수도 있었다. 그러나 문제는 우리의 욕망이 익숙한 관습에 한정되어 있다는 사실 자체에만 있는 것은 아니지 않을까. 그러므로 천신만고 끝에 이루었다 믿었던 욕망의 보잘것없음보다, 그럼에도 불구하고 우리가 다른 욕망을 가질 수 없다는 데 더 주목해야 하지 않을까. 그렇다면 관습적 욕망의 허술함과 빈곤함을 넘어서는 다른 주제가 아직 더 탐구되어야 한다. 이를테면 가짜 욕망의 견고함에 대한, 빈곤하고 허망한 욕망에 전전긍긍하면서도 여전히 다른 욕망을 가질 수 없는 우리들에 대한, 그래서 다른 욕망은 가능한 것인지, 가능하다면 어떻게 가능한지에 대한 질문이 더 필요하지 않을까. 그랬을 때 소설은 우리 시대의 삶과 사랑과 욕망에 대해 더 근본적이 될 수 있을 것이다.

'근본적'인 주문은 성급하고 단순한 명제를 요구하는 경향이 있기 때문에 선불리 제기하지 않는 것이 좋다. '근본적'이 되느라 디테일을 생략하고 불안한 징후들을 외면해버린다면, 그렇게 '근본적'이어서 얻을 수 있는 것은 많지 않다. 그러나 망설임과 숨죽임도 이야기의 일부라는 것을 알고 있는 작가라면, 중첩된 기억과 망각의 겹 안에서 삶의 위기를 포착할 수 있는 작가라면, 다른 것을 좀 더 기대해도 좋지 않을까.

분노와 복수로부터 기대의 실마리를 찾고 싶다. 그것은 순하게 적응하는 듯했지만 사실은 안간힘을 쓰며 살아왔던 사람들이 마음에 숨긴 칼날과도 같은 것이다. "그런 사람이 죄 없이 죽었는데도 세상은 멀쩡했어요." "사람들이 불의를 그렇게 쉽게 받아들이고 잊는다는 게 이해되지 않았어요. 나라도 그 사람을 잊지 않아야겠다고 생각했어요."(「그리고 축제」, 98쪽) 휴양지에서 개최된 문학 페스티벌에서 필리핀의 여성 작가는 불의를 잊지 않기 위해 작가가 되었다고 했다. 작가의 발언은 휴양지를 덮친 폭탄 테러와 겹쳐 읽힌다. 느닷없이 덮친 불행은 우연이었겠지만 그것을 기억하고 이후의 시간을 살아가는 것은 우연에 맡길 수 있는 일이 아니다. 그럼에도 불구하고 삶은 지속되지만, 거기서부터 삶이 달라지기도 하는 것이다. 어렸을 때 당한 성폭행의 기억은 순하고 다정한 남편을 만나 이룬 행복한 가정으로 상쇄되지 않는다. 잃어버린 '처녀막'에 대한 공포와 결핍 없이 행복한 가족의 꿈은 같은 카테고리 안에 있기 때문이다. 그러므로 어린 여자아이를 덮치고도 아무 일 없이 성공 가도를 달리고 있는 친척에 대한 분노는 다른 욕망을 기획하는 키워드가 될 수 있을지도 모른다. 여자아이의 미래를 결정하는 가장 오래된 상투성, '처녀막'의 보존이 아닌 다른 욕망. 그것은 대체물로 보상될 수 없는 분노의 성분을 분별하는 일에서부터 시작한다. 흔해 빠진 세간의 서사에 몸을 맡기지 않고, 자신의 분노와 고통으로부터 다른 욕망을 찾을 수 있을 때 마음의 평화는 가능하다. 만약 삶이 축제일 수 있다면 그것은 역설적인 의미에서다. 주어진 욕망에 순응하지 않는, 다른 욕망을 얻기 위한 고통스런 꿈. 흔해 빠진 상투적 서사를 뒤집는 반전이 좀 더 급진적이 되기를 바라는 것은 이 때문이다. 안정된 서사와 반전의 묘미가 오히려 다른 욕망의 가능성을 주저앉히는 비좁은 거푸집이 될 수 있다. 그 거푸집에 겨우 갈무리된 욕망이 얼마나 뜨겁고 집요한지 상상할 수 있게 되어서 다행이다. 주어진 욕망에 몸을 맞추려는 안간힘이 분노로 끓어넘치기를. 가방을 끌고 길을 떠나는, 혹은 집으로 돌아오는 그/그녀들을 응원한다.

(『자음과 모음』, 2013년 봄호)

대중성과 사회성, 그 위태롭고도 절묘한 접점
_공지영의 『우리들의 행복한 시간』

공지영의 『사랑 후에 오는 것들』(소담출판사, 2005)과 『우리들의 행복한 시간』(푸른숲, 2005)이 2006년 3월 첫 주부터 3주간 교보문고 문학 부문 베스트셀러 1, 2위를 석권했다. 강동원과 이나영이라는 두 흥행 스타를 캐스팅한 『우리들의 행복한 시간』의 영화화 소식과 『냉정과 열정사이』(소담출판사, 2000)의 작가 츠지 히토나리의 명성이 일정한 역할을 했겠지만 어쨌든 작가 공지영의 대중적 흡입력을 실감하게 하는 대목이다.

베스트셀러에 대한 비평이 그다지 활발하게 개진되지 않고 있는 것이 우리 평단의 현실이며, 이는 상업주의와의 결탁이나 대중 영합에 대한 곱지 않은 시선 때문이기도 하고, 많은 베스트셀러들이 유사한 패턴을 반복하고 있어서 작품에 대한 분석이 그다지 생산력 있는 결과를 산출하지 못하기 때문이기도 할 것이다. 그러나 베스트셀러 비평의 중요한 목적 중 하나인 문화 트렌드 점검을 위해서도 작품에 대한 풍부하고도 다양한 해석은 분명 필요하다. 캐릭터나 배경에 대한 단선적 분석으로 비평을 대신하거나 모두를 유행의 한 경향으로

뭉뚱그려 버린다면 우리 문화의 심층을 엄밀하게 해부하고 그 공과와 문제성을 따지는 일이 충실히 이루어지기 힘들다. 사회 모든 분야가 그렇듯이 상업주의 메커니즘이나 자본의 논리가 출판계에서도 여지없이 관철되고 있고, 그 위력이 상상 이상으로 강고하여 도무지 출구를 찾지 못하는 것처럼 보이기도 하지만, 그럴수록 대중들이 좋아하고 선택하는 문화 상품들이 새로운 문화적 실천의 장과 연결되어 있다는 사실을 잊어서도 안 될 것이다.

특히 공지영은 좀 더 세심한 비평적 관심과 해부가 필요한 작가가 아닌가 한다. 『고등어』로부터 시작해서 『무소의 뿔처럼 혼자서 가라』, 『착한 여자』, 『봉순이 언니』, 그리고 최근의 두 작품까지 공지영은 출간하는 작품마다 빠짐없이 베스트셀러 목록에 자신의 이름을 올리는 우리 시대의 몇 안 되는 스타 작가 중 한 사람이다. 물론 이러한 대단한 대중적 파급력이 공지영에게 각별한 관심을 기울여야 하는 유일한 이유는 아니다. 그보다 더 중요한 이유는 대부분의 대중소설들이 기존의 이데올로기에 효과적으로 영합하면서 대중들의 정서에 안착하는 경향이 강하다면, 공지영은 오히려 기존의 이데올로기에 문제를 제기하는 방식으로 대중들의 관심을 유발하는 작가라는 사실에 있다. 그러므로 공지영의 작품은 항상 사회성과 대중성의 미묘한 접점에 서서 그 가치와 영향력을 발휘한다. 그 접점은 긍정적인 방식으로든 부정적인 방식으로든 우리 시대의 문학이 대중과 어떻게 소통해야 하는가에 대한 소중한 성찰을 불러일으킨다. 그리고 이에 대해 사고하는 과정을 통해 우리는 베스트셀러에 대한 숱한 선입견과 불편한 시선들을 정직하고도 내밀한 분석의 대상으로 삼을 수 있게 된다.

전작들과 마찬가지로 『우리들의 행복한 시간』 역시 사형 제도라는 사회적 이슈를 소설의 대상으로 삼는다는 점에서 일단 사회적 문제 설정과 관심 유발을 의도하고 있는 작품이라 할 수 있다. 생명 존중이나 인권의 측면에서든 범죄 예방이나 사회 구성원의 안전 문제라는 측면에서든 사형 제도가 그다지 바람직한 제도가 아니라는 의견은 오래전부터 있어 왔다. 한편으로는 인간으로서의 최소한의 기본적 예의나 존엄을 갖추지 못한 인간마저도 보호해야 하는가부터 그럼에도 불구하고 강력한 처벌체계가 있는 것이 범죄 예방에 도움이 되지 않느냐 하는 '그럼에도 불구하고' 찬성론도 여전히 팽팽하게 논란의 한 축을 차지하고 있다. 중요한 것은 사형 제도를 존속하느냐 폐지하느냐가 아니라 사형 제도를 둘러싼 많은 사회문제들을 어떻게 풀어나갈 것인가에 있을 것이다. 그런 점에서 『우리들의 행복한 시간』은 사형 제도 폐지를 단지 생명 존중이나 인권 보호의 차원에서 되풀이하지 않는 미덕을 지닌다. 피해자의 가족인 삼양동 할머니의 에피소드는 인간이 인간을 용서하는 일의 지난함과 숭고함을 깊은 감동과 함께 전하면서 동시에 사형 제도가 난데없는 횡액을 당한 피해자의 사후 보상을 외면하는 면죄부가 되고 있는 것은 아닌가 하는 문제를 제기한다. 무엇보다 '블루 노트'에 정리된 사형수 윤수의 생애는 범죄의 결과만이 아니라 그것이 발생하게 된 원인이나 과정에 대해서, 범죄자 개인이 아니라 범죄를 만드는 사회구조에 대해서 좀 더 근본적인 생각을 유발한다.

우연인지도 모르겠지만 공교롭게도 최근 사형 제도에 대한 문제를 제기하는 신문기사나 방송 프로그램을 자주 만날 수 있었다. 사실 매체에서 전달하는 사형 제도에 대한 문제점은 공지영의 소설에서 드러난 것과 적어도 사실과 논거의 측면에서는 크게 다르지 않다. 공지영의 소설이 이러한 기사나 프로그램들과 다른 점이 있다면 그것은 바로 그 '정서적 감응력'일 터인데 이것이야말로 공지영 작품의 대중성을 해명하는 키워드라 할 수 있다. 소설에서 이 정서적 감응력은 멜로드라마적인 형식을 통해 극단적으로 확산된다. 오빠들은 모두 검사, 의사, 교수며 자신 역시 집안이 운영하는 학교의 교수인 문유정은 세 번째 자살 기도 끝에 고모의 권유로 사형수 정윤수를 면회하게 된다. 처음에는 종교적 감화를 위선으로 치부하며 그 만남에 마지못해 참석했던 유정은 어느새 윤수의 고통과 소외에 연민을 느끼게 되고 마침내 그와 소통하고 그에게 사랑을 느끼게 되는 것이다. 소설은 중반 이후부터 사형수와 부잣집 딸의 멜로드라마라는 틀을 지니게 되면서 격정적이고 가파른 감정의 파고를 표현한다. 사형수와 여교수의 사랑이라는 설정이 통속적이라거나 부자연스럽다거나 하는 것은 여기서는 부차적인 문제다. 사랑이라는 감정을 매개로 해서 흉악범 윤수가 아니라 한 인간으로서의 윤수를 발견하게 되고 그 역시 상처받고 고통받는 한 인간이라는 사실을 자연스럽게 이해하게 된다는 점에서 이 멜로드라마적 설정을 그렇게 부정적으로 볼 것만은 아니다. 아울러 어려서 사촌 오빠에게 강간당하고 그 사실을 가족에게 외면당한 상처로부터 자유롭지 못한 유정이 윤수에게 마음을 열게 되는 과정 역시 모든 인간은 상처 앞에서 평등하며 필요한 것은 이해와 공감과 위로라는 다소간은 종교적인 메시지를 효과적으로 전달한다.

문제는 윤수와 유정의 사랑으로 서사가 집중되는 과정에서 그 밖에 제기된 여러 문제들이 더는 진전되지 못하고 희석된다는 점에 있다. 예컨대 검사인 오빠가 제도로서만 사형을 대하는 태도를 향해 유정이 항변하는 장면은 윤수를 살리려는 유정의 감정적 절실성을 조명하는 데서 그치고 만다. 가족의 안녕을 위해 강간당한 유정을 외면했던 어머니를 용서하겠다는 유정의 절규 역시 마찬가지다. 개인의 상처를 돌보지 않는 부르주아 가족의 불안한 동거와 이기심이 더 해부될 수도 있을 터인데, 윤수를 살리기 위해 자신도 무언가를 하지 않으면 견딜 수 없는 유정의 심리만이 그 장면에서 도드라진다. 게다가 유정의 상대가 되기 위해서 윤수는 나약하고 상처 입었으나 근본은 선량한 영혼으로 그려지고, 더구나 그의 살인 역시 우발적이었을 뿐 아니라 그것조차도 누명이었음이 밝혀진다. 그래서 사형수 윤수의 존재는 불행하였으나 선량한, 예외적인 개인으로 제한되어 버린다.

개인의 상처와 고통에 깊숙이 공감하고 그것에 연민과 위로를 보내는 작가의 감수성은 그러므로 언제나 불안한 접점에 서 있다. 그것은 차마 비판하기 힘들지만 쉽게 받아들일 수도 없는 곤혹이다. 공지영에 대해 말해야 할 때면 나는 항상 매우 곤란한 선택의 순간을 앞에 두고 있는 기분이 된다. 그의 소설에서 드러나는 다소간은 과장된 자기 연민이나, 적절한 문제 제기를 하고 있음에도 어느새 그것이 감성적 동일화와 위안 효과로 귀결되어 버리는 과정이 못내 아쉽기는 하지만, 또한 공지영만큼 사회적 현실 속에서 대중적 공감대를 형성해 내고 문제를 도발하는 작가도 흔하지 않기 때문이다. 그래서 지금까지 제시된 사실들을 근거로 한다면 나는 '그럼에도 불구하고' 공지영을(혹은 공지영이 만들어낸 문학적 효과를) 옹호하는 쪽을 택해야 할 것 같다. 그러나 '그 다음'에 관해서라면 나는 이 위대하고도 초라한 개인의 시대에, 그의 소설이 지닌 가장 강력한 무기인 그 위태롭고도 절묘한 접점을 더 밀고 나가 주기를 기대하게 된다. 원래 무기란 치명적인 공격 도구이면서 또한 안전한 보호막이기도 한 법이다.

(『교수신문』, 2006년 4월 3일)

통입골수(痛入骨髓)의 소설 미학, 불가해한 삶과의 힘겨운 화해

__김인숙의 『안녕, 엘레나』

아무리 생각해도 김인숙과 화해라는 단어는 어울리지 않는다. 그녀의 소설은 대체로 담담하고 고요하고 섬세했지만 그 말들 아래에서 격정과 열망이 들끓었고 그래서 고통의 상처는 오래도록 깊었다. 그 격정과 열망과 고통 때문에 말들은 불안하게 여러 갈래로 흔들렸고 사건들은 쉽게 해결될 수 없어 끝없이 어지러웠다고 해도 좋을 만큼.

그런데 소설집 『안녕, 엘레나』(창비, 2009)는 어쩐지 평안하다. 물론 그의 인물들이 예전보다 덜 불안하거나 덜 고통스러운 것은 아니다. 평생을 선원으로 이국의 바다를 떠돌았던 아버지나, 그 아버지와 불화했던 어머니, 또는 너무 일찍 경제활동을 그만두어 버렸던 아버지를 미워하며 살아야 했던 딸의 삶이 내내 평안했을 리가 없다.(「안녕, 엘레나」) 또는 군 기피자로 숨어 지냈던 아버지나 그런 아버지와 함께 가정을 꾸려야 했던 어머니나, 그 어머니에게 어려서 살해당했던 아들의 삶이란 불안 그 자체였을 것이다.(「숨—악몽」) 이혼을 결심한 순간 열여섯 살 어린 딸의 임신을 알아버린 어머니나, 열여섯에 아이를 낳고 그 기억을 잊기 위해 남은 인생을 살아야 했던 딸에게 이후의 세월이란 얼마나 끔찍한 고통이었을까.(「조동옥, 파비안느」)

그럼에도 불구하고 이 소설들이 평안하게 느껴진다면, 거기에는 모종의 트릭이 숨어 있을 가능성이 많다. 그리고 이 트릭은 아마도 이 소설들의 평안한 기운에 대한 어떤 알리바이가 되어줄 것이다. 이를테면 이런 것. 이국의 항구마다 자신의 씨를 뿌려놓았다고, 세상의 모든 엘레나는 자신의 딸이라고 아버지는 농담처럼 말했다. 장난삼아 세계여행을 떠나는 친구에게 자신의 이복 자매를 찾아달라고 했고 친구는 또 장난처럼 가는 곳마다 엘레나의 사진을 찍어 보냈다. 그리고 그 엘레나들을 바라보다가 어느 순간 '안녕, 아빠'라고 말하는 상큼한 전환.(「안녕, 엘레나」) 군 기피자였던 아버지가 마구 태어나는 자식들 때문에 뒤늦게 입대를 했지만 군대는 지옥 같았으며 그리고 어머니는 불안증에 헤매며 그 생활을 버텨야 했다고, 제대한 아버지에게 세상은 군대보다 더 지옥이었다고 지극히 담담하고 고요하게 말했던 유일하게 살아남은 아들이 목이 졸려 죽은 갓난아이의 환영을 보았을 때, 그가 이미 죽은 영혼이었음이 밝혀지는 다소 놀라운 반전.(「숨—악몽」) 이혼을 하고 브라질로 떠났던 어머니의 죽음을 알리는 편지를 뒤늦게 받고, 딸을 이국에 보내고 고통에 못 이겨 죽은 수령옹주의 오래된 묘지(墓誌)와 어머니에 대한 기억 사이를 오갈 때, 소설은 그저 어머니에 대한 그리움과, 깊은 땅 속에 묻힌 듯 살아온 딸의 지난 세월을 오래오래 반추하는 것처럼 보인다. 그리고 마침내, 포르투갈어로 어머니의 죽음을 알린 그 어머니의 아들이, 사실은 딸의 아들임이 밝혀졌을 때, 어머니는 열여섯에 어머니가 된 딸을 지키기 위해 서둘러 브라질로 가서 거기서 평생을 보냈음을 독자가 알았을 때, 딸의 입에서 '나의 아기야'라는 말이 새어나왔을 때의 급작스러운 충격.(「조동옥, 파비안느」)

이 기막힌 반전들을 숨긴 채 소설은 내내 잠잠하고 고요하고 담담하다. 그리고 반전이 밝혀지는 것은 최대한 뒤로 미루어진다. 딸이 결국 아버지와 화해했거나, 혹은 아들이 어려서 어머니에게 살해당했거나, 열여섯의 나이에 아이를 낳았던 여자의 비밀이거나, 그들의 삶이 이렇게 고요하고 담담할 리 만무하다. 소설이 내내 평안할 수 있었던 까닭은 화자가 이미 그 비밀들을 진작 알고 있었기 때문이다. 그러므로 이야기의 시간과 서술의 시간은 가능한 한, 최선을 다해 어긋나 있다. 딸은 진작부터 아버지와 화해했으나 오래 그 화해를 유보했다. 그 아들은 미처 영혼이 싹트기도 전에 죽었으나 그 죽음은 기나긴 이야기를 끝맺었을 때 비로소 밝혀진다. 딸은 열여섯에 아가와 엄마를 함께 떠나보냈으나 그로부터 열여섯 해가 지난 후에야 비로소 그때를 말한다. 이야기는 그들의 비밀이 싹텄던 때 이미 시작되었으나 그 비밀은 소설이 끝나갈 무렵에야 밝혀진다. 이 이야기의 시간과 서술의 시간 사이에 오랜 고통의 시간이 있었음을 이제 알겠다. 이야기가 시작하자마자 싹튼 고통과 그것의 진상을 최대한 뒤로 미루어 발화하는 사이, 혹은 그것을 되짚어 오는 사이, 그 시간이야말로 격렬한 고통과 불안의 시간이었음을, 그리하여 소설을 두텁게 감싸고 있는 평온의 문체는 그 오랜 고통으로 인해 가능한 것이었음을 이제 알겠다. 그러므로 이 소설들이 어쩐지 평안하게 느껴진다고 말할 수 있다면, 그것을 혹시 화해라고 말해도 좋다면, 그 화해란 결국 크고 오랜 고통과 다르지 않다. 크고 오랜 고통 끝에 화해를 얻는 것이 아니다. 화해는 곧 오래고 격심한 고통이다.

작가가 고통의 시점을 거슬러 화해를 말할 수 있었다면 독자는 평온의 문체를 거슬러야 고통을 읽고 그것이 삶이라고 이해할 수 있게 될 것이다. 예컨대 "원양어선을 타는 남편과, 그 남편을 기다리며 홀로 새끼들을 키운 아내는 사이가 원만하지 못했다"(「안녕, 엘레나」, 15쪽), "아버지의 삶은 고단했고, 당신이 소망하지 않은 것을 견뎌냈다는 점에서는 위대했다"(「숨—악몽」, 56쪽) 같은 대목에서. 아버지와 어머니의 삶을 서술하는 목소리는 아주 멀리서 그들을 객관화하고 있으므로 사이가 원만하지 못한 부모에게서 자라난 딸이, 소망하지 않은 것을 견딘 아버지의 자식이 그들 사이에서 겪었던 불안과 원망은 쉽게 드러나지 않는다. 그래서 "흔들리는 삶의 불빛이, 깜빡깜빡했다"(「안녕, 엘레나」, 29쪽), "그러므로 삶이란 결국, 아무 방법도 없는 것이다"(「숨—악몽」, 51쪽)라고 그저 무심결에 가만히 고개를 끄덕일지도 모른다. 이것이 멀리서 바라보았기에 가능한 손쉬운 화해이거나 관조는 아닌가 하고 생각하는 순간 독자는 뒤늦게 휘몰아치는 격렬한 삶을, 속수무책의 격정과 불안과 고통들을 감지한다. 아버지도 죽었고 어머니도 죽었으며 그리고 마침내 그 죽음을 말하는 아들도 죽었다는 사실을 뒤늦게 깨닫는다. 세상의 엘레나들을 찾으며 아버지의 삶을 오래 뒤쫓은 끝에, 혹은 어머니의 죽음으로 자신의 기억 속에 묻어 두었던 고통의 기억을 되짚은 끝에, 마침내는 이미 죽은 영혼으로 아버지와 어머니의 오래 견디며 고통스러웠던 삶을 지켜본 끝에야 비로소 도달하게 되는 이해란, 화해란 얼마나 견딜 수 없이 격렬한 아픔이 되는 것인가. 이 평안의 문체와 고통의 서사 사이의 낙차야말로 이 소설들이 말하는 화해의 알리바이다. 그 아버지와 어머니들의 삶을 통해, 죽어 사라진, 혹은 어딘가 깊이 파묻힌 듯한 자신의 삶도 그들의 것과 다르지 않다는 동일성의 서사가 완성되기까지, 삶을 이해하려는 안간힘은 아주 길고 깊었다. 만약 이 소설들을 두고 화해라는 말을 할 수 있다면, 그것은 변명과 추락과 증오와 이해를 거쳐 겨우 불가해한 삶 앞에 서로 닮아 있다는 것을 알게 되는, 뒤늦은 깨달음과도 같은 것이 될 터다.

엘레나는 어느 도시에서는 검은 얼굴의 처녀이고 어느 도시에서는 백발의 노인이었다가, 어느 도시에서는 잘생긴 개이거나 젖소였다. 농담처럼 친구가 보낸 파일을 보며 킬킬댔지만 "내 아버지의 이름은 박민수, 1961년생, 나의 할아버지 이름은 박돌이, 고향은 남쪽바다입니다"라는 사연이 도착했을 때 딸은 웃을 수 없었다. 아버지의 농담 속에도 엘레나가 아닌 순이인 이국의 처녀에게처럼 삶의 구체적인 힘겨움이 있었을 것이다. 외항 선원이었거나 군 기피자였거나, 혈혈단신의 이민자였거나, 삶이란 그렇게 불안하게 겨우 버티면서 오래 견디는 일이었다고 말하기 위해, 그것이 상투적인 관조나 청승이 되어서는 안 되겠기에, 소설도 오래오래 말을 견뎠다. 통·입·골·수(痛入骨髓). 누군가는 정교한 소설 미학의 결정체라고 말할지 모르겠으나, 그것은 곧 뼛속까지 스미는 고통이라고 고쳐 말하고 싶다. 화해인지 아닌지 아직 모를 이 평온의 문체를 위해.

(미발표, 2011년)

‘불행한 세대’의 의식 지도 한 장
_김금희의 『센티멘털도 하루 이틀』

1. ‘센티멘털’과 ‘쿨’ 사이

‘센티멘털도 하루 이틀.’ 발랄한 제목이지만 생각만큼 소설은 경쾌하지 않다. 작품집에 실린 소설들은 대체로 몰락과 실패에 관한 이야기며, 그 이후의 전망은 어둡고 암담하다. 천천히, 몰락과 실패는 진행되어 왔으며 현재도 진행 중인데, 그것을 지켜보는 것 말고는 이 시점에서 가능한 일이란 없어 보인다. 비관적 감상이나 낭만으로부터 거리를 두겠다는, ‘센티멘털도 하루 이틀’이란, 아마도 몰락과 실패가 오래 지속되어 왔음을 분명히 인지하는 데서 비롯되는 태도일 것이다. 오래전부터 몰락과 실패는 예정된 것이었으며, 그것은 조금씩 오랫동안 계속되어 왔으므로, 하루 이틀의 감상이나 낭만이 개입될 여지는 없다. 실직이나 사고 같은 것, 재개발과 철거, 실종이나 죽음도 소설 속에서는 하나의 예정된 일상처럼 느껴지며, 서사를 끌고 나가는 이러한 담담함은 이 소설집의 가장 중요한 특징이기도 하다. 소설의 인물들은 애써 명랑을 잃지 않으려 하지만 그렇다고 해서 명랑을 표방하지도 않는다. '센티멘털'로부터 거리를 둔다고 해서 그것이 곧장 '쿨'한 포즈로 연결되는 것도 아닌데, 아무리 그것을 일상으로 받아들였다 하더라도 지속되는 불행을 모른 척하기는 쉽지 않기 때문이다. '쿨'이란 열정과 실의의 롤러코스터 대신 무관심을 선택하는 태도임을 우리는 이미 알고 있는데, 이때의 무관심은 사실상 웬만해서는 달라지지 않는 현실의 절대적 무게를 우회적으로 인정하는 방식이기도 하다. '쿨'이 흔히 '포즈'로 취급받는 것도 이 때문이다. 그렇다면 '센티멘털'도 '쿨'도 아닌 어디쯤이 2010년대의 소설 지형 속에서 이 작가가 차지한 위치라고도 말할 수 있다.

1979년 부산에서 태어나 인천에서 성장. 2009년 등단. 책날개에 소개된 작가의 이력이다. 일찌감치 등단해 신자유주의 시대의 고통을 조숙하게 그려냈던 2000년대의 작가군들을 생각해 보자면 김금희의 등장은 뒤늦은 데가 있다. 그러나 뒤늦은 만큼 김금희가 보여주는 세계는 이들과 같으면서도 다른데, 이 미묘한 차이들이 이 작가의 고유한 이정표를 만들고 있는 것은 아닌지 이 글에서 짚어보고 싶다. 그것은 '센티멘털'도 '쿨'도 아닌 지점에 진중하게 머무르는 작가의 태도에서 비롯되며, 그 태도란 변방의 장소 감각을 스스로 단련시켜 온 맷집에서 가능했다고 생각한다. 세대적 경험을 이전 세대로까지 확장하면서 세대 의식을 역사화시키는 이 작가 특유의 관점 역시 특별히 주목할 필요가 있다. 담담한 초월이라기에는 무언가 부족하고 파격적 일탈은 아예 꿈꾸지도 않는 이 작가의 균형 감각이 한편으로는 너무 단조롭게 느껴지기도 하지만, 그렇기 때문에 가능한 발견들이 있다. 그 발견은 의외로 문제적이며 그래서 이 발견의 항목과 내용을 구체적으로 확인하는 일은 중요해 보인다.

2. 길 잃은 자의 장소 감각

김금희는 장소에 민감한 작가다. 소설의 배경을 이루는 장소의 구체성에 둔감한 작가란 없을 것이므로, 김금희의 민감함에는 조금 더 설명이 필요하다. 그의 소설에서 장소의 구체성이란, 이를테면 묘사의 정밀성이라든가 서사의 구성을 위해 필요한 배치 같은 것이 아니다. 그는 마치 강박처럼 소설의 장소들에 실제의 지명을 부여하는데, 소설 속에 구체적 지명을 꾹꾹 박아 넣어 소설은 그 지명들로 이루어진 한 장의 지도처럼 느껴지기도 한다.

> 나는 동그라미로 여미네 집을 대강 그려넣다가 지도의 표시들을 선으로 쭉 이어보았다. 항구와 놀이공원, 전철역과 도서관, 백화점과 산, 달동네 박물관과 가게, 약수터를 모두 통과한 선은 지도 끝에서 멈췄다. 여러 각도로 꺾인 모양이 마치 별자리처럼 보였다. 하지만 누구도 이것으로는 길을 찾지 못할 것이다.[1)]

「너의 도큐먼트」는 소설 자체가 한 장의 지도처럼 구성된 경우이지만, 그렇지 않더라도 김금희는 좀처럼 소설의 지명들이 추상적이거나 상상적인 것으로 남아 있도록 허용하지 않는다. 부러 K시라는 이니셜을 적어 넣기도 했지만 거기에 다시 왕릉이나 벚꽃이라는 디테일을 새겨 넣음으로써 이니셜은 보람 없이 경주라는 도시로 확연하게 실체화된다.(「우리 집에 왜 왔니」) 그것이 뉴욕이거나 뉴질랜드라

---

1) 김금희, 「너의 도큐먼트」, 『센티멘털도 하루 이틀』, 창비, 48쪽. 이하 모든 작품은 『센티멘털도 하루 이틀』에서 인용한 것이며 인용시 작품명과 쪽수만을 표기한다.

도 마찬가지다. 도시명이 없는 소설에서도 거리나 건물을 통해 도시의 이름은 언제나 소설 속 가상공간이 아니라 우리가 익히 알고 있는 어느 곳의 구체적 장소가 된다. 홍은동이거나 합정동, 칠십계단이나 차이나타운, 그리고 사북과 경주, 부산과 울산. 그러므로 이 지명들의 구체성은 단지 소설적 배경으로서의 생생함이 아니라 실제 도시의 존재를 강하게 환기시키는 방식으로 소설에 각인된다. 디테일은 상세히 묘사하지만 고유명사로서의 실물성을 지워버림으로써 그 장소를 가상공간으로 애써 격리시키는 이즈음의 소설들과 비교할 때 이 특징은 더욱 두드러진다. 독자는 이 장소들을 따라 읽으며 기묘한 현실성을 느끼게 되는데, 그것은 이 장소들을 독자가 미리 알고 있음으로써 느껴지는 착시 효과만은 아닌 것 같다. 빼지도 더하지도 않은 이 장소들의 실물성은 오히려 독자로 하여금 그 장소들을 낯설게 느끼도록 유도하는 것 같다. 너무 잘 알고 있어서 그저 거기 존재하는 것으로 생각했던 점들을, 혹은 세간의 이미지로 채색되어 있던 익숙함을 다시 되짚어보게 만드는 것이다. 그리고 그 도시들은 구체적이기 때문에 오히려 보편적이 된다. 흥미롭게도 거기가 경주이거나 부산이거나 인천이어서가 아니라, 그 도시들이 만들어 온 우리들 삶 전체에 대한 연관으로서 그 지명들은 구체적인 것이 된다. 그러므로 이 장소의 구체성은 지리학적이라기보다는 사회학적이다.

그래서 경주나 부산이나 인천을 변방의 장소성으로 읽는 것은 다소 일면적인 해석이다. 물론 소설에서 특히 인천이라는 지역이 구체적으로 특화됨으로써 서울의 주변이라는 변방의 감각이 두드러지는 것은 사실이다. 그러나 그것을 서울과 인천, 중심과 주변의 상대적 이분 구도만으로 읽는 것은 충분치 않다. 예컨대 부산의 합판 공장에서 일하다가, 회사가 도산하자 비슷한 직종의 일자리를 찾아 인천으로 온 가장과 그 가족(「아이들」)에게 중요한 것은 서울이라는 중심으로 진입하려는 노력이었을까. 혹은 주변으로 밀려났다는 불안감이었을까. 그것이 중심으로의 욕망과 주변의 불안이라 하더라도 그것이 비단 인천에서만 일어난 일이었을까. 부의 편재와 살아남는 일의 불안이라는 주제가 인천의 목재 공장이라는 구체적 장소를 통해 더욱 선연히 부각되었다고 보아야 하지 않을까. 그러므로 이 가족의 삶이란 산업화 이후 끊임없이 더 잘사는 일에의 욕망을 좇아 달려야 했던 불안감의 다른 이름이라 할 수 있지 않을까.

> 물론 그 때는 우리 가족 모두 지금과는 다른 삶을 꿈꿨겠지. 아파트 한 채를 마련하면 대단한 성공처럼 여기던 때였으니까. 지금 중환자실에 있는 아버지나, 대학에 가지 못한 나나, 그저 가족들을 먹이고 입히며 불행을 견디는 엄마의 삶이 분명히 최종 목적지는 아니었다. 하지만 그때 우리는 그런 앞날에 대해 알지 못했다. 그리고 마침내 나타난 새가정아파트는 골목도 도로도 가게도 가로수도 없이 불시착한 유에프오처럼 산비탈에 처박혀 있었다.(「아이들」, 117쪽)

골목도 도로도 가게도 가로수도 없이 UFO처럼 비탈길에 처박힌 '새가정아파트'는 인천에만 있었던 것은 아니다. 서울의 어느 재개발 지구에도 부산의 어느 변두리 시가지에도 있었던 스산한 풍경 중 하나다. 새가정아파트는 아파트나 자가용으로 성공적 삶을 가늠하던 시대의, 산업화 이후의 속물적 물질주의를 대표하고 있을 따름이다. 그러므로 "정주하지 않겠다는 다짐이 오히려 타지에서의 삼십년을 견디게 했"(「아이들」)다는 아버지의 삶은 아파트나 자가용 따위로 채워질 수 없는 욕망을 유예된 성공으로 여김으로써만 견딜 수 있었던 한 시대의 표상이다. 그리고 그 시대는 결코 지나간 과거가 아니다. 명문대나 한강뷰 아파트로 이름이 바뀌었을지 모르지만 결코 만족될 수 없는 욕망으로 삶을 견디고 있는 것은 아버지뿐만이 아니기 때문이다. 그러니 김금희 소설의 독특한 장소 감각은 변방에서 나오는 것이기도 하지만, 또한 그 변방으로부터 초고속 개발이 초래한 허약한 삶의 지반을 읽어낼 수 있기에 가능한 것이기도 하다. 완수될 수 없는 성공을 목표로 결핍을 견디는 이 지속적 불안이야말로 작가가 꼼꼼히 도시의 변방을 답사하면서 얻어낸 진짜 결과물이다. 이 구체적 지명들의 견고한 실물성은 그래서 이곳이 모두 객지라는 통찰로 이어진다. 알고 보니 모두 객지이지만 그래도 부서지거나 사라지지 않고 낡아가는 이 도시의 견고한 뿌리를 우리는 지명들의 실물성으로 확인한다. '센티멘털도 하루 이틀.' 냉소나 비관으로 외면하기에는 아버지 대로부터 이어진 실패와 몰락의 역사가 너무 두텁다. 젊은 작가의 아버지 탐구가 예사롭지 않은 것도 이 때문이다.

3. 세대 의식의 역사화

경제개발 시대의 산업 역군 아버지가 새롭지는 않다. 그렇지만 그 아버지의 실패와 몰락을 이처럼 집요하게 추적하는 경우는 그리 흔치 않다. 게다가 작가는 이 아버지의 삶에 자식 세대의 삶을 겹쳐 놓음으로써 아버지 세대를 이해하는 통로를 열어놓고 있다. 여기에서의 이해가 화해나 봉합의 형식이 아니라는 점을 굳이 첨언할 필요가 있을까.

아버지는 가부장적 권위나 보수적 고집이 아니라 이미 몰락했거나 실패한 자이기 때문에 연민의 대상이다. 그러나 연민이 전부는 아니다. 부도 후 잠적했다가 노숙자 자활 센터에 파란 조끼를 입고 등장한 아버지와, 자기소개서 대신 개인회생 파산 신청서를 쓰는 자식들이 얼마나 다른가. 그러니 자식들은 아버지를 이해하기 위해서라기보다는 스스로를 위해서 아버지의 삶을 되짚는다. 자식들이 짊어진 불행의 연원이 아버지의 삶에 있다는 것, 혹은 자식들과 아버지가 동일한 삶의 기반 위에 있다는 것이 아버지 세대를 천착하는 진짜 이유가 된다. 100개가 넘는 민머리 얼굴을 그리며 아르바이트를 하거나, 곧 폐업할 가구 매장의 '대박 세일' 문구를 쓰는 삶이 아버지를 다시 돌아보게 만들었다고 할 수 있다.

> 팀원 하나 들어오면 수당 지급 이백만원 스쿠알렌 한박스 사십오만 열박스 도매 치면 삼백팔십 아버지 좀 놔요, 아버지가 몰라서 그래요. 조장할인 십프로 할당 차면 다섯박스 네트워크 신종 마케팅 기법으로 한달이면 사백인데 좋잖아요, 아버지 이것 놓고 얘길 들어봐요, 지금 이렇게 계산이 나오잖아요.(「아이들」, 127쪽)

횡설수설하던 아들의 반항과 그것은 사기라며 성실만이 진짜 삶이라고 꾸짖었던 아버지가 같은 몰락의 길 위에 있다. 두 몰락을 동일선상에 놓는 시각은 새로운 성찰을 가능하게 한다. 그것은 IMF를 분기점으로 갑자기 일어난 일만은 아니었다. 새가정아파트로의 이사를 성공을 향해 가는 과정이라고 믿었던 아버지, 불안하지만 아직 완수하지 못한 성공을 위해 그 불안을 유예했던 아버지의 삶이 서서히 몰락해 가고 있었을 뿐이다. 그리고 아버지의 몰락은 아들에게서 압축적으로 반복된다. 네트워크 신종 마케팅이 자본주의 사회에서 불가피하게 선택해야 하는 작은 트릭일 뿐이라고 믿었지만 천만 원의 빚과 함께 두문불출하면서, 이미 가구가 재산이 아닌 시대에 팔리지 않는 가구들을 폐기 처분하면서. 신자유주의 시대의 불행한 세대라는 세대 의식은 자본주의적 삶의 근본적 불안을 응시하는 방식으로 확장된다. 그러므로 아버지를 이해하는 일은 자식들의 불안한 삶을 탐구하는 일과 이어져 있다.

이에 반해 오빠이거나 삼촌 세대의 경험들이 소설 속에서 전면적으로 드러나지 않는다는 점은 흥미롭다. 「장글 숲을 헤쳐서 가면」은 1997년 봄에서 겨울까지를 시간적 배경으로 하고 있다. 의도적인 설정이라 할 수밖에 없다. 아마도 그해 겨울의 IMF를 소설의 가장 중요한 구심점으로 삼았을 것이기 때문이다. 오빠는 한 해 전, 연세대 사건 때 현장에 있었다. 지방대를 다녔던 오빠가 선배들에게 이끌려 무려 사수대의 역할을 했지만, 사건 이후 휴학하고 다시 입시를 준비하는 신세가 되었다. 그리고 오빠는 수능 날 입대함으로써 연세대 사건 이후를 제대로 말하지 못한다. 연세대와 사수대의 경험보다 입대가 훨씬 더 '리얼'했다. 베트남 참전 용사였던 아버지는 "망망대해 자영업의 세계를 표랑하는 모험가"(190쪽)가 되고, 오빠는 사수대였다가 4수생이 되었다가 입대하고, 나는 수능 후 우등생들은 모두 '교대나 사대'를 지원하는 명확한 좌표를 보면서도 항로를 찾지 못하고 있다. 국위 선양의 자부심도 진보적 가치의 투쟁성도 영악한 입시 전략도 IMF라는 상징적 사건 속으로 빨려 들어가 버린다.

몰락과 실패의 동일 선상에 있다는 점에서 아버지와 오빠는 다르지 않지만, 그렇다고 해서 두 세대의 경험이 동일시될 수 있는 것은 아니다. 무엇보다 오빠의 삶은 아버지의 삶만큼 충실히 복기되지 못했다. 불행한 세대의 세대 의식은 아버지에게로까지 확장되어 우리 시대의 암울한 지도를 그려내고 있지만, 이 지도에 오빠들의 좌표는 없다. 이것은 작가적 시야의 빈틈인가, 아니면 오빠 세대에 대한 작가의 입장인가. 입시 준비 대신 『월든』이나 『위대한 개츠비』를 권했던 '김'(「센티멘털도 하루 이틀」)은 의붓아버지였다. 몰락과 실패의 계보가 아버지로 이어져 있다면, 의붓아버지로부터는 어떤 계보가 만들어질 수 있을까. 의붓아버지와 오빠들의 역사가 이 작가의 탐구 영역 속에 어떻게 자리 잡을지 지켜보는 일도 흥미로울 것 같다. 삼촌의 좌표를 읽어줄 조카들이 어디에선가 자라고 있겠지만, 조카를 기다리기에는 이 문학들이 너무 젊다. 아직 아버지의 몰락과 '나'의 것이 어떻게 다른지 확인하지 못했다는 사실도 덧붙여두어야 할 것 같다.

4. 아직 미완의 도큐먼트

> 창문을 열어 지도를 버렸다. 지도는 바람을 타고 날아오르는가 싶더니 도로 표지판에 부딪치고는 이내 어둠속으로 사라졌다. 그 순간 누군가 내 어깨를 잡아채며 속삭였다. 이제 남은 이 텅 빈 도큐먼트야말로 네 것이라고. 어떠한 망설임도 없이, 더할 나위 없이 냉정하게.(「너의 도큐먼트」, 57쪽)

「너의 도큐먼트」는 작가의 등단작이다. 출발점에서 작가는 지도를 버렸다. 지도를 버리고 다시 지도를 그리는 일을 반복하고 있는 셈이다. 아버지와 의붓아버지와 오빠와 나의 행로를 그린 지도는 별자리처럼 보였지만 거기서 길을 찾을 수는 없었다고 말한 바 있다. 아버지의 삶이 그려온 몰락의 행로와 그리고 아직 실패인 나의 현재가 서늘하게 발하는 구체성에 비해, 미래진행형 도큐먼트는 여전한 공백이다. 공백이 곧 가능성이라는 것을 모르지 않지만, 적어도 소설에서 이러한 다짐들은 물증 없이 인증될 수 없다는 것도 분명하다. 확실한 것은 김금희가 자기 세대의 정직한 응시를 통해 그 세대의 삶이 기반하고 있는 더 큰 물질적 근거들을 찾아내고 있다는 점이다. 우리는 김금희의 소설을 통해 본격적인 신자유주의의 도래 이후 새로운 세대의 의식 지도 한 장을 얻을 수 있었다. 이른바 88만원 세대의 불행 의식이 단독적 세대 의식으로 고립되지 않고 역사적 맥락을 향해 움직이고 있음을 기억해야 할 것이다. 아버지와 나의 동질성이 끝내 유예된 불안을 확인하면서 불가능한 성공을 추궁하는 곳에까지 이를 때, 공백의 도큐먼트는 빛나는 개성으로 구체화될 수 있을 것이다. 아버지를 찾아 나섰지만 아버지와의 거리를 미리 좁히지도 않았던 자의식에는 의외의 당돌함이 있다. 서사와 현실을 분리시키지 않고 겹쳐놓는 성실성과 대담함 역시 이 작가의 다음을 기대하게 하는 덕목이다. 서두르지 않고 그의 도큐먼트를 완성해 가는 과정을 응원하고 싶다.

(『리얼리스트』, 2014년 상반기)

차갑고 날카로운 성장
_황시운의 『컴백홈』

130킬로그램의 몸무게로 행복해지기란 쉽지 않다. 더구나 그가 어려서부터 쭉 비만이었고 지금 여고생이라면. 연원을 따지자면 못할 것도 없다. 엄마는 외할머니와의 불화 때문에 누구라도 좋다는 심정으로 아빠와 결혼했고, 무능하고 우유부단한 아빠는 늘 생활로부터 도피할 궁리만 했다. 엄마는 더욱 극성스러워졌으나 자신의 삶을 향해 불쑥불쑥 치솟는 화를 감당하지 못한 나머지 딸에게 줄 애정 같은 걸 남겨놓지 못했다. 어린 딸은 그런 부모 사이에서 무너진 자존감을 끊임없이 먹는 것으로 달래야 했다. 이제 뚱뚱하기 때문에 왕따가 된 것인지 왕따이기 때문에 뚱뚱해진 것인지도 알 수 없는 지경이 되어버렸다. 어려서는 놀림을 받았고 조금 자라서는 따돌림을 당했고 더 자라서는 돈을 뜯기고 얻어맞았다.

그러나 이미 연원은 중요하지 않다. 제4회 창비장편소설상 당선작이기도 한 황시운의 『컴백홈』(창비, 2011)의 이야기다. 비만의 왕따 소녀 유미는 주체할 수 없는 식욕 때문에 엄마에게 수시로 맞으며 학교에서는 사흘거리로 돈을 갖다 바쳐야 되고 할당액수를 채우지 못하면 집단 구타를 당한다. 구타와 모욕에 시달리면 프링글스 감자칩과 라면과 비엔나소시지를 엄청나게 먹어치우면서 나날이 살이 찌고 그런 주체하지 못하는 자신의 식욕은 다시 참담한 좌절감을 부른다. 문제는 그의 삶이 너무 대책 없이 암울하다는 것, 이런 삶을 멈출 수도 없으며 거기로부터 벗어날 수도 없다는 데 있다. 어떻게든 이 삶을 견딜 방법이 필요했으니 슈퍼 울트라 개량돼지 왕따 소녀는 언젠가 자신은 저 차갑고 날카로운 달의 저편으로 떠날 것이라고, 이곳은 자신이 오래 머물 곳이 아니라고, 다른 세상을 꿈꾼다. 그러나 달은 너무 멀리 있고 단숨에 달의 저편으로 날아가기에는 그녀는 너무 무겁다.

변기에 싸질러놓은 똥을 퍼먹어야 했고, 심지어 니스를 짜 넣은 비닐봉지를 덮어쓰고 강간을 당하기조차 하며, 혹은 일진에게 발탁되어 학년 짱이 되고 인근의 공고 학년 짱의 깔(애인)이 되더니 마침내 임신을 하고 가출까지 하는 이 소녀들의 세계는 확실히 충격적이다. 그러나 이 소설이 묘사하는 청소년들의 세계는 의외로 담담해서 엽기적이거나 선정적으로 치닫기 쉬운 일상을 차분하게 억누르고 있다. 그래서 그녀들의 일상은 특별히 놀랍거나 충격적인 폭로가 아니라, 언제 어디서 시작되었는지 알 수 없지만 그녀들이 겪어나가지 않으면 안 되는 매일매일의 일과가 된다. 애당초 전교 제일의 왕따와 학년 짱이 베프(베스트 프랜드)라는 것 자체가 말이 안 된다. 학교에서는 변기의 똥을 찍어 먹이는 일을 진두지휘하고 집에서는 다이어트를 진지하게 상담하는 학년 짱 지은과 왕따 유미의 관계란 설명하기도 이해하기도 곤란하다. 이런 관계에서 명확한 선악 구분이 있을 수 없고 누가 피해자인지 가해자인지도 알 수 없으니 그녀들의 학교생활은 선정적이거나 엽기적으로 연출될 수가 없는 것이었다. 충격적이지만 담담하게 묘사되는 매일매일로부터 어떤 파격적인 결말을 기대할 수 없는 것은 물론이다. 헌신적이고 열정적인 선생님도 없으며 외로운 그녀들에게 손을 내미는 친구도 없다. 그러므로 견디고 이겨내면 세상의 따뜻한 미소를 만날 수 있을 것이라든가 하는, 존재할 것 같지 않으므로 더욱 감동적인 결말 따위는 없다. 이 또래의 학교 생활이란 어른들도 아이들도 이해할 수 없는, 이미 그렇게 되어버린 불가해한 일상이다. 이를테면 이것은 요즈음의 학교 현실에 대한 냉정한 리얼리티다. 그러니 그저 그 나날들을 살아내는 것 말고는 방법이 없다. 심지어 임신을 하고 가출을 하더라도 학교 안이든 학교 밖이든 다른 세상은 없다. 이 가혹한 삶으로부터 벗어나는 방법은 오로지 그 삶 안에 있을 뿐이다.

불가해하다고 해서 룰조차 없는 것은 아니다. 온갖 비행을 저지르더라도 살인은 할 수 없다며 임신 사실을 알자 돌연 가출을 하는 지은이나, 벗어날 수 없는 괴롭힘 때문에 다이어트를 결심하는 시점에도 라면을 끓이고 있는 대책 없는 유미라도, 그들은 나름대로 최선을 다해 그들의 삶을 살고 있다고 믿는 것. 이들은 서로의 그 어쩔 수 없음을 이해하며, 그래서 어떻게든 살아남기 위해 때로 거칠어지고 때로 바보가 된다는 것을 안다. 가출한 지은을 보호하는 미혼모 시설에서 유미는 지은이 때문이 아니라 여전히 그들에게 불친절한 세상 때문에 다시 폭식을 시작한다. 양순한 산모가 되어 규칙에 따라 밥을 먹고 산책을 하는 지은은 어딘지 낯설고 어색하다. 지은은 자신이 어쩔 수 없는 약자라는 사실을 알고서 저절로 착하고 온순해졌고, 그러므로 세상은 온정의 이름으로 이 거칠고 독한 소녀를 길들인다. 오갈 데 없는 미혼모들을 거두어 주는 것은 고맙지만 태어날 아기를 담보로 생활비와 운영비를 챙기는 거래는 전혀 고맙지 않다. 그러므로 이 소녀들은 여전히 불가해한 미지의 영역에서 다른 세상, 달의 저편을 꿈꾸는 존재다.

덕분에 서태지의 '컴백홈'을 다시 읽을 기회를 얻었다. '컴백홈'이 결코 제목처럼 따뜻하거나 감동적이거나 교훈적이지 않았음을 새삼 깨닫는다. "반복됐던 기나긴 날 속에/버려진 내 자신을 본 후/나는 없었어/그리고 또 내일조차 없었어/(중략)/그래 이젠 그만 됐어/나는 하늘을 날고 싶었어/아직 우린 젊기에/괜찮은 미래가 있기에/자 이제 그 차가운 눈물은 닦고/come back home."(서태지, 〈come back home〉) 서태지의 '컴백홈'이 먼저 말하는 것은 가출한 아이들의 분노, 고통, 절망이다. 돌아오라고 말하는 이와 뛰쳐나올 수밖에 없었던 이는 서로 교차하면서 대화하고 이해하며 그래서 이들은 평등하다. 그러므로 어느 누구도 세상은 여전히 따뜻한 곳이라고, 그러므로 돌아와야 한다고, 고통을 견디면 새로운 날이 온다고 함부로 말하지 않는다. 세상의 품은 너희보다 넓다고 팔을 벌렸다면, 그래서 누군가 돌아왔다면, 그것은 교화일 뿐 성장은 아니다. 절망을 품은 채로 그래도 아직 끝난 것은 아니라고 서로를 돌아보며 지은이 아기를 낳고 유미가 집으로 돌아가는 길을 '컴백홈'식 성장이라 부를 수 있을까. 한 줌의 온정도 반전도 허락하지 않는 차갑고 날카로운 성장, 아주 오래 지루하게 지속될.

(『창작과 비평』, 2011년 여름호)

단단하고 적막한 오늘의 시간

_강동수의 『금발의 제니』

1

누구에게나 한때 '금발의 제니'였던 시절이 있다. "한 송이 들국화 같은", "바람에 금발을 나부끼면서 오늘도 예쁜 미소를 짓는" 제니의 시절. 그리고 시간이 지나, 아주 오랜 시간이 흐른 후에야 그 제니의 시절이 얼마나 아름다운 때였는가를 비로소 안다. 어쩌면 '금발의 제니'는 더 이상 돌이킬 수 없는 시절이 되어버린 후에야 아름다운 것인지도 모른다. "그리워 마음 졸여도, 물결 위에 제니 얼굴 보이지 않" 고서야 그 빛나는 아름다움을 노래할 수 있으며 그래서 '금발의 제니'는 더욱 안타깝게 그립고 아련하다. 그리하여 모든 "아름다운 것은 멀리 있다".[1]

청춘의 빛깔로 혼자서도 형형하게 빛나던 아름다운 시절, 그리고

---

1) 강동수, 「수도원 부근」, 『금발의 제니』, 실천문학사, 2011년, 40쪽. 이하 이 글에서의 작품 인용은 모두 『금발의 제니』에서 인용한 것이며 인용시 작품명과 쪽수만을 표기한다.

더 이상은 되돌릴 수 없는 시간을 지나오고서야 그 아름다움을 기억하게 되는 오늘의 적막, 그 아득하고 외로운 '사이'의 시간들이 강동수의 소설을 채우고 있다. 과거의 시간은 오늘의 쓸쓸함 때문에 아름답고 오늘의 시간은 과거의 아름다움 때문에 더욱 고적하고 막막하다. 그러므로 아름다움을 추억하는 일은 곧 오늘의 삶을 돌보는 일이 되기도 하고 오늘의 삶을 확인하는 일은 아름다움을 모르고 흘려보낸 과거의 정체를 명징하게 떠올리는 일이 되기도 한다. 추억의 아름다움으로 오늘을 위무한다거나 혹은 그 아름다움으로 인해 오늘의 남루하고 보잘것없는 현실이 더욱 뚜렷하다고 말하기는 쉽다. 소설의 시간들이 이처럼 위무와 쓸쓸한 인정(認定)을 위해 배치되는 일은 흔한 일이다. 그러나 또한 이러한 흔한 시간들이 독특한 구체성과 정서로 소설 속에 자리 잡을 때, 그때 비로소 그 소설은 유일하고 고유한 것이 된다. 그러므로 문제는 소설 속에 그려지는 시간, 추억의 아름다움과 현재의 남루가 어떻게 자신만의 고유한 시간을 말하고 있는가를 찾는 데 있다. 이미 지나버린 추억일지라도, 혹은 돌이킬 수 없고 바꿀 수도 없는 남루한 현재라 할지라도 나름의 의미로 빛날 수 있다면, 그 시간들은 언제나 유일하게 고유하다. 강동수의 소설은 과거와 현재를 마주 세워놓고 그 사이의 시간을 반복해서 말하고 있다. 그렇다면 강동수의 소설은, 그 소설에 반복해서 등장하는 시간들은 어떻게 고유한가.

2

친구의 연인이었던 그녀는 아름다웠다. 가난한 애인의 먹거리를 걱정해 주고 외로운 애인의 재능을 옆에서 지켜주던 그녀가 아름다울 수 있었던 것은 그녀가, 그들이 아직 청춘이었기 때문이다. 무언가를 소망하고 그 소망이 이루어지리라 꿈에 들떴던 시절, 아니, 거창한 소망이 아니더라도 지금의 작은 행복과 사랑이 영원히 계속될 것이라 믿었던 시절이었기에 그들의 별것 아닌 일상들은 금발로 빛났다. 그리고 그 금발은 지금 색이 바래고 해어져 낡아버렸다. "그 옛날 금발의 제니처럼 생기 있고 통통 튀던 모습"은 세월 속으로 "가뭇없이 사라지고 피로에 지친 40대 초반의 여자가"(「금발의 제니」, 155쪽) 되어 내 앞에 앉아 있다. 집안의 반대를 무릅쓰고, 가진 것 없는 이들이 생활과 싸워오는 동안, 언제 사라졌는지도 모르게 그 빛나던 시간들은 낡고 지쳐 갔다. 추억의 아름다움과 현재의 남루를 대조하고 그 시간들이 서로를 비추는 구도는 「금발의 제니」뿐만 아니라 이 소설집 전체를 통해 자주 반복된다. 소설은 자주 현재의 지친 얼굴에서 시작하여 과거의 빛나던 추억으로 거슬러 올라간다. 그러나 「금발의 제니」에서 그 세월 동안 일어난 일, 무엇이 그들의 금발의 시간을 퇴색시켰는지를 분명히 말하기는 쉽지 않다. 사는 일이 그런 것이라고 먹고 사는 일의 절박하고도 무참한 위력을 말하고 그치기에는 과거 그녀의 시간은 너무 아름답게 부조되며 그 사라진 아름다움에 대한 아쉬움과 회한은 "마음속으로 솟아오른 격정을 눌러 꺼야"(158쪽) 할 만큼 강력하다. 소설에서 등장하는 과거의 에피소드, 이를테면 보일러가 터진 다음 날 연인들의 눈싸움이랄지, 구치소에 갇힌 '나'의 가짜 약혼자가 되어주었던 그녀의 명랑한 우정 같은 것들이 다소 진부하고 상투적으로 느껴지는 것은 소설이 그들의 시간을 고유한 것으로 구체화시키지 못한 탓이 크다. 그러므로 "13년의 세월은 아교를 바른 것처럼 한 치의 틈도 없이 단단하게 붙었던 두 사람을 떼어놓을 만한 그렇게 길고도 황폐한 시간이었던 것일까"(157쪽)라고 탄식하고 말 수는 없다. 그 세월은 그들에게 무엇이었을까. 아무래도 약간의 우회가 필요할 듯하다.

「아를르의 여인」에서 13세 이후 더 이상 자라지 않는 형의 상징이 하나의 단서가 될 수 있을 것 같다. 아도니스를 연상케 하는 미소년이었고 우등생에 모범생으로 부모의 기대를 한 몸에 받던 형은 우연한 사고로 성장이 정지된 채 영원히 13세의 소년으로 살아간다. 법원의 집행관인 아버지는 그가 가지지 못한 권력을 형에게서 얻고자 했으나 그의 욕망은 좌절될 수밖에 없었다. 아버지가 가정을 버리고 사라진 후 사정은 급격히 나빠졌고 형은 13세의 몸으로 잡화상의 배달 물건들을 자전거에 싣고 비좁은 상가 거리를 오가야 했다. 형의 사고 덕분에 아버지의 집으로 들어올 수 있었던 '나'는 애당초 아버지가 형에게 걸었던 기대를 채울 수 있는 아들이 아니었으니, 어려워진 가계와 상관없이 여전히 아름다운 13살의 형은 나에게 언제나 질투와 동경의 대상이었다.

성장정지증이라는 희귀병의 설정을 빌리기는 했지만 형은 변하지 않은 채로 여전히 현재까지 지속되는 아름다움의 상징이 아니었을까. 아직 아무런 미래도 결정되지 않은 소년의 선량한 꿈과 반듯한 품성이 스스로의 아름다움으로 빛나던 그 순간은 성장 정지로 인해 영원히 지속되는 것처럼 보인다. '나'는 일종의 그 집안의 틈입자로서 스스로 소외되고 격리된 시간을 거쳐 자포자기의 불량 청년으로 자라났지만, 그럼에도 불구하고 버릴 수 없는 질투와 동경으로 자학과 위악 사이를 오가며 망가지고 있지만, 형은 여전히 미소년의 얼굴로 그가 플루트로 연주하는 〈아를르의 여인〉처럼 맑고 청아한 음색으로 이 남루한 현재를 살아간다. 그러나 그의 아름다움은 13세의 몸에 깃든 이미 다 자란 청년의 정신처럼, 한 번도 현재가 되지 못한 미래의 나날을 살아갈 수밖에 없는 불안정한 것이다. "외모는 열세 살인데 그 속에 담긴 표정은 서른, 마흔의 그것이랄까. 형이 풍기는 분위기는 기묘했다. 총명하고 아름답던 미소년의 모습은 힘겨운 가게일 때문에 가뭇없이 스러져 버렸다."(「아를르의 여인」, 244쪽) 아버지의 재산과 어머니의 사랑이 지켜주었던 총명한 미소년의 얼굴은 힘겨운 가게일 때문에 윤기 없이 바스라진다. 아름다웠던 한 시절은 설사 그것을 과거의 모습 그대로 정지시켜 놓는다 할지라도 시간의 힘 앞에서 빛을 잃고 마는 것이다. 시간을 따라 저절로 남루하고 지친 얼굴과 육체로 변해가는 편이 오히려 자연스럽다. 박제처럼 과거의 아름다움에 갇혀 있는 형은 그 아름다움이 시간의 격랑 앞에 얼마나 무용하고 부질없는 것인지를 말해주기 위해 존재하는 하나의 비극일 뿐이다.

'그들을 변하게 한 그 세월이란 무엇이었을까'라는 질문에 대해서는 여전히 답하기 어렵지만 한 가지 분명한 것은 있다. 적어도 그들의 아름다운 시절은 과거의 순간에 고정되어 있어서는 안 된다는 것이다. 아름다운 시절을 과거에 붙박아둔 채 거역할 수 없는 시간을 뛰어넘어 현재의 남루를 말하는 것은 아직 섣부른 회피가 아닐까. 과거의 아름다움은 언제나 현재인 시간들과 끊임없이 교섭하고 싸우면서 비로소 다른 아름다움으로 태어날 수 있는 것은 아닐까. 이쯤에서 의도적으로 숨겨두었던 또 하나의 단서를 꺼내 들 수 있을 것 같다. 그것은 「금발의 제니」에서 '그들'을 질투하고 선망하며 아름다운 '그녀'를 욕망했던 '나'의 시선, 또는 '나'의 과거와 현재다. '나'는 어수선한 시국 때문에 숨어 지내야 했던 시절 '영준'과 그의 애인 '은영'을 만났다. 물론 영준은 중학교 때부터 친구였지만 은영을 만나고서야 그들과의 아름다운 추억은 비로소 시작되는 것이었으니, 그들의 아름다운 시절은 '나'의 도피 시절과 정확히 겹친다. 그러니 내가 그들의 사랑을 아름답게 기억하는 까닭은 단지 그들의 사랑이 비할 데 없이 단단했기 때문만은 아니었으리라. 사회의 구석구석까지 스며 있던 억압과 그 억압을 뚫기 위해 무언가를 하지 않을 수 없었던, 결핍과 불안과 알 수 없는 희망이 범벅이 되었던 시절이었기에, 어떤 유혹에도 깨어지지 않을 듯 곧고 단단해 보였던 그들의 사랑이 그렇게 아름다울 수 있지 않았을까. 그리고 20년도 더 지나 초라하고 지친 모습으로 귀국한 영준을 맞는 나는 영준에게서 자신의 모습을 발견한다. 변호사인 후배의 사무실에서 사무장으로 일하면서 경찰서를 얼쩡거리며 자잘한 사건들이나 주워 오는 나의 삶 역시 지난날의 광휘를 잃고 바래고 해져 있기는 마찬가지다. 그리고 이미 낡고 초라한 이 중년의 사내들의 머리 위로 쨍쨍한 여자의 울부짖음이 수시로 스쳐 지나간다. "이 나쁜 놈들아! 문둥이 콧구멍의 마늘 빼 묵을 놈들아! 니놈들은 사람도 아이다!"(124쪽)

질문은 달라져야 할 것 같다. '그 세월이 무엇이었는지'보다 더 중요한 것은 '그 세월 이후 우리는 어떻게 살아가고 있는지'가 아니겠는가. 트럭 행상을 하던 여자의 남편이 교통사고를 냈고 합의금을 내고 나자 변호사에게 지불할 성공 사례금을 마련할 수 없었다. 비정한 변호사는 여자의 트럭과 전세금을 압류 처분했고, 졸지에 그는 '사람도 아닌 놈'이 되어버렸다. 사라진 금발의 시절 이후, 남은 것은 더 가난하고 더 지친 사람들의 고단함을 이용하여 생계를 잇는 비루한 나날뿐이다. 연민과 선의마저도 마음대로 품을 수 없는 초라하고 강팍한 하루하루가 참담한 모욕이고 자책이기 때문에, 그 아름다운 시절은 더욱 소중하고 그립다. 사랑과 꿈과 열망으로 아름다웠던 청춘의 시절을 지나, 속절없이 낡아가고 지쳐간 세월을 거쳐, 이제 어찌해 볼 도리 없이 초라하고 비루해진 현재에 도달했다. 그리고 행상 여인의 비명은 영준과 나의 그 세월에 날카롭게 개입한다. 타자의 비명 소리에 의해 비로소 '그들'의 세월은 명징해지고 그 구체성으로 인하여 현재를 살아가는 그들의 존재감은 뚜렷해진다. 어쩌면 아직 분명히 말해지지 않은 그 '사이'의 세월은 이 명징한 현재의 삶으로부터 다시 읽혀질 때 겨우 의미를 얻게 되는 것일지도 모른다. 이것이야말로 선불리 그 세월들을 회상할 수도 생략할 수도 없었던 진짜 이유가 아닐까.

3

그러므로 현재의 시간에 대해 좀 더 오래 말하지 않으면 안 된다. 이 단단하고 적막한 오늘의 시간은 외따로 떨어진 오래된 수도원의 성벽에도, 지방 문학인들의 소란한 일본 원정 뱃전에도 스며 있다. 「수도원 부근」과 「청조문학회 일본 방문기」를 두고 오늘의 시간을 말할 수 있는 까닭은 이 소설들이 다루고 있는 현재가 삶의 고단함이라든가 청춘의 아름다움이라든가 하는 일반성으로 생략할 수 없는 고유함을 담고 있기 때문이다.

지은 지 90년이 된 수도원의 원장 안드레아 신부가 단식에 돌입한 까닭은 재벌 기업이 근처의 부지에 레저 타운을 건설하려고 하기 때문이다. 안드레아 신부가 레저 타운 건설에 반대하는 것은 단지 수도원이 없어질 위기에 처했기 때문은 아니다. 환경오염은 말할 것도 없고 헐값에 땅을 넘기고 터전을 떠나야 하는 주민들, 그리고 수도원의 반대 때문에 개발과 일자리의 호재가 없어진다고 성토하는 주민들은 서로 분열하고 반목한다. 수도사들의 기도회와 안드레아 신부의 단식, 그리고 개발을 명목으로 한 일방적인 공사 추진의 무례는 선명하게 대비된다.

"군수님의 뜻은 잘 알겠습니다만 중도에 그만 둘 수는 없습니다. 저희들이 반대운동에 나선 건 수도원 때문만은 아닙니다. 골프장과 리조트 시설이 환경을 파괴한다는 건 누누이 말씀드린 일입니다. 그리고 건설회사에 속아서 헐값에 땅을 판 사람들, 우리와 함께 기도하다 구속된 형제들을 팽개칠 수도 없는 일입니다."

"그럼 끝까지 해보겠다는 말씀이시군요."

안드레아는 대답 없이 미소만 지어보였다. 군수가 얼굴을 찡그리더니 자리에서 일어섰다. 그리고 위협적으로 씹어뱉었다.

"이젠 나도 어쩔 수 없군요. 마음대로 하세요. 착공식은 글피지만 내일부터는 공사에 착수합니다. 주민들이 수도원에 원성이 많다는 건 알고 계시겠지요. 여기 몰려오겠다는 걸 제가 여러 번 말리기도 했습니다만……. 수사님들 앞으로는 나들이할 때 조심들 하셔야 할 겁니다."(「수도원 부근」, 30쪽)

결국 안드레아 신부의 단식과 수도원의 반대에도 불구하고 공사는 강행되고야 말겠지만, 레저 타운이 수도원을 밀어내고 호수가 있는 고적한 자연을 차지하고 말겠지만 그와는 상관없이 안드레아 신부는 자신이 할 수 있는 일을 하겠다는 신념으로 결연하다. 그리고 이런 안드레아 신부의 모습은 여전히 현재의 존재로 아름답다. 그가 성직자가 되기 위해 마음에 둔 사랑을 포기했을 때, 그 청춘의 아름다움과는 또 다른 의미의 아름다움을 그는 그의 현재를 통해 보여주고 있는 것이다. 그러므로 안드레아 신부의 과거와 현재는, 아름다운 시절과 쓸쓸하게 낡아가는 중년으로 일반화되지 않는다. 청춘의 고뇌가 자신의 신념에 따라 삶을 선택하기 위한 것이었다면 지금의 시련은 무반성적인 개발과 폭력적인 도시화를 걱정하고 그로부터 인간다운 삶을 지키기 위한 시련이다. 「수도원 부근」 역시 이 소설에 실린 대부분의 작품들처럼 지난날의 청춘과 적막한 현재의 시간, 그리고 그 사이의 오랜 세월을 대조하고 있지만 그 대조는 어느 한쪽을 그리워하거나 어느 한쪽을 탄식하기 위한 대조가 아니다. 다른 아름다움을 만들어내는 오래 지속되는 삶을 위한 대조라 할 만하다.

> 한 시간 동안 8만 발의 불꽃을 터트린다던가. 백만 명이 넘는 사람들이 광안리 바닷가에 모였다던가. 네온사인이 일렁거리는 바다 위 허공에서 빛의 황홀경이 펼쳐지고 있었다. 갖가지 색깔과 모양의 불꽃의 군무는 성장한 여인들이 들어찬 무도회장 같았다.(「수도원 부근」, 21쪽)

안드레아 신부를 만나기 위해 찾아갔던 날 펼쳐진 광안리의 불꽃 축제는 화려하지만 공허하다. 공허한 도시의 내면을 감추기 위해 난사하는 빈곤한 자본의 자기과시에 불과하기 때문이다. 그에 반해 지난날, 수도사가 된 안드레아와 그를 사랑했지만 그를 보낼 수밖에 없는 체칠리아의 안타까운 사랑이 마주 보았던 불꽃은 어떻게 살 것인가를 고민하며 괴로워할 수밖에 없는 청춘의 한 상징이었다. 이제 공허하고 적막해진 것은 하릴없이 늙어가는 우리의 삶이 아니라 그 삶을 압박하고 밀어내는 도시의 오만이며 자본과 권력의 무례다. 그리고 그러한 현재에 맞서 있는 오늘의 안드레아 신부는 여전히 아름답다. 그것은 청춘의 아름다움과는 다른 아름다움이다.

안드레아 신부가 마주한 현재가 이른바 성속의 대비 같은 엄숙하고 신비한 분위기를 만들어낸다면 「청조문학회 일본 방문기」의 '그'가 겪는 현재는 그에 비해 훨씬 세속적이다. 인구 100만의 남해안 공업도시 배산시의 유일한 문예지 '청조문학'은 지방 도시의 고만고만한 일상을 포장하는 문화적 장식물이다. 구의원이거나 건어물상이거나 주부이거나 '청조문학'을 통해 데뷔하고 '청조문학'에 작품을 실음으로써 그들은 스스로 문인으로 행세하고 그럼으로써 지방 도시의 평범한 일상인과는 다른 존재가 되었다는 자기만족을 누릴 수 있다. '청조문학'은 크지도 작지도 않은 지방 도시를 기반으로 하는 한 줌의 상징자본인 셈이다.

> 청조 출신의 시인들 대부분은 그에게서 시작 강좌를 듣고, 그의 지도에 따라 시를 써와서는 그의 손질을 거쳐, 그가 편집을 맡은 청조문학의 신인상을 수상하는 것이었다. '청조문학'이 창간된 지 4년을 겨우 넘겼을 뿐이지만 신인상을 수상한 사람은 각 장르를 합쳐 60명에 이르렀다. 가장 나이가 적은 사람이 삼십대 후반이었고 70대에 가까운 노인들도 신인상을 받았다. 그들은 또 청조문학 출판부에서 자비로 시집이나 수필집을 내는 것이 관례였다.(「청조문학회 일본 방문기」, 173쪽)

이렇게 구성된 '청조문학회'의 일본 방문이 웃지 못할 해프닝의 연속이 될 것은 불 보듯 뻔하다. 청조문학을 주관하고 그것을 기반으로 배산시의 문학적 대부가 된 송 교수의 허세에 가득 찬 연설, 민망하기 짝이 없는 시를 낭송하며 자기만족에 빠져 흥분한 소위 지방 문인들, 누군가 한턱을 내고 누군가 술잔을 들어 올려 건배를 외치며 조용한 이국의 도시를 휘젓는 식후 행사, 그러다가도 경비의 추가 지출에는 민감하게 자기의 지갑을 챙기면서 주최 측에 불만을 성토하는 일본 방문은 그 넘쳐나는 속물성으로 기묘하게 흥미롭기조차 하다.

그리고 이 소란한 일본 방문의 해프닝을 지켜보는 '그'는 착잡하다. 물론 그렇다고 해서 '그'가 이 해프닝의 주역들과 차별되는 무슨 대단한 존재인 것은 아니다. 학생 시절 전국의 백일장을 휩쓸던 유명 인사였으나 일찌감치 문예지로 등단한 이후 변변한 시 한 편 쓰지 못하고 지방 문단의 매니저로 늙어가고 있는 그도 '청조문학회'를 풍자할 자격이 있는 인물은 아니다. 그 역시 지방 문인들의 허욕과 자기과시에 동조하면서 자신의 생활을 꾸려나가고 있지 않은가. 다만 그는 지방 문단에서 통용되는 문학의 이상한 쓸모를 낯설어 한다는 점에서, 그것을 계기로 자신의 문학을 되돌아보고 있다는 점에서 이 소설을 단순한 세태 풍자로부터 벗어나게 하는 역할을 한다.

그의 아내는 학생 시절 그의 문재를 흠모했고 그가 위대한 시인이 되기를 바라며 한결같이 그를 뒷바라지했다. 그의 문학이 무엇인지는 아마도 등단 이후 제대로 된 시 한 편 쓰지 못한 그에게가 아니라 그의 아내에게 물어야 할 것이다. 그가 주부들을 대상으로 한 시 강좌를 맡게 되자 더 이상 그를 참지 못하고 이혼을 선언한 아내는 이후 잘 나가는 소설가가 되었다. 간호대학을 나오고 교대 근무와 육아에 시달리면서, 또는 좁은 비디오방 한편에서 고객 정리용 컴퓨터로 소설을 쓰면서, 그의 아내는 문학을 통해 지금과는 다른 삶을 꿈꾸었을 것이다. 그리고 한때 그를 통해 그 꿈을 이루고자 했을 것이다. 아내의 재혼 소식을 듣고 그는 눈앞에 검은 그림자가 어리는 듯한 비문증(飛蚊症)을 앓는다. 그리고 '청조문학회'의 2박 3일 일본 방문을 마치고 그는 마침내 현기증을 느끼고 토악질을 해 댄다. 아마도 이 토악질은 자급자족의 지방 문단에 대한 토악질일 것이고 또한 거기에 기대어 삶을 연명해 온 자신을 향한 토악질일 것이다. 물론 그렇다고 해서 그가 다른 문학을 찾아, 쉽게 지금의 삶을 떨쳐 나오지는 못할 것이다. 누군가의 열망이고 꿈이었던 문학과, 다른 삶의 가능성이었던 문학과, 지금의 속물적 생활을 포장하고 윤색하는 문학의 기묘한 겹침과 공존, 그것이야말로 단단하고 적막한 오늘의 시간의 한 물적 증거가 아니겠는가. 그렇다면 이 공생의 난마를 헤치는 일, 오늘의 시간을 살아내는 일에 대해서 문학은 더 많은 것을 말해야 할 것이다.

4

내내 마음에 걸렸던 것은 소설의 이야기를 진행하고 소설의 사건들을 지켜보았던 '그' 혹은 '나'들의 시선이다. 「금발의 제니」에서 '나'는 초췌한 중년으로 돌아온 영준과 헤어져 안주머니의 사직서를 어루만진다. 현장기도회를 향해 떠나는 안드레아 신부를 바라보며 '나'는 부끄러움에 사로잡히면서도 "그게 그들의 길이라면 그 입구는 그들이 찾아낼 것이었다"(「수도원 부근」, 39쪽)라고 말한다. '청조문학회'의 문학과 아내의 문학을 대조하면서 '그'는 끝내 그의 문학이 무엇이었으며 무엇이어야 하는지 말하지 않는다. 이 시선들로 인하여 아름다운 금발의 시절과 초라하게 지친 현재의 시간이 담담하게 대조되고 그 사이의 세월의 무게는 더욱 묵직하게 소설을 장악할 수 있었을지도 모른다. 그러나 한편에선 타자의 개입으로 비로소 명징해진 현재의 시간은, 또는 기도와 단식으로라도 버텨내야 하는 오늘의 폭력적 시간은, 또는 지극히 속물적이고 실용적인 문학에 맞설 다른 문학은 아직 구체적으로 고유한 것이 되지 못한 채 지금 여기에 머물러 있다. 이 단단하고 적막한 오늘의 시간 앞에서, "그때나 지금이나 내가 할 수 있는 일은 아무것도 없었다"(「수도원 부근」, 39쪽)라는 고백이 새로운 출발과 반성의 기점이 되었으면 좋겠다.

지금의 한국 문학은 너무 자주 미문의 추억과 무력한 현재만을 반복해서 말하고 있는지도 모른다. 그런 의미에서 강동수의 소설이 만들어내는 추억과 오늘의 시간 사이의 긴 여백은 여러 의미에서 각별하다. 미문의 추억과 무력한 현재 사이의 그 세월들이 무엇이었는지 아직 우리는 잘 알지 못한다. 그러나 적어도 아름다운 추억의 빗장을 열지 않고는, 그리고 현재의 구체적 시간들로부터 거슬러 올라가지 않고서는 그 세월들을 말할 수 없다는 것은 안다. 그리하여 아직 말해지지 않은 많은 시간들, 그 남은 말들이 다음의 우리 문학을 채울 것이다. 작가 강동수에게 있어서도 마찬가지일 것이라 믿는다.

(『금발의 제니』 작품해설, 실천문학사, 2011년)

벽촌(僻村)에 내리는 눈: 불가능한 희망에 길을 묻다
_주영선의 『모슬린 장갑』

1. 어떤 눈 내리는 풍경

주영선의 소설에서는 자주 눈이 내린다. 누군가는 크리스마스트리에 장식된 솜뭉치, 혹은 그 사이에서 반짝이는 색 전구를 상상하거나, 또는 창문 너머 들여다보이는 따뜻한 저녁 밥상을 떠올릴지도 모르지만, 주영선의 소설에서 내리는 눈은 이런 포근한 상상과는 거리가 멀다. 얼었다 녹았다를 되풀이하며 쌓인 눈은 더러운 색깔로 질척대고, 버스는 체인을 감고서도 눈 쌓인 언덕길을 오르지 못해 둔하게 겨우 움직인다. 말하자면 그것은 탐스럽게 쏟아져 지상을 감싸는 함박눈도 아니고 천지가 아득하게 꿈꾸듯이 가라앉는 천상의 풍경도 아니다. 비가 섞여 추적추적 젖어가는 잿빛의 진눈깨비고, 밀어낼 겨를 없이 앞길을 턱턱 가로막는 갑갑한 장애이자 막막한 무게다. 그 눈으로 인해 길은 소통이 아니라 단절이 되고, 사람과 사람 사이에는 도무지 뚫어볼 길 없는 고립의 장벽이 성애처럼 두텁게 쌓여 굳는다.

그리고 그 풍경 사이로 드문드문, 외롭고 단단하게 서 있는 누군가가 보인다. 사실, 누군가 거기 있으리라고는 기대하지 않았다. 살아가는 일의 생생함이라든가, 혹은 그럼에도 불구하고 살아야 할 이유나 의욕 같은 것을 도무지 허용하지 않는 압도적인 눈의 무게 때문이다. 그래서 소설 속의 여자들은(소설의 주인공은 모두 여자다) 그 눈 오는 풍경을 그저 막막하고 무력하게 바라보거나, 조금씩 겨우 마지못해 움직일 뿐이었다.

> 여자는 의자에 앉아 창밖의 풍경을 바라본다. 눈은 점 하나 남김없이 세상을 하얗게 칠할 기세다. 디지털 카메라에 풍경을 담거나, 전화기를 붙들고 누군가에게 구술로 스케치를 전해도 좋을 것이다. 그러나 여자는 오래전부터 소통을 몹시 망설이게 되었고 하루에도 몇 번씩 무엇인가를 잃어버린 사람처럼 멍하니 앉아 있다.[1)]

그러고 보면 실제와는 무관하게, 이 눈들이 함박눈보다는 진눈깨비로, 포근함보다는 적막함과 질척함으로 기억되는 이유는 그것을 바라보는 여자들의 막막하고 멍한 눈빛 때문인지도 모른다. 창밖을 바라보는 여자는 견고하고 적막한 정물 같다. 그러니 디지털 카메라를 들이대고 싶은 풍경도 아름답거나 평화롭지 않다.

이 눈 내리는 풍경에서 어떤 일이 있었나. 남편의 형은(여자는 시아주버니를 그렇게 부른다) 협심증으로 쓰러져 병원에 실려가면서도 남편에게는 함구할 것을 명했다. 오지 않는 119를 포기하고 간을 앓는 마을의 남자를 승용차 뒷좌석에 실어 병원으로 달려가는 길은 더디기

---

1) 주영선, 「누수」, 『모슬린 장갑』, 북인, 2012, 134쪽. 이하 이 글에서의 작품 인용은 모두 『모슬린 장갑』에서 인용한 것이며 인용시 작품명과 쪽수만을 표기한다.

만 하다. 승용차의 뒷좌석에서 울컥거리던 남자는 차 문을 열자마자 눈밭에 피를 토해냈다. 소통을 거부하는 친척과 피를 토해내는 이웃들. 여자의 삶이 정물처럼 굳어진 이유다. 이를테면 '여자'는 '마을'에 좀처럼 들어서지 않고 입구에서 오래 서성이고 있다.

처음부터 여자의 삶이 이처럼 고단하고 적막하게 굳어져 있었던 것은 아니다. 결혼을 하고 남편의 형이 사는 시골집에 들러 감자 바구니를 앞에 두고 도란도란 이야기를 나누었을 때, 이들 사이에서는 제법 단란한 가족의 훈기가 피어올랐다. 명절날 모인 친척들이 여자를 중심으로 둘러앉기 시작했을 때, 타인과 타인이 만나 이루는 관계의 벽은 조심스럽게 허물어지기도 했다. 남편의 형수(손위 동서를 언제부터 그렇게 부르기 시작했는지는 모른다)가 그 소통의 움직임을 거부했을 때, 식구 많은 가족의 맏며느리가 겪어야 했던 무미하고 건조한 삶을 억울해하기 시작했을 때, 여자는 거절당했고 상처는 깊었다.

상처는 가장 가까운 곳에서 오는 것인지도 모른다. 남남이 만나 조금씩 마음을 열면서 서로를 이해하는 것이 가족이라고, 누구나 할 것 없이 자기 몫의 짐을 지고 사는 것이라고, 그래서 서로 이해하고 돕기도 하면서 함께 살아가는 것이라고 말하면서 우리는 살아가는 일의 날카롭고 서먹한 지혜를 조금씩 깨쳐 간다고 생각한다. 그러나 그 소통과 이해가 자신의 삶을 침해할 때, 혹은 자신의 위치를 흔들어놓을 때 우리는 그럼에도 불구하고 희미한 소통을 향해 기꺼이 자신의 일상을 열 수 있는 것일까. 공존하는 법을 찾지 못한 관계는 불편하고 껄끄러운, 때로는 파괴적이고 공격적인 애증이 된다. 무릇 세상의 질서와 법이란, 제도와 관습이란 이 불편한 애증을 효과적으로 감추는 가증스런 위선이 아닐까. 맏며느리의 삶이 인내와 포기의 삶일 뿐이었으므로 그 위치가 가져다주는 권위로나마 척박한 일상을 보상받으려 하는. 또는 가족이 평안하기 위해 장남의 권위가 지켜져야 하므로 불편한 갈등은 봉합되어야 하며, 그때 가족은 이미 소통과 이해가 아니라 감내해야 할 폭력과 억압일 뿐이다. 그렇게 여자는 말을 잃었고, 소통을 몹시 망설이며 한없이 멍한 얼굴로 앉아 있을 수밖에 없었다.

그래도 삶은 아름답다는, 혹은 그 상처와 애증 속에서 새로운 이해가 싹트는 법이라는 상투적인 휴머니티를 주영선은 허용하지 않는다. 차라리 고집스런 얼굴로 위선의 가면 아래 숨겨진 이기심을, 선량한 양심의 환상을 끝까지 지켜보는 쪽을 택한다. 여자가 피를 토하는 이웃을 옆에 두고도 놀랍도록 냉정하고 침착한 것은 그래서다. 연민과 안타까움이 없을 리 없겠지만, 그 관계의 실상은 앞섶을 벌겋게 물들이는 토사물이라는 것을 인정해야만 하기 때문이다. 위선적으로 봉합되기보다는 불화와 격리로 견디는 것이 낫다고 말하는 소설은 그래서 불편하다.

전작 『아웃』(문학수첩, 2008)과 『얼음왕국』(북인, 2010)을 읽은 독자들에게는 익숙한 광경이다. 친밀한 척 다가와 뒤통수를 치는 이웃들, 한 줌의 권력과 이익을 위해 다른 이들의 고통을 아랑곳하지 않는 이기심, 그리고 집단 뒤에 숨어서 음험하고 비겁하게 자신의 속물성을 드러내는 뻔뻔한 관계들에 대한 분노와, 그러나 놀랍도록 침착하고 냉정하게 그 속에서 사리를 따져 묻는 팽팽한 긴장감. 그리하여 인간에 대해서, 관계에 대해서, 생활의 속물성과 무신경함에 대해서, 그렇게 지루하게 계속되고 반복되는 살아가는 일의 의미에 대해서, 소설은 다시 묻고 있는 것이다.

2. 견딤과 파괴

위선과 불통의 세계를 향하는 여자들의 태도는 생각만큼 전투적이지 않다. 객관세계를 어떤 방식으로든 소설의 육체 속에 담아내야 하는 것이 소설의 운명이라 하겠지만, 그것을 바라보는 태도는 저마다 다 다르다. 누군가는 이 세계의 부정함에 분노하며 그 추악과 위선을 고발하고, 누군가는 그 세계의 부정성에 온몸으로 대항하며 그것을 넘어서려 한다. 타락을 양식으로 삼아 자신의 몸을 불려가는 속물들을 한껏 비웃고 조롱하며 풍자하는 방법도 있다. 또는 그 세계의 추악함에 돌진하여 소멸함으로써 세계의 비극성을 스스로 증명하는 방법도 있다.

주영선의 경우는 어떤가. 고발이든, 저항이든, 풍자든, 파멸이든, 세계를 향해 적극적으로 움직이는 인물을 필요로 한다는 점에서 주영선의 소설은 이 중 어느 것에도 속하지 않는다. 인물들은 지나치리만큼 수동적이고 소극적이어서, 속물과 위선이 들끓는 주변과 대비되어 더욱 고요하고 적막하다. 그들은 그저 오래 참고 인내하며 그 주변을 견디고 있을 뿐이다. 소설 속의 눈 내리는 풍경이 그토록 적막한 이유, 그 풍경 한가운데에 자리한 여자들이 고착된 정물처럼 느껴지는 이유도 여기에 있을 것이다.

한편에 무례하고 이기적인 이웃과 가족들이 있다면 한편에 그것을 오래 견디는 여자들이 있다. 이 둘은 쉽게 역전되지도 변화되지도 않는 견고한 구조로 고정되어 있는 것처럼 보이지만 그럼에도 불구하고 의외의 긴장력을 제공하는데, 그것은 수동적이고 소극적일지라도 이 여자들이 쉽게 무너지지 않고 오래 버티고 있기 때문이다. 그러므로 이 견딤에 대하여, 그 방법과 효과에 대하여 좀 더 세밀한 분석이 필요할 듯하다.

이를테면 「피날레」의 여자, 화실의 삶이 그렇다. 남편은 끊임없이 술과 여자와 쾌락을 탐하며 밖으로만 떠돌았으며 화실은 묵묵히 그 삶을 견뎌내며 매일매일을 짐승들의 우리 곁에서 맴돌았다. 그녀가 남편의 바람기를 견디다 못해 한 일이라고는 거주지를 옮기고 돼지에서 사슴으로 사육하는 짐승을 바꾸는 것뿐이었다. 아들들도 그녀의 위로가 되지는 못한다. 그녀가 사슴에게 마취총을 쏘고 뿔을 베고 그 피를 받아 거기에 소주를 부어 휘젓고 있을 때, 그녀의 몸과 그녀의 집에서는 누린내와 비린내가 떠나지 않았으며, 그녀는 그것을 묵묵히 감내하며 평생을 살았다. 아들들은 그녀의 삶을 이해하기보다는 그녀의 삶을 도구화한다. 사업 자금을, 새 아파트와 재산을 탐하면서 끊임없이 그녀를 불만 어린 눈으로 쳐다보기만 하였다. 그녀에게서 나는 비린내를 외면하면서도 그녀의 노동으로 가능했던 돈과 재산에 대해서는 탐욕의 시선을 멈추지 않았던 것이다. 예의 위선과 불통의 가족 관계는 여기에서도 반복된다. 아니 가족으로 범위가 좁혀짐으로써 그 관계의 불모성은 더욱 적나라하다. 화실을 중심에 둔 이들의 가족 관계는 단지 이기적이라거나 속물적이라고 표현하는 것으로는 부족한, 누군가의 삶을 파괴하고 무시함으로써 그 존재의 의의를 과시하는 피학/가학적이기까지 한 관계다. 엄마의 고독과 노동을 못 본 체하였기 때문에 아들들은 엄마의 재산을 탐하는 일을 부끄러워하지 않는다. 그들은 엄마의 삶을 이해하고 그 억울한 분노에 공감하기 때문이 아니라 그것을 외면함으로써, 혹은 그 피비린내를 혐오함으로써 엄마에 대한 윤리와 부채에서 자유로워질 수 있었다. 남편 역시 마찬가지다. 만약 자신으로 인해 일상의 세목들을 낱낱이 상실할 수밖에 없는 아내의 삶을 조금이라도 이해하였다면 그의 탐욕과 탐식은 그렇게까지 거침없지 않았을 것이다. 이해와 공감이 아니라 무시와 외면으로 더욱 거침없이 자유로워지는 삶이란, 그들의 관계가 얼마나 끔찍하게 불구적인가를 명징하게 설명한다.

그러므로 여자들의 감내에 대해서 수동적일 뿐 아니라 피학적이라는 해석을 덧붙일 수 있겠다. 물론 여기에서 피학적이란 홀로 존재할 수 없는, 가학적이라는 상대항에 의해서만 성립할 수 있는 존재 양식이다. 아들들의 성공에 대한 욕심은, 남편의 성욕과 식욕은 여자의 수동적인 견딤을 전제로 가능한 것이며, 그것을 무시함으로써만 겨우 존재할 수 있는 것이다. 그러므로 여자가 수동적으로 삶을 견디면 견딜수록 그녀의 삶은 더욱 윤리적인 것이 되고 남편과 자식들의 비윤리성은 더욱 도드라진다. 소설의 배경이 사슴 농장인 것, 살아 있는 짐승의 뿔을 잘라내고, 거기에서 쏟아지는 피를 파는 일로 그들의 삶이 지속되는 것은 그런 점에서 의미심장하다. 육식성의 삶, 생명을 유지하기 위해서라거나, 인간다운 삶을 지키기 위해서라면 굳이 필요하지 않는 가학들로 가득 찬 곳이 사슴 농장이기 때문이다. 여자는 생목숨의 살과 뼈를 잘라내면서 그 삶을 견디고 있는 것이며, 그 육식성이 내뿜는 비린내는 여자의 몸에 배어들어 떨쳐낼 수 없는 숙명처럼 달라붙어 있다.

그러므로 화실도 그 육식성의 삶으로부터 자유롭지 않다. 그녀의 삶 역시 사슴의 뼈와 피로부터 비롯되는 것이기 때문이다. 남편과 자식들이 가하는 폭력이 그녀의 삶을 다소간 윤리적으로 만들지 모르지만 그녀의 알리바이 역시 완전무결하지 않다. 그녀의 피학은 자학의 다른 이름이며 그것은 그녀 역시 사슴을 학대하고 피를 뽑는 가학적 주체일 수 있기 때문이다. 이 지점에서 인간의 근본적인 비윤리성이나 가학성을, 그로 인해 생겨날 수밖에 없는 존재의 슬픔을 감지할 수 있다. "인간으로 존재하는 이상 결코 폭력으로부터 자유로울 수 없으므로 인간은 우울한 존재다. 식인주체임을 아는 순간, 슬픔은 해소될 수 없고 또한 그 슬픔에서 벗어나지 못할 것"[2]이다. 여자들이 수동적일 수밖에 없는 이유가 여기에 있지 않을까. 관계의 불모성과 척박한 삶의 비윤리성으로부터 자신 역시 자유롭지 못하다는 자각이 이 수동성의 이면에 은밀하게 자리 잡고 있는 것이 아닐까.

작가는 이를 두고 '견딤과 파괴의 균형'(「모슬린 장갑」)이라고 불렀다. 견딤과 파괴는 상반된 행위처럼 보이지만 사실은 동일한 근거에 기반한 동일한 행동의 다른 양식일 뿐이다. 그러므로 여기에서 파괴란 타자를 향해서가 아니라 자기 자신을 향해 있다. 여자의 피학이 자학이 되는 것과 동일한 이유다. 「피날레」에서 화실의 삶과 남편의 삶이 겹쳐지는 장면이 유독 인상적인 이유도 이 때문이다.

—이봐, 내가 죽을 때가 된 것 같어.

—왜요? 몹쓸 병에라도 걸렸답디까?

농담기가 섞인 화실의 말에 남편은 웃지 않고 약국 이름이 인쇄된 비닐 봉지를 들어 보였다.

—아니, 뭐 그런 건 아니고…… 아랫도리가 개운치가 않어.

고소하다는 심정으로 안으로 들어가는 남편을 바라보다 이제야 생각난 듯 화실은 성냥을 그었다. 설마, 하는 순간 펑, 하는 소리와 함께 중탕기가 솟아오르며 화실을 향해 불기둥이 덮쳐 왔다.(「피날레」, 89~90쪽)

탄내와 비린내의 환영(幻影) 속에 남편이 무너지기 시작한 것은 화실이

---

2) 임옥희, 『채식주의자 뱀파이어』, 여성문화이론연구소, 2010, 357쪽

화상병동에서 퇴원하던 무렵부터다. 집으로 돌아온 남편은 말을 잃었고 외출도 하지 않았다. 불에 덴 화실을 싣고 부들부들 떨며 모퉁이를 돌아 나간 후, 다시는 핸들을 잡지 않았다. 검은 승용차에 먼지가 쌓이고 낙엽이 수북했다. 겨울이 깊어지자 남편은 바로 자리를 깔고 누워서 먹고, 배설만 했다. 녹중탕을 달이거나 녹용을 베는 것도 참을 수 없어 했다. 고기를 거부하는 대신 밥, 떡, 빵 따위의 탄수화물을 쉬지 않고 먹었다. 정지된 욕구의 대체물은 걷잡을 수 없는 살로 축적되었다.(「피날레」, 96~97쪽)

남편의 일생에 걸친 탐욕은 결국 아내 화실의 삶을 덮치는 불길이 되었다. 자신의 욕망이 타인의 삶을 파괴함으로써 존재하고 있다는 사실을 남편은 그때 솟아오르는 불길처럼 깨달았을 것이다. 전혀 눈치채지조차 못했던, 그러므로 가책이나 자책 따위가 아예 존재할 수 없었던 가학은 그 순간 무참한 자학이 된다. 화상에 일그러진 얼굴로 여전히 사슴의 뿔을 잘라내며 화실은 자신의 그 무참한 삶을, 인간이라는 존재의 가혹한 슬픔을 견뎌낸다. 위선과 파렴치로 가득 찬 인간관계를 견디는 일도 힘겹지만, 타인의 고통 때문에 자신의 삶을 더욱 용서할 수 없어진 인간들이 만나 공존하는 일은 더욱 힘겹다. 아마도 이 고통스러운 윤리는 이 수동적인 여자들이 타인의 박해를, 혹은 자신의 보잘것없음을 오래 견딘 이후에야 겨우 맛볼 수 있는 것일지도 모른다. 그리고 그 순간은 좀처럼 찾아오지 않는다.

3. 하이힐, 혹은 모슬린 장갑

무시와 외면으로 점철된 삶의 끝에서 화실과 남편은 겨우 만났지만 그 만남은 기쁨이라기보다는 고통에 가깝다. 위선과 이기로 가득 찬 인간관계를 집요하게 추적하면 추적할수록 추악한 인간성은 견딜 수 없이 적나라하고 그리하여 종국에는 자기 파괴와 자학으로 귀결되기 때문이다. 화상으로 일그러진 얼굴과 욕창 덩어리의 비만한 육체가 마침내 만나 이루는 소통과 이해란 상상만으로도 너무 가혹한 고통이다. 그러므로 이 분명한 욕망의 소실점을 두고 여전히 소통과 이해의 길을 걸을 것인가, 그렇다면 그 과정에서 엄습해 오는 무력감과 공포감을 어떻게 견딜 것인가. 주영선의 소설들이 마주하고 있는 딜레마는 여기에 있다. 화실과 남편의 관계처럼 드문 결말도 있지만, 대부분의 소설에서 인물들은 가만히 있거나 아니면 겨우 움직이면서 그 일상을 견뎌낸다. 그리고 그 견딤에는 설혹 무참한 자기 파괴의 결말을 예감할지라도 그 길을 계속 갈 수밖에 없는 자들의 결기 어린 각오가 서려 있다. 그들이 그 견딤을 파괴와의 균형 속에 위치시키는 것은 이 때문이며, 그래서 지루하고 막막하지만 그 견딤을 쉽게 포기하지 않는 이유도 여기에 있을 것이다. 그러므로 견딤과 파괴는, 그리고 자기 파괴를 동반하는 소통과 이해는 어떤 것도 생략할 수 없는 일련의 묶음이며 이 과정이야말로 주영선의 소설을 지탱하는 뼈대이기도 하다. 그러므로 이 과정을 지속하기 위한 모티브, 이를테면 '하이힐'이나 '모슬린 장갑' 같은 상징물이 필요하다.

여기 또 한 명의 여자가 있다. 「청밀밭에 내리는 눈」에 등장하는 여자이다. 여자 역시 표정 없이 삶을 견디고 있다는 점에서는 다른 여자들과 마찬가지다. 다른 점이 있다면 이 여자의 견딤은 좀 더 내면적인 이유에서 비롯된다는 점이다. 어쩌면 외부의 인간관계가 덜 드러나 있는 것인지도 모른다. 교대를 졸업하고 벽촌의 초등학교로 부임한 여자는 그 변화 없는 삶을 참아내기 힘들다. 상투적으로 말하자면 권태로운 일상, 다른 가능성이 봉쇄된 삶에 대한 지루함이라고도 말할 수 있을 것이다. 아이들은 들꽃을 꺾어다 주며 선생님을 따르지만, 삶은 고요하기만 해서 아이들의 꽃은 마루 한편에서 마른 꽃 무더기로 쌓여만 갔다. 더는 견딜 수 없었을 때 여자는 주말마다 버스를 타기 시작했다.

박해나 침해라 할지라도 타인의 삶이 개입되는 편이 낫다. 누구와도 소통할 수 없는 일상이 반복된다는 것은 훨씬 더 견디기 힘든 고통이다. 그런 의미에서 소설의 여자들이 타인들과 관계 맺기를 거부한다는 것은 옳지 않다. 관계를 원하면서도 관계의 폭력성을 견디지 못했을 뿐이다. 그렇게 여자와 남자는 만났다. 미끄러운 눈길을 걷는 여자의 발걸음을 뾰족하게 지탱했던 하이힐처럼, 사랑한 아내가 죽고 열정이 사라진 삶을 견뎌내던 남자는 평범한 갈색 정장 속에 빨간색 셔츠를 입고 있었다. 변화 없는 삶의 무료함 때문에, 어떤 식으로든 관계 맺고 소통하는 삶에 대한 열망이 남자와 여자를 만나게 했는지도 모른다. 그렇다면 여자의 하이힐은 변화 없는 삶을 벗어나고 싶은 욕망의 상징물일까.

그렇지는 않아 보인다. 남자와 여자가 해변의 집을 구해 주말을 같이 보내는 사이가 되지만 그렇다고 해서 삶을 견디느라 지친 마음이 쉽사리 위로받지는 못할 것 같다. 남자가 여자의 하이힐 대신 낮은 굽의 구두를 사 신기고, 그녀의 발에 깊이 박힌 티눈을 파내는 것은, 아마도 이제, 그녀가 떠돌기를 그치고 자신의 곁을 지켜주기를, 혹은 함께 그 바닷가의 집에서 일상을 만들어가기를 기대했기 때문인지도 모른다. 아마도 그럴 수 있다고 생각하지 않았을까. 마음 붙일 곳 없어 떠돌던 하이힐과 빨간 셔츠가 만났으니. 그리하여 여자는 남자와 이별한다. 가까워질수록 상대를 이해하기보다는 자신의 편으로 상대를 끌어들이려 욕망하는 관계를 다시 확인했으므로. 소통과 이해를 방편 삼아 자신의 욕망을 충족시키는 관계란 이미 폭력적이다. 그리고 다시 사슴 농장이 등장한다.

> 아, 푸른 물결이 넘실거리던 그곳은 보리밭이 아니라 청밀밭이다. 밀밭 한켠에는 열 마리 남짓한 사슴이 우리 안에서 한아름의 청밀을 먹고 있다. 개량종 철쭉이 흐드러진 마당을 가진 집안에서 노인과 사내 한 명이 나온다. 사내가 마당가의 묵직한 자루를 걸머메고 사슴 우리 쪽으로 간다. 사슴들이 발을 세우며 우리 안을 뛰어 다니기 시작한다. 여자는 궁지에 몰린 짐승의 저항을 뒤로 하고 구릉을 내려온다. 외지 번호판을 단 승합차 두 대가 여자를 스쳐 농장 마당으로 들어간다.(「청밀밭에 내리는 눈」, 78쪽)

유년의 기억이거나 지금의 삶을 넘어서는 다른 삶의 상징처럼 보였던 청밀밭은 사실 사슴의 먹이였다. 사슴은 청밀을 먹고 자신들의 피와 뼈를 키운다. 그리고 그 피는 외지에서 온 사내들의 정력을 위해 팔린다. 이곳의 삶도 견딜 수 없이 무료하지만, 그렇다고 해서 이곳과 다른 삶이 어딘가에서 푸른 물결로 넘실대는 청밀밭으로 존재하는 것은 아니다. 벽촌을 떠나 온 여자에게 남자는 다른 삶의 징조였을지 모르지만, 그러나 그 삶은 또 다른 견딤을 요구하는 것이었다. 그러므로 하이힐은 다른 삶에 대한 열망일 뿐 아니라 그 삶 역시 이곳의 것과 다르지 않은 폭력을 예비하고 있음을 일깨우는 신호다. 여자의 떠돎이 끝날 수 없는 이유다. 그래서 하이힐은 지금의 삶이 견딜 수 없다고 해서 다른 삶을 함부로 믿지 말라는, 그리하여 끝없이 견디고 견뎌 겨우 도달하는 곳에 있는 화해와 소통은 어쩌면 자기 파괴일지도 모른다는, 그럼에도 불구하고 그 길 위에 서 있을 수밖에 없다는 집요한 의지의 깃발처럼 보인다.

「모슬린 장갑」의 '나'가 엄마를 위해 '모슬린 장갑'을 준비하는 것도 같은 이유에서일 것이다. 「피날레」의 화실처럼, 엄마 역시 신혼에 집을 떠난 아버지를 기다리며 평생을 살았다. 화실이 초식동물의 뿔을 잘라내며 평생을 견뎠다면 엄마는 시골의 외딴집에 자신을 방치하며 평생을 견뎠다. 브로마이드 속의 배우들만큼 예뻤던 엄마는 외할아버지의 빚을 갚아준 아빠와 결혼했다. 엄마는 아빠의 돈이 필요했고 아빠는 엄마의 예쁜 외모가 필요했을 것이다. 아빠는 "엄마가 무슨 생각을 하며 살아 온 여자인지, 취미는 무엇인지, 이루고 싶은 꿈이 있었는지에 대해서는 관심이 없었을" 것이다. "아빠나 엄마도 자신들의 필요에만 몰두해 있었던 것은 아닐까."(「모슬린 장갑」, 21쪽) 서로에 대한 관심보다는 자신의 필요가 우선했던 인간관계는 결국 파탄날 수밖에 없는 것이다. 엄마의 자기 방치는 또한 자기 파괴에 다름 아니다. 필요에만 몰두해 있었다는 점에서 엄마 역시 아빠와 다르지 않으므로. 필요를 뚫고 서로의 존재를 만나는 길은 다른 소설에서 상세하고 집요하게 묘사되었듯이 멀고 또 멀다. 우연히 만난 남자와 하룻밤을 지내고 돈을 받은 '내'가 엄마에게 그 남자를 소개하는 행동은 그러므로 여전히 새로운 관계 맺기라기보다는 자기 파괴에 속한다. 남자를 만나러 가는 엄마의 손에 끼워주는 모슬린 장갑은 아마도 그 여자의 하이힐과도 같은 것일 터다. "엄마가 에덴의 동쪽에 나오는 케이트처럼 흉한 손을 장갑 속에 감추고 저 골목을 걸어 나가는 것을 나는 보고 싶다. 엄마의 위선은 골방에서 나와 사람들 사이에서 단련되어야 한다."(35쪽) 관계 맺는다는 것은 언제나 상처받는 일이고 그 관계 속에서 사람들은 스스로를 상처 입힌다. 상처가 두려워 관계의 폭력을 용인하지 말라, 그리고 그 관계의 폭력을 견디면서 새로운 관계를 탐색하라. 몹시도 지루하고 적막한 길이었지만 작가가 걸으려 했던 길은 이 길이 아닌가 싶다. 어떻게 읽더라도 매춘일 수밖에 없는 관계이므로 결국은 자기 파괴일 뿐이겠지만, 엄마가 그 자기 파괴를 견딜 수 있을 때 새로운 관계는 찾아올 것이다. 모슬린 장갑은 이 가혹한 고통을 견디기 위한 가냘픈 방어막이며 포기할 수 없는 자존의 다른 이름이기도 하다. "그것은 견딤과 파괴, 그 사이의 균형됨이며 도처에 깔린 맨홀을 탐색하는 몸짓이다."(35쪽)

4. 불가능한 소통, 새로운 가능성

모멸을 참아내며, 자기 파괴를 감수하며 견뎌온 그 여자들의 삶이 공존을 위한 삶이었다는 사실은 역설적이다. 그만큼 타인과 공존하는 일은 만만치 않다. 소통과 이해, 공감과 연대가 이 소외된 시대의 삶들을 돌보는 문학적 가치임은 분명하지만 그것은 때로 돌처럼 굳어진 얼굴로 타인을 바라볼 수밖에 없는 속수무책의 난망(難望)이기도 하다는 점을 기억해야 할 것이다. 가학과 피학, 그리고 자학 사이를 오가면서 타인과 공존하는 일은 뱀파이어가 채식주의자가 되는 것과 같이 도저한 고통이고 불가능한 희망이다. "공존은 적으로 방문하는 손님을 환대할 수 있을 때 가능하다."[3] 누군가는 육식성의 스태미나를 자랑하며 초라한 인내와 견딤을 비웃을 것이다. 누군가는 경쟁과 확장이야말로 이 세계의 질서라고, 겨우 견디는 정물 같은 삶들을 패배자의 변명으로 취급하며 무시할 것이다. 먹지 않으면 먹혀야 하는 비정

3) 임옥희, 위의 책, 360쪽

한 세상을 핑계로 자신들의 무혐의를 주장하며, 육식과 폭력을 거부하는 자들을 공범자로 만들지 못해 안달하는 자들도 있을 것이다. 폭력을 거슬러 공존을 찾는 일은 어쩌면 자기 파괴를 감수해야 하는 위험한 일일지도 모른다. 그래서 소통과 이해는 따뜻한 공감과 화해의 눈물이 아니라, 그 과정에 상처와 고통이 놓여 있으며, 그래서 그것을 외면하지 않으려는 견딤에서 온다. 저 길 끝의 청밀밭은 이상향이 아니라 또 하나의 현실이었음을, 하이힐은 도발적 욕망의 표상이 아니라 티눈투성이 발바닥으로 결별을 결심하는 선택임을 주영선의 소설은 말하고 있다. 여전히 눈길의 한가운데 서 있는 여자들이 어떤 소통과 이해를 만들어낼지 아직은 알지 못한다. 적어도 그들이 만들어내는 소통과 이해는 제도와 관습과 일상화된 위계로 대치되지는 않을 것 같다. 여전히 수동적이고, 묵묵히 감내하며 서 있을 뿐인 여자들이 자신의 욕망과 타인의 욕망을, 생생한 충돌의 생채기로 끌어안는 반전의 결말을 기대해 본다. 아마도 그것은 다음과 같은 삶들을 기꺼이 충돌해야 할 타인으로 맞이하는 것에서부터 시작할 것이다.

> 땅을 파다 허리를 펴고 참을 먹고 술을 마시고 마침내 쌓여가는 농협빚의 무게 때문에 마을이 떠나가라 주사를 벌이는 삶, 그것도 모자라면 그들은 전세버스를 타고 단체로 어디론가 떠나 목이 쉬도록 노래를 부르고 춤을 추다 돌아왔다. 그러다 다음날 아침 뒷산 소나무에 목을 맨 채 발견되기도 했다.(「청밀밭에 내리는 눈」, 68쪽)

아직 눈은 내리지 않았지만 계절은 이미 겨울이다.

(『모슬린 장갑』 작품해설, 북인, 2012년)

불안한 삶의 근원을 탐문하다
_홍양순의 『나비, 살랑거리다』

1

인간은 근본적으로 외롭고 불안한 존재일까. IMF 이후 가속화된 신자유주의의 물결이 만들어낸 삶의 피폐한 조건 곳곳을 홍양순의 소설은 찬찬히 되짚고 있다. 그러나 이러한 사회적 조건만으로는 설명할 수 없는 어떤 근원적인 불안과 고독이 홍양순의 소설에는 스며 있다. 이를테면 나면서부터 고독하여 정처를 찾지 못하는 자들의 지독한 소외와 웅크림 같은 것. 부모로부터 버려져 어디서 태어났는지도 기억할 수 없다거나, 혹은 어려서 부모를 잃고 보육 시설을 옮겨 다니며 자라야 했던 인물들에게는 세상에서 남과 섞여 살아가는 일 자체가 두려운 일이고 그 두려움 때문에 자꾸만 안으로 움츠러들 수밖에 없다. "모든 것이 두려웠고 무엇에든 마음을 줄 수 없었"던 이유는 "분명히 또 내 곁을 떠날 것들"[1] 때문이다. "자기의 근원을 모른다

1) 홍양순, 「미망(迷妄)의 집」, 『나비, 살랑거리다』, 실천문학사, 2011, 82쪽. 이하 이 글에서

는 건 이 세상에 존재할 자격을 잃는 것"과 같고, "세상을 살아가는 힘을 놓치는"(「마라도」, 115쪽) 것이기도 하다. 자기의 근원을 모른다는 것이 곧 그들이 근원적으로 고독한 이유가 된다. 「마라도」의 남자는 아이를 갖고 가족을 만드는 일을 두려워한 나머지 여자가 아이를 임신하자 어디론가 떠나 버린다. 「미망(迷妄)의 집」의 여자는 집과 이웃에 정착할 수 없었고 물과 섞이지 못하는 기름처럼 삶으로부터 겉돌았다. 부모가 버리고 떠난 섬에서 낯선 사람들을 따라 배를 타야 했던 남자의 고독, 길을 잃고 낯선 집 대문을 두드리며 여자가 느꼈던 공포는 그들의 평생을 지배하고 있으니, 소설은 그들의 두려움과 고독이 얼마나 깊은 것인지를 오래오래 묘사한다.

어려서 부모로부터 버림받았거나, 혹은 부모를 잃고 정처 없는 삶을 살아왔다는 설정은 아마도 이 '근원적인' 어떤 것을 강조하기 위한 하나의 설정이 될 터다. 이 '근원적인 것'들이 무언가 삶의 비의를 엿보는 듯한 감성적인 신비감을 주기도 하고, 또한 개별 독자들을 하나로 묶는 어떤 근본적인 결속감과 공감을 주기도 하겠지만, 여기에서 인간과 인간의 삶을 설명하는 인상적인 주제를 만들어내기란 쉽지 않다. '근원적인 것'을 미리 설정해 놓은 이상, 소설은 '왜'라고 물을 수 없기 때문이다. 그가 왜 그토록 가족과 세상으로부터 도망가려 하는지, 그녀가 왜 그토록 삶에 대해 애착이 없는지 묻는 것은 여기에서 무의미하다. 어려서의 상처로부터 그것은 비롯되었으며, 그것은 이미 근원적인 것이므로 치유도 해결도 불가능한 평생의 짐이거나 업이 될 것이기 때문이다. 그러므로 모든 질문은 근원으로 돌아가고 소

의 작품 인용은 모두 『나비, 살랑거리다』에서 인용한 것이며 인용시 작품명과 쪽수만을 표기한다.

설은 그 밖의 인물과 그 밖의 사건 들에도 불구하고 해명할 수 없는 고독의 심연으로 회귀한다.

「마라도」에는 그의 움츠린 고독을 사랑하고 연민하는 여자가 온갖 애를 쓰며 그를 세상으로 불러내려 애쓰고, 「미망(迷妄)의 집」에서는 세상의 범속한 것을 물리치며 살겠다는 남편이 스스로의 활기로 자신의 삶을 만들어내려 분주하다. 여자가 남자를 찾아 떠난 마라도까지의 긴 여정이, 혹은 공장에 딸린 실업학교에서 아이들과 노조를 위해 자신의 역할을 다하는 남편의 삶이 나름의 현실성과 가치로 풍부하고도 섬세하지만, 결국 소설이 근원적인 것으로 되돌아와 닫히고 마는 것은 이런 까닭이다. 여자는 마라도에 갔지만 남자를 찾을 수 있을지 알 수 없고, 여자와 가족들은 공장의 사택에서 밀려 다시 어디론가 떠나간다. 소설은 심난하고 어두운 남자와 여자의 내면에서 출발하여 그들의 근원과 두려움과 고독을 거쳐 절대로 열릴 수 없는 그들의 마음으로 되돌아온다. 소외와 고독 속에 웅크린 그 내면들이 그것을 열려 애쓰는 다른 인물과 사건에 접속되지 않는다면 소설은 영원히 그 자리를 맴돌 수밖에 없다. '왜'라고 묻기 시작하면서부터, '왜'라고 물을 수 있게 되면서부터 소설은 본격적으로 인간에 대해서, 그리고 그들의 삶에 대해서 말할 수 있게 된다.

2

그러므로 이 근원적으로 보일 만큼 깊은 불안과 소외를 시대적 삶의 한가운데 위치시키는 데서부터 홍양순 소설의 가장 빛나는 지점이 열린다고 말하는 것이 가능하다. 이제 '왜?'라고 묻는 것이 가능해졌기 때문이다. 그들은 왜 이토록 정처 없이 고독하고 끊임없이 소외되는가. 가진 것 없지만 큰 욕심도 없었던, 그저 성실하게 나날의 삶을 견뎌내면 그만큼의 안정과 편안이 있기를 기대했던 우리 시대의 평범한 사람들은 왜 이렇게 불안하고 고독한가. 욕심내지 않고 성실하게 살았기 때문이다. 세상은 이제 욕심내지 않는 평범함을 삶의 미덕으로 여기지 않는다. 더 욕심내고, 더 가지려 하고, 남보다 더 빨리 더 많은 것을 이루려 애쓸 때만 비로소 우리는 겨우 평범해진다. 나날의 업무에 충실했지만 느닷없이 정리해고의 명령은 들이닥치고, 가진 재산을 털어 작은 집 한 칸을 얻었지만 재건축의 광풍 속에서 그 집 한 칸은 견딜 수 없는 모멸과 비애의 밑천이 된다. 이 잔인하고도 엄혹한 사회적 조건 아래에서 비로소 그들의 소외와 불안은 근거를 얻게 되며, 그로 인하여 이 소외와 불안은 비로소 탐구될 수 있게 된다. 소외와 불안이 탐구될 수 있다는 것은 이 소외와 불안이 사회적 조건에 의해 일방적·자동적으로 결정되지 않는다는 것을 의미한다. 우리는 이제 겨우 이 소외와 불안의 정체에 대해 물을 수 있게 되었을 뿐이다.

구조조정과 정리해고와 아웃소싱과 재건축과 가계 부채가 소설의 주인공들을 불안에 빠뜨리는 이유는 단지 그것들이 이들의 생존을 위협하기 때문만은 아니다. 이들의 불안과 소외는 더 유래가 깊다. 그렇다면 이들의 불안은 어디에서 오는가. 「미스터리 시간」을 보자. 아버지는 정리해고당한 후 퇴직금과 재산을 털어 다세대 주택을 마련했고 거기서 나온 전세금으로 사업을 시작했으나 족족 실패했다. 아버지의 마지막 자존심은 곡기를 끊고 이 세상과 스스로 결별하는 것이었다. 회사의 모든 업무가 아웃소싱으로 전환되자 직장을 잃은 여자는 마지막이라는 각오로 공무원 시험에 매달린다. 두 달치의 월세로 석 달 남짓 남은 시험을 준비하기 위해 여자는 월세를 미루고, 전기장판과 전기포트로 난방과 취사를 충당한다. 조금만 버틴다면, 생활의 불편을 참으며 시험공부에 몰두한다면 다른 방도가 생길 것이라는 여자의 계산은 터무니없이 어긋났다. 월세를 독촉하기 위해 낮밤을 가리지 않고 달려드는 주인집을 피하기 위해 여자는 전등을 가리고 전화를 받지 않으며 집 밖으로의 출입을 삼갈 수밖에 없었다. 불안은 여기에서 온다. 당장의 앞날이 어찌 될지 몰라서, 언제 직장에서 떨려날지 알 수 없어서 불안한 것이 아니라, 월세를 독촉하고 일거수일투족을 감시하는 눈에 의해서 여자의 삶은 불안하다. 공무원 시험이라는 실낱같은 희망이 인내와 노력만으로 이루어지지 않는다는 것을 일상의 매 순간에 들이닥치는 독촉과 감시 때문에 알 수 있었으므로, 여자의 삶은 불안하다.

아르바이트로 얻은 '미스터리 쇼퍼(mystery shopper)'의 자리에서, 이번에는 여자가 감시자의 역할을 맡는다. 고객으로 가장하고 패스트푸드 매장에 들러 점원의 복장 상태와 매장의 위생 상태를 점검하고 그것을 기록하여 보고하는 미스터리 쇼퍼, 까다로운 주문을 해 대고 매장 곳곳을 휴대폰으로 촬영하는 여자를 보면서 숍마스터는 공포에 질린다. 공포에 질린 마스터를 보면서 느끼는 은밀한 쾌감, 서로가 서로를 감시하고 나만이 아니라 모두 이 경쟁과 감시의 체제 속에서 살아가야 한다는 사실에 찰나적으로 안도하는, 이 악마의 쳇바퀴에 이미 모두 올라탔으므로 우리들의 지독한 불안은 출구를 찾을 수 없다. 나의 불안이 다른 이들의 불안으로 증폭되는 세상 속에서 모두가 이 지옥 같은 세상의 공범이 될 수밖에 없는 구조야말로 우리를 소외시키는 근본적인 힘이다.

3

인간은 근원적으로 불안하고 고독한 존재라고 진단하는 일은 인간이라는 존재에 대한 성찰을 담고 있는 듯 보이지만 사실 의외로 상투적이다. '왜'라고 묻지 않아도 되는 소설은 때로 체념을 정당화하고 그것으로 작은 위안을 만들어내기도 한다. 홍양순 소설의 미덕은 근원적으로 보일 만큼 뿌리 깊은 불안과 소외를 시대적 삶의 한가운데로 가져오는 곳에서 빛난다고 썼다. 인간이라는 존재에 대한 성찰은 사실 근원적이라는 말로 무마될 수 없는 우리 시대의 불안을 탐문하는 과정에서 비로소 출발할 수 있기 때문이다. 자본을 중심으로 모든 가치를 재편하고, 그래서 자본의 이익을 위해 모든 삶이 희생되거나 버려지는 천박한 자본주의의 맨얼굴을 홍양순의 소설에서 읽을 수 있었다면, 그것은 구조조정과 아웃소싱과 재건축의 배경 때문이 아니라 거기에서 움트고 증폭되며 폭발하는 우리들의 불안을 탐문하는 과정 때문에 가능한 일이었다.

「포푸리를 만드는 남자」의 영훈은 구조조정의 불안을 포푸리의 환각으로 견뎠다. 은행의 합병이 발표되고 구조조정의 방침이 정해진 이후, 피가 마르는 나날이 계속된다. 우연히 접한 포푸리 덕분에 깊은 잠을 잘 수 있었던 영훈은 포푸리의 향기에 집착한다. 그날그날의 업무에 따라, 자신의 컨디션에 따라 포푸리의 향을 선택하고 그 향을 맡으며 실적에 도움이 되는 일이라면 가리지 않고 달려들며 영훈은 겨우 불안한 마음을 가라앉힐 수 있었다. 그러나 그것은 포푸리 덕분이 아니라 견딜 수 없는 긴장과 불안이 만들어낸 또 다른 환각일 뿐이었다. 지점장이 지시한 대출 업무를 원칙에 맞지 않는다는 이유로 거부했기 때문에 해고당할 뻔한 경험이 있는 영훈은, 기업의 재무구조가 부실하더라도 무리한 대출을 강행하고, 다른 은행의 부실을 부풀리며 고객을 유치하고, 고객의 필요와 상관없이 보험과 예·적금을 권유했으며, 살아남기 위해서 그것은 당연한 일이라고 생각했다. 실적이 쌓여가면서 불안은 누그러졌으나 그것은 포푸리 덕분이 아니라 살아남기 위해서라면 악마의 쳇바퀴도 마다하지 않고 달려야 한다는 자기최면의 결과였을 뿐이다. 그리고 최종적인 구조조정 발표날 영훈은 겨우 해고 통보를 면할 수 있었지만 그것은 그가 수단과 방법을 가리지 않고 끌어 모은 실적 때문이 아니었다. 우연하게 자신을 비껴간 대출 업무가 구조조정의 빌미가 되었을 뿐이었다. 그리고 우연히 비껴간 그 업무를 떠안은 동료 행원은 해고 통보를 받고 넋을 잃는다. 실적도 업무 고과도 모두 핑계일 뿐, 자본이 필요로 하는 것은 최소한의 인원으로 더욱 가혹하고 비인간적인 업무를 강요하는 시스템일 뿐이었다. 그 시스템이 가동하는 한, 그것을 유지하는 구성원은 누구라도 상관없다. 어차피 모두 이 악마의 쳇바퀴에 올라타지 않을 수 없으니까. 불안이 만들어낸 환각 속에서 스스로 자본의 가장 핵심적인 부품이 되어가는 인간, 그것이 우리 시대의 가혹한 존재론이 아니면 무엇일까. 불안은 영혼을 잠식한다.

탐문은 계속된다. 나비 한 마리가 북경에서 날개를 살랑거려 공기를 흔들면 다음 달 뉴욕에서 폭풍이 일어날 수도 있다. '나비효과'로 이름 붙여진 이 현상은 우연에 의해 지배되는 우리 삶의 불가해성으로 해석되기도 하고, 결코 원인 없이 일어날 수 없는 삶의 비정한 법칙성으로 해석되기도 한다. 그러니 이 카오스의 한가운데에서 우리는 어떤 태도를 선택할 것인가. 17층에서 떨어진 아령이 길 가던 사내의 머리에 정통으로 내리꽂힌 사건을 두고 「나비, 살랑거리다」의 '나'는 생각한다. "삶이라는 게 다 그렇지 않겠나, 하는 위안에 처음에는 가슴 저 안쪽이 따스해지더니 별안간 그 온기가 맹렬한 한기로 돌변했다. 이윽고 두려움이, 어쩌지 못할 불길한 두려움이 해일처럼 밀려들었다."(228쪽)

단자를 바꿔 꽂는 어처구니없는 실수로 회사에 막대한 손해를 끼치고 퇴사한 후, 일체의 사회 활동을 포기한 '나'의 불운도 이 카오스의 어디쯤에 우연과 필연의 스파크로 존재하고 있을 것이다. 「나비, 살랑거리다」가 '나'의 소설 쓰기로 진행되는 것은 의미심장하다. 단자는 우연히 잘못 끼워졌고, 아령은 우연히 떨어졌겠지만 그것으로 삶은 결정적으로 바뀐다. 바둥거려 보아야 소용없는 것이라고 이 우연성의 세계를 겸허히 수용할 수도 있겠지만, 찰나의 우연으로 삶이 바뀔 수밖에 없다면 그 우연은 과연 무엇인가를 물어 볼 수도 있으리라. 작은 불안이 더 큰 불안을 만들고 그것이 돌이킬 수 없는 사고를 만들기도 한다면, 그 불안이 만들어낸 환각 때문에 우리들의 영혼이 파괴되기도 한다면, 아무리 작은 나비의 날갯짓도 이 삶의 고통과 전혀 무관하지 않다. "인생이 이렇듯 허전하고, 그 허전함의 밑바닥을 꽉 채우고 있는 암울한 덩어리가 결국 어떤 조그마한 조건에서 비롯된다는 사실에 묵직한 통증이 천천히 목구멍을 타고 올랐"(「나비, 살랑거리다」, 228쪽)지만, "왜 이렇게 되었는지를 추적해보는 일은 우리의 모든 책무이자 권리"이며, "좇아가다 보면 뭔가 삶의 비밀이 풀리지 않을까 하는 기대"(215쪽)도 버릴 수 없다. 홍양순은 이것을 소설 쓰기라고 말하고 있는 듯하다. 그러므로 탐문은 여전히 진행 중이다.

(『본질과 현상』, 2012년 봄호)

문학의 불안

2015년 7월 6일 1판 1쇄 찍음
2015년 7월 13일 1판 1쇄 펴냄

지은이 서영인
펴낸이 김남일
편집 이호석, 박성아, 이승한
디자인 김현주
관리 · 영업 김태일, 박윤혜

펴낸곳 (주)실천문학
등록 10-1221호(1995.10.26)
주소 서울특별시 마포구 월드컵로10길 48 501호(서교동, 동궁빌딩)
전화 322-2161~5
팩스 322-2166
홈페이지 www.silcheon.com

ISBN 978-89-392-0733-2 93810

이 책은 서울문화재단 '2012 예술창작지원-문학' 사업의 지원을 받아 발간되었습니다.